ACCESO GRATIS *a la Lectura en la Nube*

Para visualizar el libro electrónico en la nube de lectura envíe junto a su nombre y apellidos una fotografía del código de barras situado en la contraportada del libro y otra del ticket de compra a la dirección:

ebooktirant@tirant.com

En un máximo de 72 horas laborales le enviaremos el código de acceso con sus instrucciones.

PROTECCIÓN DE LOS CONSUMIDORES, CLÁUSULAS ABUSIVAS Y PODERES DE DIRECCIÓN DEL JUEZ EN EL PROCESO CIVIL

PROTECCIÓN DE LOS CONSUMIDORES, CLÁUSULAS ABUSIVAS Y PODERES DE DIRECCIÓN DEL JUEZ EN EL PROCESO CIVIL

Marina Cedeño Hernán
Profesora Titular de Derecho Procesal
Universidad Complutense de Madrid
Miembro del Instituto de Derecho Europeo e Integración Regional (IDEIR)

tirant lo blanch
Valencia, 2023

En caso de erratas y actualizaciones, la Editorial Tirant lo Blanch publicará la pertinente corrección en la página web www.tirant.com.

La presente obra ha sido sometida a la revisión de pares ciegos según el protocolo de publicación de la editorial a efectos de ofrecer el rigor y calidad correspondiente tanto en su contenido como en su forma, aplicándose los criterios específicos aprobados por la Comisión Nacional E 016 (BOE num. 286, de 26 de noviembre de 2016).

Esta monografía se ha elaborado en el marco del Proyecto Nacional I+D «Eficiencia y acceso a la Justicia civil en tiempos de austeridad» (Ref. PID2021-122647NB-I00), financiado por el Ministerio de Ciencia e Innovación.

© Marina Cedeño Hernán

© TIRANT LO BLANCH
EDITA: TIRANT LO BLANCH
C/ Artes Gráficas, 14 - 46010 - Valencia
TELFS.: 96/361 00 48 - 50
FAX: 96/369 41 51
Email: tlb@tirant.com
www.tirant.com
Librería virtual: www.tirant.es
DEPÓSITO LEGAL: V-3707-2023
ISBN: 978-84-1197-454-7
MAQUETA: Innovatext

Si tiene alguna queja o sugerencia, envíenos un mail a: *atencioncliente@tirant.com*. En caso de no ser atendida su sugerencia, por favor, lea en *www.tirant.net/index. php/empresa/politicas-de-empresa* nuestro procedimiento de quejas.

Responsabilidad Social Corporativa: http://www.tirant.net/Docs/RSCTirant.pdf

A mi hijo, Alonso.

Gracias por iluminar mi vida con tu sonrisa.

Índice

Capítulo III

**La práctica de prueba de oficio
en el proceso declarativo**

Capítulo VI

**El principio de efectividad y sus repercusiones
sobre la cosa juzgada: ¿el derecho del consumidor
a no resultar vinculado por una cláusula abusiva exige
hacer una excepción a la cosa juzgada?**

Capítulo VII

**La responsabilidad patrimonial del Estado
por violación del Derecho de la Unión a través
de las resoluciones judiciales**

Capítulo X
**Los poderes de actuación de oficio del juez en los procesos
de reclamación de derechos de procuradores
y honorarios de abogados**

Capítulo XI
**Los poderes de actuación de oficio del juez en el proceso
de ejecución hipotecaria**

Capítulo XII

**El control de oficio de cláusulas abusivas en el proceso
de ejecución de títulos ejecutivos judiciales y asimilados**

Principales Abreviaturas

AAP	Auto de la Audiencia Provincial
ATS	Auto del Tribunal Supremo
CDFUE	Carta de Derechos Fundamentales de la Unión Europea.
CE	Constitución Española
CEDH	Convenio Europeo para la protección de los Derechos Humanos y de las Libertades Fundamentales
FJ	Fundamento Jurídico
LA	Ley 60/2003, de 23 de diciembre, de Arbitraje
LEC	Ley 1/2000, de 7 de enero, de Enjuiciamiento Civil
LGDCU	Ley General para la Defensa de los consumidores y usuarios, aprobada por Real Decreto Legislativo 1/2007, de 16 de noviembre
LOPJ	Ley Orgánica 6/1985, de 1 de julio, del Poder Judicial
LJCA	Ley 29/1998, de 13 de julio, reguladora de la Jurisdicción Contencioso-Administrativa
RPME	Reglamento (CE) nº 1896/2006 del Parlamento Europeo y del Consejo, de 12 de diciembre de 2006, por el que se establece un proceso monitorio europeo.
SAP	Sentencia de la Audiencia Provincial
STJCE	Sentencia del Tribunal de Justicia de las Comunidades Europeas
STJUE	Sentencia del Tribunal de Justicia de la Unión Europea
STC	Sentencia del Tribunal Constitucional
STS	Sentencia del Tribunal Supremo
TC	Tribunal Constitucional
TFUE	Tratado de Funcionamiento de la Unión Europea
TJUE	Tribunal de Justicia de la Unión Europea
TS	Tribunal Supremo
UE	Unión Europea

Los límites a la autonomía procesal de los Estados y la progresiva extensión de los poderes de dirección del juez

1. INTRODUCCIÓN

En los últimos años estamos asistiendo a un notable incremento en el planteamiento de cuestiones prejudiciales por los tribunales nacionales relacionadas con la compatibilidad entre las normas procesales o sustantivas internas y la protección que el Derecho de la Unión Europea brinda a los consumidores. De este modo, las sentencias del Tribunal de Justicia de la Unión Europea están incidiendo de forma directa en la configuración de los sistemas procesales civiles de los Estados miembros y en los principios fundamentales en que éstos se inspiran.

Si centramos la atención en la situación española, podemos constatar que la jurisprudencia del Tribunal de Justicia no solo ha obligado a los tribunales nacionales a modificar algunos de sus planteamientos y doctrinas anteriores, sino que también ha empujado al legislador patrio a llevar a cabo reformas parciales en la legislación procesal cada vez que desde Luxemburgo se decidía que una norma procesal resulta incompatible con la protección que merecen los consumidores conforme al Derecho de la Unión. Esta forma de legislar al compás del Tribunal de Justicia y sin una reflexión profunda sobre lo que de verdad exige el Derecho de la Unión para una protección efectiva de los consumidores no parece el mejor camino para garantizar una tutela eficiente de los derechos de los consumidores.

La anterior conclusión se refuerza si se repara en que, en alguna ocasión, el planteamiento de la cuestión prejudicial va acompañado de interpretaciones erróneas o sesgadas de las normas procesales o se formula la pregunta al Tribunal de Justicia de manera que se está condicionando la respuesta y no se pretende otra cosa que conseguir la decisión anhelada por quien así suscita el problema interpretativo. Esta forma de actuar, consciente o inconsciente, constituye un factor distorsionador que debe ser tenido en cuenta a la hora de valorar el impacto que la jurisprudencia del TJUE debe tener en el ordenamiento interno[1].

No cabe duda de que la tutela de los derechos de los consumidores constituye un ámbito especialmente sensible y puede requerir de instrumentos procesales en parte diferentes a los que se utilizan, con carácter general, en cualquier proceso civil. A este respecto resultan muy ilustrativas las palabras del maestro italiano CHIOVENDA cuando afirmaba que «todo ordenamiento jurídico debe presentar una clara correspondencia y una clara coordinación entre la ley sustancial y la ley procesal, en el sentido de que toda voluntad concreta de la ley cuya formación sea posible según una ley sustancial, debe encontrar en la ley procesal medios idóneos para la actuación»[2]. Por tanto, la protección de los consumidores no ha de verse obstaculizada por el proceso y si para lograr este fin resulta necesario introducir algunas especialidades en ese proceso, habrá que hacerlo, pero sin olvidar que el proceso es una compleja estructura y cualquier cambio ha de estar conectado con su arquitectura general si no queremos romper la coherencia del sistema procesal.

---

[1]   En este sentido, A. MARTÍNEZ SANTOS, «Cuando Luxemburgo carga contra molinos de viento: algunas cautelas a la hora de recibir la jurisprudencia del Tribunal de Justicia de la Unión Europea en materia procesal civil», en *Revisión del sistema de Fuentes y su repercusión en el Derecho procesal*, Dykinson, Madrid, 2021, p. 291.

[2]   G. CHIOVENDA, *Instituciones de Derecho Procesal Civil* (traducción de E. Gómez Orbaneja,), Madrid, 1936, pp. 49 y ss.

2. EL PRINCIPIO DE COOPERACIÓN LEAL Y LA AUTONOMÍA PROCESAL DE LOS ESTADOS MIEMBROS

El Tratado de la Unión Europea consagra, en su artículo 4.3, el principio de cooperación leal que obliga a los Estados miembros a adoptar las medidas necesarias para garantizar la plena efectividad del Derecho de la Unión. Este es, conforme a una reiterada jurisprudencia del Tribunal de Justicia, el fundamento tanto de la primacía como de la eficacia directa y de la responsabilidad patrimonial del Estado por infracción del Derecho de la Unión.

En íntima conexión con el principio de cooperación leal está la autonomía procesal de los Estados que reserva a los ordenamientos nacionales la delimitación de los cauces procesales adecuados para garantizar la tutela de los derechos que el Derecho de la Unión reconoce a los ciudadanos[3]. El Tribunal de Justicia suele definir la autonomía procesal con los siguientes términos: «conforme a reiterada jurisprudencia, a falta de normativa de la Unión en la materia, corresponde a cada Estado miembro, en virtud del principio de autonomía procesal de los Estados miembros, configurar la regulación

---

[3]   La autonomía procesal no se encuentra recogida en ninguna norma de los Tratados. La expresión autonomía procesal o procedimental sí aparece en la jurisprudencia en épocas no muy lejanas, aunque la doctrina ya se había referido a ese concepto con anterioridad. Parece que la primera ocasión se encuentra en la STJUE de 7 de enero de 2004, asunto *Delena Wells* (C-201/02). Resulta polémico determinar si nos encontramos propiamente ante un principio o ante una mera técnica de remisión normativa para aquellas cuestiones no reguladas en el ordenamiento europeo. Sobre el tema, cfr., entre otros, X. ARZOZ SANTISTEBAN, «La autonomía institucional y procedimental de los Estados miembros de la Unión Europea: mito o realidad», en *Revista de Administraciones Públicas*, mayo-agosto, 2013, pp. 159 a 197; M. BOBEK, «Why there is no Principle of "Procedural Autonomy" of the Member States», en *The European Court of Justice and the Autonomy of the Member States*, Antwerp, Intersentia, 2011, pp. 305 a 324; o H.W. MICKLITZ y B. DE WITTE (editores), *The European Court of Justice and the Autonomy of the Member States*, Intersentia Publishing Ltd., Cambridge, 2012.

del procedimiento destinado a garantizar la salvaguardia de los derechos que el Derecho de la Unión confiere a los justiciables»[4].

No puede negarse la heterogeneidad de las regulaciones procesales de los distintos Estados miembros. Los derechos que la legislación europea reconoce a los ciudadanos de la Unión han de ser objeto de una interpretación homogénea, pero para tutelarlos se someten a diferentes sistemas procesales. La razón se remontar a las antiguas Comunidades Europeas que, en su proceso de integración, centraron sus esfuerzos en crear una regulación sustantiva común de las políticas europeas para conseguir los objetivos marcados por los Tratados. Esta prioridad por legislar en clave sustantiva obligó a soslayar la dimensión procesal, pese a la asimetría en las legislaciones procesales internas. No cabía, pues, otra solución que permitir a los Estados miembros articular la protección del Derecho de la Unión de conformidad con sus respectivos ordenamientos procesales internos[5].

Ahora bien, la autonomía procesal no es absoluta sino que está sujeta a dos límites. El primero es el principio de equivalencia en cuya virtud los derechos reconocidos por el Derecho de la Unión no han de ser tutelados de forma menos favorable que los equivalentes derechos consagrados en los ordenamientos internos. El segundo es el principio de efectividad que prohíbe que la regulación interna de los Estados haga imposible en la práctica o excesivamente difícil el ejercicio de los derechos reconocidos por el ordenamiento jurídico de la Unión[6].

Con el tiempo parece que el legislador europeo va siendo cada vez más consciente de la trascendencia de la dimensión proce-

---

[4]   Como simple botón de muestra, la STJUE de 12 de diciembre de 2019, asunto ML c. Aktiva Finants OÜ (C-433/18).

[5]   Cfr. P. M. QUESADA LÓPEZ, *El principio de efectividad del Derecho de la Unión Europea y su impacto en el Derecho procesal nacional*, Iustel, Madrid, 2019, pp. 62 y 63.

[6]   Cfr., entre otros, A. MANGAS MARTÍN y D. J. LIÑÁN NOGUERAS, *Instituciones y Derecho de la Unión Europea*, Madrid, 2020, pp. 453 y 454.

sal para lograr la plena garantía de derechos reconocidos en el ordenamiento de la Unión. Este es el motivo por el que se han aprobado normas europeas que pretenden dar una regulación unitaria a ciertos instrumentos procesales. Sin embargo, el grueso de la legislación procesal sigue siendo un terreno reservado a los Estados miembros.

El significado y alcance de la autonomía procesal, así como de los principios de equivalencia y efectividad como límites de aquella han experimentado una evolución desde su formulación por la jurisprudencia europea hasta la actualidad. En una primera etapa se aceptan, con carácter general, los estándares de protección establecidos en las normas nacionales y la interferencia del Tribunal de Justicia se reduce a lo mínimo imprescindible. El punto de partida de este periodo se encuentra en la STJCE de 16 de diciembre de 1976, asunto Rewe-Zentralfinanz c. Rewe-Zentral (C-33/76) y la Sentencia de la misma fecha, asunto Comet BV (C-45/76), que consideran compatible con el Derecho comunitario el establecimiento de plazos preclusivos para impugnar una decisión de una autoridad nacional por incompatibilidad con el mencionado Derecho comunitario, siempre que esas normas procesales no sean menos favorables que las aplicables a recursos similares de carácter interno. Se analiza, pues, la adecuada protección del Derecho comunitario desde la perspectiva del principio de equivalencia, mientras que el principio de efectividad solo entra en juego en los casos en que las normas procesales internas hacen prácticamente imposible la eficacia del Derecho comunitario.

Este planteamiento flexible no impide al Tribunal de Luxemburgo poner de manifiesto que el juez nacional debe inaplicar cualesquiera disposiciones nacionales que supongan un obstáculo para la eficacia del Derecho comunitario, sin necesidad de esperar a que esas normas internas sean derogadas[7].

---

[7]   Vid. STJCE de 9 de marzo de 1978, asunto Amministrazione delle Finanze dello Stato c. Simmenthal (C-106/77).

La segunda etapa se caracteriza por un control más intenso del grado de protección que los ordenamientos nacionales ofrecen a los justiciables para garantizar los derechos reconocidos a nivel europeo. Este periodo coincide con un notable aumento de las cuestiones prejudiciales relacionadas con la protección de los consumidores. El medio elegido por el máximo intérprete del Derecho europeo para asegurar la adecuada tutela de los derechos reconocidos a los ciudadanos europeos es el principio de efectividad que permitirá considerar contraria al ordenamiento comunitario aquella legislación nacional que haga no solo imposible sino también «excesivamente difícil» el ejercicio de tales derechos. Una buena muestra la encontramos en la STJCE de 19 de junio de 1990, asunto Factortame (C-213/89) en la que se afirma que el Derecho comunitario debe interpretarse en el sentido de que un órgano jurisdiccional nacional, que esté conociendo de un litigio relativo al Derecho comunitario, debe excluir la aplicación de una norma de Derecho nacional que impida conceder medidas provisionales de protección de los derechos invocados, suspendiendo la aplicación de la disposición nacional hasta que se decida la cuestión prejudicial. La nueva postura del TJCE se resume perfectamente con los siguientes términos: «sería incompatible con las exigencias inherentes a la propia naturaleza del Derecho comunitario toda disposición de un ordenamiento jurídico nacional o toda práctica legislativa, administrativa o judicial, que redujese la eficacia del Derecho comunitario por el hecho de negar al Juez competente para aplicar ese Derecho la facultad de hacer, en el mismo momento de esa aplicación, todo lo necesario para excluir las disposiciones legislativas nacionales que pudiesen constituir un obstáculo, incluso temporal, a la plena eficacia de las normas comunitarias»[8].

El reforzamiento del principio de efectividad durante esta etapa permite al Tribunal de Luxemburgo establecer nuevos crite-

---

[8] En la misma línea, SSTJCE de 25 de julio de 1991, asunto Theresa Emmott (C-208/90) y de 19 de noviembre de 1991, asuntos acumulados Francovich y Bonifaci (C-6/90 y 9/90).

rios interpretativos de las normas procesales nacionales que reemplazan a los utilizados por los tribunales internos en aras a la mejor tutela de los derechos sustantivos reconocidos en la normativa europea. En consecuencia, la primacía del Derecho de la Unión se extiende más allá del ámbito de su competencia inicial y repercute de forma directa sobre los sistemas procesales de los Estados miembros, pese a que no haya una normativa comunitaria que ofrezca una regulación procesal uniforme. Este planteamiento conlleva, es obvio, una clara restricción de la autonomía procesal de los Estados.

La radicalización de la postura del máximo intérprete del Derecho comunitario durante esta etapa fue objeto de críticas en los Estados miembros motivadas tanto por la alta dosis de inseguridad jurídica derivada de la imprevisibilidad de la extensión que se podía dar al principio de efectividad y a la primacía del Derecho de la Unión como del temor fundado de que se produzca una desigualdad de trato ante situaciones idénticas en función del origen comunitario o nacional del derecho a tutelar[9].

Con estos antecedentes se inicia una nueva etapa en la que el propio Tribunal de Justicia intenta poner cierto freno a la expansión desmesurada del principio de efectividad y su repercusión sobre los ordenamientos internos de los Estados miembros. Esta voluntad empuja al Tribunal de Luxemburgo a buscar el equilibrio entre la adecuada tutela jurisdiccional de los derechos reconocidos a los ciudadanos europeos y el respeto a los sistemas procesales de los Estados miembros y, por ende, a la seguridad jurídica que se había visto sensiblemente comprometida en anteriores momentos.

Esta ponderación se intenta conseguir mediante un análisis de los principios de equivalencia y efectividad no de forma abstracta,

---

[9]   Cfr., M. SERRANO MASIP, «Efectos de la jurisprudencia del Tribunal de Justicia de la Unión Europea sobre el proceso civil interno», en *Revista de Estudios Europeos*, n° 68, Julio/diciembre, 2016, pp. 8 y 9.

sino en el contexto del concreto sistema procesal de cada Estado. A este respecto, el Tribunal de Justicia afirma que «cada caso en el que se plantee la cuestión de si una disposición procesal nacional hace imposible o excesivamente difícil la aplicación del Derecho comunitario debe analizarse teniendo en cuenta el lugar que ocupa dicha disposición dentro del conjunto del procedimiento y el desarrollo y las peculiaridades de éste ante las diversas instancias nacionales»[10]. Y, añade, que se deben tomar en consideración «los principios sobre los que se basa el sistema jurisdiccional nacional, tales como la protección del derecho de defensa, el principio de la seguridad jurídica y el buen desarrollo del procedimiento»[11].

Esta nueva perspectiva, más conciliadora, lleva al Tribunal de Luxemburgo a considerar que «el Derecho comunitario no impone a los órganos jurisdiccionales nacionales aducir de oficio un motivo basado en la infracción de disposiciones comunitarias, cuando el examen de este motivo les obligaría a renunciar a la pasividad que les incumbe, saliéndose de los límites del litigio tal como ha sido circunscrito por las partes y basándose en hechos y circunstancias distintos de aquellos en los que fundó su demanda la parte interesada en la aplicación de dichas disposiciones». Así se pone de manifiesto en la STJUE de 14 de diciembre de 1995, asunto van Schijndel (C-430/93 y 431/93), que no considera necesario hacer excepciones en la aplicación del principio dispositivo que rige en el proceso civil, ni siquiera para permitir al juez la apreciación de oficio de la compatibilidad de una norma nacional con el Derecho comunitario y añade que «esta limitación está justificada por el principio según el cual la iniciativa en un proceso corresponde a las partes y el juez solo puede actuar de oficio en casos excepcionales en los que el interés público exige su intervención».

---

[10]   Vid. STJUE de 13 de marzo de 2007, asunto Unibet (C-432/05), apartado 54.
[11]   Vid. STJUE de 14 de diciembre de 1995, asunto van Schijndel (C-430/93 y 431/93), apartado 19.

El Tribunal de Justicia, por tanto, admite que el principio dispositivo, como criterio técnico básico que rige en los procesos en los que estén en juego derechos o intereses privados, puede imponer limitaciones a la apreciación de oficio de hechos o circunstancias de las que derive la posible vulneración de disposiciones comunitarias o nacionales, siempre que éstas no puedan considerarse de orden público o exista un interés público que deba prevalecer. De este modo, en la Sentencia van Schijndel se sientan las bases que servirán de guía para resolver, en posteriores ocasiones, la compatibilidad entre el Derecho de la Unión y las normas nacionales que impidan esa apreciación de oficio por el juez nacional[12].

Ahora bien, hay un dato importante que no ha de pasar desapercibido: en todos los asuntos en los que el Tribunal de Luxemburgo ensalza el principio dispositivo sobre la apreciación de oficio de posibles vulneraciones del Derecho de la Unión estamos fuera del ámbito del Derecho de consumo. Muy diferente, y mucho más radical, es la postura del Tribunal de Justicia cuando están en juego los derechos de los consumidores y usuarios reconocidos en la normativa europea. Y es que, pese a que estemos ante procesos regidos también por el principio dispositivo, el Tribunal de Justicia se aparta de forma manifiesta de la interpretación con-

---

[12]   En este sentido, STJUE de 7 de junio de 2007, asunto van der Weerd (C-222/05 a C-225/05), en cuyo apartado 41 se puede leer: «De las consideraciones precedentes se desprende que, en asuntos como los que constituyen el objeto de los procedimientos principales, el principio de efectividad no impone a los órganos jurisdiccionales nacionales una obligación de examinar de oficio un motivo basado en una disposición comunitaria —con independencia de la importancia de ésta para el ordenamiento jurídico comunitario—, siempre y cuando las partes tengan una oportunidad efectiva de formular un motivo basado en el Derecho comunitario ante un órgano jurisdiccional nacional. Puesto que las partes demandantes de los procedimientos principales han tenido la oportunidad efectiva de formular motivos basados en la Directiva 85/511, el principio de efectividad no obliga al juez remitente a examinar de oficio el motivo basado en los artículos 11 y 13 de esta Directiva».

ciliadora y respetuosa con los sistemas procesales internos a la que se acaba de hacer referencia.

El máximo intérprete del Derecho de la Unión se ve obligado a explicar la razón por la que mantiene unos planteamientos tan dispares en materia de Derecho de consumo. Así, en la STJUE de 7 de junio de 2007, asunto van der Weerd (C-222/05 a C-225/05), se justifica por «la necesidad de garantizar al consumidor la protección efectiva a que se refiere la Directiva 93/13/CEE del Consejo, de 5 de abril de 1993, sobre las cláusulas abusivas en los contratos celebrados con consumidores».

Se puede adelantar, pues, que cuando están en juego los derechos de los consumidores y usuarios, el TJUE estima que concurre un interés público y que los órganos jurisdiccionales nacionales han de garantizar la adecuada protección de sus derechos, compensando la desigualdad existente entre el consumidor y el empresario en la esfera extraprocesal[13]. Esta postura tuitiva de los consumidores se mantiene, aunque suponga una limitación a la autonomía procesal de los Estados[14].

3. LOS PILARES SOBRE LOS QUE SE ASIENTA EL REFUERZO DE LOS PODERES DE DIRECCIÓN DEL JUEZ EN MATERIA DE DERECHO DE CONSUMO

En las múltiples sentencias en las que el TJUE se pronuncia sobre la tutela judicial de los derechos de los consumidores es

---

[13]   En el mismo sentido, M. SERRANO MASIP, «Efectos de la jurisprudencia..», cit., p. 10.

[14]   En este sentido, SERRANO MASIP, M., «Pérdida de la autonomía procesal de los Estados miembros en virtud del principio de efectividad de la normativa de la Unión Europea sobre protección civil de los consumidores», en *Los retos jurídicos ante la crisis*, M. T. ARECES PIÑOL (dra.), Thomson Reuters Aranzadi, Navarra, 2014, pp. 259 a 290 y M. JIMENO BULNES, *Un proceso europeo para el siglo XXI*, Publicaciones Universidad de Burgos, 2018, p. 37.

común tomar como premisa la situación de inferioridad del consumidor frente al empresario o profesional tanto en su información previa como en su capacidad de negociación, situación que le lleva a adherirse a las condiciones redactadas de antemano por el profesional sin poder influir en su contenido. Este escenario de desequilibrio solo puede compensarse, a juicio del Tribunal de Luxemburgo, mediante una intervención positiva de un tercero, ajeno a las partes del contrato. O, con otros términos, el refuerzo en los poderes de dirección del juez sería el contrapeso necesario para alcanzar dentro del proceso el equilibrio que no se ha podido lograr fuera del proceso[15].

La desigualdad de condiciones entre el consumidor y el profesional es también el fundamento de la normativa europea especialmente tuitiva con los derechos de los consumidores. Dentro de esta regulación es, sin duda, la Directiva 93/13/CEE del Consejo, de 5 de abril de 1993, sobre las cláusulas abusivas en los contratos celebrados con consumidores, la que ha tenido una mayor relevancia en la configuración de nuestro sistema procesal civil. Esto es así porque ha sido la jurisprudencia del TJUE dictada al resolver cuestiones prejudiciales relativas a la interpretación de la Directiva sobre cláusulas abusivas la que ha impulsado buena parte de los cambios que se han producido tanto a nivel legislativo como de interpretación de los tribunales nacionales en esta materia.

No obstante, la especial protección de los consumidores y la ampliación de los poderes de dirección del juez no se han limitado a los conflictos en los que se plantea el cumplimiento de una cláusula que puede resultar abusiva, sino que se han extendido

---

[15]   Como simples botones de muestra pueden verse las Sentencias de 27 de junio de 2000, asunto Océano Grupo Editorial y Salvat Editores (C-240/98 a C-244/98), apartado 25; de 26 de octubre de 2006, asunto Mostaza Claro (C-168/05), apartado 25; de 6 de octubre de 2009, asunto Asturcom Telecomunicaciones (C-40/08), apartado 29 y de 14 de junio de 2012, asunto Banco Español de Crédito (C-618/10), apartado 39.

a otros aspectos relacionados con la tutela de los consumidores. No pueden, por ello, dejar de tenerse presentes las sentencias en las que el TJUE valora la compatibilidad de la legislación interna de un Estado miembro con otras directivas cuyo objetivo es alcanzar un alto nivel de protección de los consumidores dentro de la Unión Europea[16].

---

[16] Son muchas las normas europeas con las que se persigue una armonización, al menos de mínimos, en los derechos reconocidos a los consumidores. Así, pueden destacarse las siguientes: la Directiva 87/102/CEE del Consejo, de 22 de diciembre de 1986, relativa a la aproximación de las disposiciones legales, reglamentarias y administrativas de los Estados miembros en materia de crédito al consumo; Directiva 2014/17/UE del Parlamento Europeo y del Consejo de 4 de febrero de 2014 sobre los contratos de crédito celebrados con los consumidores para bienes inmuebles de uso residencial y por la que se modifican las Directivas 2008/48/CE y 2013/36/UE y el Reglamento (UE) no 1093/2010; Directiva 2002/65/CE del Parlamento Europeo y del Consejo de 23 de septiembre de 2002 relativa a la comercialización a distancia de servicios financieros destinados a los consumidores, y por la que se modifican la Directiva 90/619/CEE del Consejo y las Directivas 97/7/CE y 98/27/CE; la Directiva 2005/29/CE del Parlamento Europeo y del Consejo, de 11 de mayo, sobre prácticas comerciales desleales de las empresas en sus relaciones con los consumidores; Directiva 2008/122/CE del Parlamento Europeo y del Consejo de 14 de enero de 2009 relativa a la protección de los consumidores con respecto a determinados aspectos de los contratos de aprovechamiento por turno de bienes de uso turístico, de adquisición de productos vacacionales de larga duración, de reventa y de intercambio; la Directiva 2011/83/UE del Parlamento Europeo y del Consejo, de 25 de octubre de 2011, sobre los derechos de los consumidores, por la que se modifican la Directiva 93/13/CEE del Consejo y la Directiva 1999/44/CE del Parlamento Europeo y del Consejo y se derogan la Directiva 85/577/CEE del Consejo y la Directiva 97/7/CE del Parlamento Europeo y del Consejo; Directiva (UE) 2019/771 del Parlamento Europeo y del Consejo de 20 de mayo de 2019 relativa a determinados aspectos de los contratos de compraventa de bienes, por la que se modifican el Reglamento (CE) n.º 2017/2394 y la Directiva 2009/22/CE y se deroga la Directiva 1999/44/CE: Directiva (UE) 2019/2161 del Parlamento Europeo y del Consejo de 27 de noviembre de 2019 por la que se modifica la Directiva 93/13/CEE del Consejo

Estas directivas, referidas a aspectos muy variados de la tutela de los consumidores, tienen en común que se centran en la vertiente sustantiva de la protección del consumidor dentro de su ámbito de aplicación, pero no abarcan el aspecto procesal. Tan solo podemos encontrar vagas referencias al derecho de acceso a la justicia con el fin de proteger los derechos reconocidos a los consumidores. Sin embargo, en ninguna de ellas se regula expresamente la extensión de los poderes de dirección del juez en el proceso civil como medio para logar el blindaje de los derechos sustantivos reconocidos a los consumidores.

La inexistencia de normas a nivel europeo que regulen la forma de hacer valer dentro de un proceso los derechos reconocidos a los consumidores en las directivas se trata de subsanar por el Tribunal de Luxemburgo[17]. Los instrumentos de que se ha servido

---

y las Directivas 98/6/CE, 2005/29/CE y 2011/83/UE del Parlamento Europeo y del Consejo, en lo que atañe a la mejora de la aplicación y la modernización de las normas de protección de los consumidores de la Unión; Directiva (UE) 2020/1828 CE del Parlamento Europeo y del Consejo de 25 de noviembre de 2020 relativa a las acciones de representación para la protección de los intereses colectivos de los consumidores, y por la que se deroga la Directiva 2009/22/CE.

[17]   En este sentido, F. GASCÓN INCHAUSTI, *Derecho europeo y legislación procesal civil nacional: entre autonomía y armonización*, Marcial Pons, Madrid, 2018, p. 106, afirma que «el Tribunal de Justicia está construyendo con su jurisprudencia una suerte de Derecho pretoriano, al socaire de la interpretación prejudicial de normas europeas: al resolver cuestiones prejudiciales —en menor medida, también al resolver recursos de casación— se está elaborando de forma progresiva una auténtico *corpus* normativo autónomo, que los operadores jurídicos consideran tanto o más vinculante que los propios preceptos emanados del poder legislativo europeo».

En la misma línea, F. MOYA HURTADO DE MENDOZA, «Efectividad del Derecho de la Unión Europea vs. principio constitucional de imperio de la Ley», en *Revista de derecho político*, nº 99, 2017, pp. 399 a 431 y C. FIDALGO GALLARDO, «El proceso de desplazamiento de la autoridad normativa en los ordenamientos europeos, desde los legislativos nacionales a las instituciones de la Unión Europea. El TJUE como estrella

el TJUE para alcanzar este objetivo son fundamentalmente tres: el orden público comunitario, el principio de efectividad y, en íntima conexión con éste, el derecho a la tutela judicial efectiva.

3.1. El orden público comunitario

La delimitación del concepto de orden público comunitario y de los efectos derivados de su infracción reviste una especial dificultad. No existe un texto normativo a nivel europeo que precise el contenido de este orden público y ha sido, una vez más, la jurisprudencia del TJUE la que se ha encargado de abordar este espinoso tema[18].

Con carácter general, el orden público no es un concepto estanco, sino que evoluciona a lo largo del tiempo para dar cabida a aquellos valores o principios que se consideran esenciales dentro de una sociedad determinada y en un momento concreto. En este sentido, la Sentencia del TJUE de 1 de junio de 1999, asunto Eco Swiss (C-126/97), considera incluidas dentro del orden público comunitario aquellas normas que sean esenciales para conseguir los objetivos de la Unión[19].

---

emergente en el firmamento de la Unión», en *Revista General de Derecho Procesal*, n°. 40, 2016, en www.iustel.com.

[18]   La primera resolución en la que se hace referencia al orden público comunitario, aunque sin definir el concepto, es el Auto del TJCE de 22 de junio de 1965, asunto Faillite des Acciaierie San Michele (C-9/65), en el que se considera contrario al orden público comunitario todo intento de un Estado de eludir una obligación impuesta por el Tratado de la Comunidad Europea del Carbón y del Acero.

[19]   En los apartado 36 y 37 de esta Sentencia se afirma lo siguiente: «No obstante, con arreglo al artículo 3, letra g), del Tratado CE [actualmente, artículo 3 CE, apartado 1, letra g)], el artículo 85 del Tratado constituye una disposición fundamental indispensable para el cumplimiento de las misiones confiadas a la Comunidad, especialmente para el funcionamiento del mercado interior» y, continúa, «de ello se deduce que, en la medida en que un órgano jurisdiccional nacional deba, en aplicación de sus normas procesales internas, estimar un recurso de

No resulta, por ello, extraño que el Tribunal de Luxemburgo se refiera a éste como un concepto dinámico cuyo contenido se puede ir completando o matizando en cada momento[20]. Desde una primera delimitación referida tan solo al orden público económico se ha extendido a los derechos y libertades reconocidos en la Carta de Derechos Fundamentales de la Unión Europea y, en lo que ahora interesa, ha alcanzado a la tutela de los derechos de los consumidores[21].

Son dos las características que ha de cumplir una norma para que pueda considerarse incluida dentro de ese orden público. La primera es que sirva a un objetivo fundamental en el ordenamiento jurídico de la Unión y que juegue un papel relevante para alcanzar esa finalidad. La segunda es que la norma se establezca en interés de terceros o del público en general y no solo de un individuo en concreto[22].

---

anulación de un laudo arbitral basado en la inobservancia de normas nacionales de orden público, también debe estimar tal recurso basado en la inobservancia de la prohibición impuesta en el apartado 1 del artículo 85 del Tratado».

[20]   Muy claras son a este respecto las Conclusiones del Abogado General Jacobs, presentadas el 30 de marzo de 2000, en el asunto Salzgitter (C-210/98), en cuyo apartado 134 se afirma: «Resulta difícil definir los "motivos de orden público". Los motivos que un órgano jurisdiccional puede examinar de oficio dependen, en última instancia, de los valores fundamentales del ordenamiento jurídico de que se trate, de las respectivas funciones que desempeñen las partes y el órgano jurisdiccional con arreglo a las normas de procedimiento aplicables, del tipo de órgano jurisdiccional que deba aplicar el concepto y del nivel en que se desarrolle el procedimiento».

[21]   Sobre la evolución del concepto de orden público comunitario puede verse V. PÉREZ DAUDÍ, *La protección procesal del consumidor y el orden público comunitario*, Atelier, Barcelona, 2018, pp. 25 y ss; y del mismo autor, «El orden público comunitario y las facultades del juez», en *Hacia una tutela efectiva de consumidores y usuarios* / M. I. ROMERO PRADAS (dir.), Tirant lo Blanch, Valencia, 2022, pp. 187 a 206.

[22]   Cfr. P. M. QUESADA LÓPEZ, *El principio de efectividad...*», cit., pp. 165 y 166.

La vinculación entre las normas tuitivas de los consumidores y el orden público comunitario se inicia en la Sentencia del TJUE de 26 de octubre de 2006, asunto Mostaza Claro (C-168/05), en la que se proclama que la Directiva 93/13 sobre cláusulas abusivas en los contratos celebrados con consumidores «tiene por objeto fortalecer la protección de los consumidores» y «constituye, conforme al artículo 3 CE, apartado 1, letra t), una disposición indispensable para el cumplimiento de las misiones confiadas a la Comunidad, especialmente para la elevación del nivel y de la calidad de vida en el conjunto de ésta». Y, un poco después, en la Sentencia de 6 de octubre de 2009, asunto Asturcom (C-40/06), manifiesta que «dadas la naturaleza y la importancia del interés público en que se basa la protección que la Directiva 93/13 otorga a los consumidores, procede declarar que el artículo 6 de dicha Directiva debe considerarse una norma equivalente a las disposiciones nacionales que, en el ordenamiento jurídico interno, tienen rango de normas de orden público».

La importancia de atribuir la condición de orden público a una parte del Derecho europeo en materia de consumo radica en su carácter imperativo y en la especial protección de que goza, debiendo el órgano jurisdiccional velar por su debido cumplimiento en cada proceso en el que se plantee su aplicación.

3.2. *El principio de efectividad y el derecho a la tutela judicial efectiva*

El principio de efectividad tiene un origen jurisprudencial. La Sentencia de 16 de diciembre de 1976, asunto Rewe (C-33/76), es la primera en la que el Tribunal de Luxemburgo hace referencia a la necesidad de que el ordenamiento jurídico interno de cada Estado garantice «la salvaguarda de los derechos que en favor de los justiciables genera el efecto directo del Derecho comunitario» y, añade, que, a falta de medidas de armonización, «los derechos conferidos por el ordenamiento jurídico comunitario deben ejercitarse ante los órganos jurisdiccionales nacionales según las modalidades establecidas por la norma nacional» y «solo podría ser de otro modo si estas modalidades y plazos hicieran imposible en la práctica el ejercicio de derechos que los órganos jurisdiccionales nacionales deben salvaguardar».

Desde esa primera formulación ha ido evolucionando hasta convertirse en un principio general del Derecho comunitario por obra de la ingente jurisprudencia que lo ha utilizado para valorar la compatibilidad de la legislación interna de los Estados con el Derecho de la Unión Europea. La trascendencia que ha alcanzado este principio queda patente al haberse recogido, junto con el de cooperación leal, en los artículos 4.3 y 19.1 del TUE[23].

El principio de efectividad supone un límite a la autonomía procesal de los Estados miembros por cuanto, tanto a nivel legislativo como en la práctica de los tribunales nacionales, debe garantizarse la protección efectiva de los derechos que se reconocen a los ciudadanos en el Derecho de la Unión Europea. Es, por ello, que se ha afirmado que el principio de efectividad supone una especie de «cláusula de reserva de dominio», pues permite la revisión por el Tribunal de Luxemburgo del ordenamiento procesal interno que, a falta de armonización, está reservado a los propios Estados, cuando no fuese adecuado para garantizar el nivel míni-

---

[23]   El tenor literal del artículo 4.3 es el siguiente: «3. Conforme al principio de cooperación leal, la Unión y los Estados miembros se respetarán y asistirán mutuamente en el cumplimiento de las misiones derivadas de los Tratados.
Los Estados miembros adoptarán todas las medidas generales o particulares apropiadas para asegurar el cumplimiento de las obligaciones derivadas de los Tratados o resultantes de los actos de las instituciones de la Unión.
Los Estados miembros ayudarán a la Unión en el cumplimiento de su misión y se abstendrán de toda medida que pueda poner en peligro la consecución de los objetivos de la Unión».
Por su parte, el artículo 19.1, párrafo segundo, dispone que «Los Estados miembros establecerán las vías de recurso necesarias para garantizar la tutela judicial efectiva en los ámbitos cubiertos por el Derecho de la Unión».

mo de protección para asegurar el respeto a los derechos reconocidos en la normativa europea[24].

En el ámbito del Derecho de consumo, y en otros, no resulta
infrecuente que la jurisprudencia del Tribunal de Justicia se refiera indistintamente al principio de efectividad y al derecho a la
tutela judicial efectiva como equivalentes a la hora de valorar la
compatibilidad de la legislación interna de un Estado con el Derecho de la Unión[25].

Uno y otro tienen distinta naturaleza. El de efectividad es un
principio general del Derecho que sirve de fuente de inspiración

---

[24]   P. PIVA, *Il principio di effettività della tutela giurisprudenziale del diritto dell'Unione europea*, ed. Jovene, Nápoles, 2012, p. 18.

[25]   Como simples botones de muestra pueden verse las SSTJUE de 21 de
febrero de 2013, asunto Banif Plus Bank (C-472/11), apartado 29; de 17
de julio de 2014, asunto Sánchez Morcillo (C-169/14), apartado 35, o de
10 de septiembre de 2014, asunto Kušionová (C-34/13), apartado 47.
El debate sobre el alcance de uno y otro queda patente en las Conclusiones del Abogado General Szpunar, presentadas el 11 de noviembre
de 2015, en el asunto Finanmadrid (C-49/14), quien afirma en los apartados 85 a 87 lo siguiente: «Observo que el Tribunal de Justicia aún no
ha tenido la ocasión de esclarecer la forma en que se articulan las exigencias resultantes del artículo 47 de la Carta y aquellas, muy similares,
derivadas de los principios de equivalencia y de efectividad. De hecho,
este último principio en particular se traduce también en el hecho de
que impone a los Estados miembros la obligación general de garantizar
la tutela judicial de los derechos dimanantes del Derecho de la Unión,
por lo que podría suscitarse la cuestión de saber si el artículo 47 de la
Carta viene a añadirse al principio de efectividad o lo sustituye.
Pese a esa disyuntiva, no cabe duda de que los Estados miembros deben
garantizar que el artículo 47 de la Carta se respete también en el ámbito
del Derecho procesal.
Y así, según reiterada jurisprudencia relativa a la aplicación de la Directiva 93/13, la obligación que tienen los Estados miembros de garantizar
la efectividad de los derechos que esta Directiva confiere a los justiciables frente a la aplicación de cláusulas abusivas implica una exigencia
de tutela judicial, consagrada asimismo en el artículo 47 de la Carta,
que el juez nacional debe observar».

para el conjunto del ordenamiento, que vincula a todos los poderes del Estado y que, en último caso, permite dar respuesta a cuestiones respecto de las que la norma positiva guarde silencio[26]. El derecho a la tutela judicial efectiva, por su parte, es un derecho fundamental, proclamado en el artículo 47.1 de la CDFUE[27], que despliega su virtualidad en el ámbito procesal y que, en consecuencia, ha de ser garantizado principalmente por el órgano jurisdiccional que interviene en cada concreto proceso.

A pesar de su distinta naturaleza, ambos convergen cuando se han de proyectar sobre el ordenamiento procesal de los Estados y también en la finalidad perseguida que no es otra que evitar que las normas nacionales o la práctica de los tribunales impidan o dificulten excesivamente el ejercicio de los derechos reconocidos en el Derecho de la Unión Europea[28].

---

[26] Sobre la virtualidad de los principios generales del Derecho, en particular en el ámbito procesal, se puede consultar A. DE LA OLIVA SANTOS, *Curso de Derecho Procesal Civil I, Parte General* (con I. DIÉZ-PICAZO GIMÉNEZ y J. VEGAS TORRES), Ed. Ramón Areces, Madrid, 2019, pp. 336 y 337.

[27] Esta norma, bajo la rúbrica «Derecho a la tutela judicial efectiva y a un juez imparcial», dispone: «Toda persona cuyos derechos y libertades garantizados por el Derecho de la Unión hayan sido violados tiene derecho a la tutela judicial efectiva respetando las condiciones establecidas en el presente artículo.
Toda persona tiene derecho a que su causa sea oída equitativa y públicamente y dentro de un plazo razonable por un juez independiente e imparcial, establecido previamente por la ley. Toda persona podrá hacerse aconsejar, defender y representar.
Se prestará asistencia jurídica gratuita a quienes no dispongan de recursos suficientes siempre y cuando dicha asistencia sea necesaria para garantizar la efectividad del acceso a la justicia».

[28] Un detallado estudio sobre el debate doctrina y jurisprudencial acerca de la identidad del principio de efectividad y el derecho a la tutela judicial efectiva puede verse en P. M. QUESADA LÓPEZ, *El principio de efectividad...*», cit., pp. 107 a 119.

Capítulo II

El control de oficio de cláusulas abusivas en el proceso declarativo

1. LAS MANIFESTACIONES DE LA AMPLIACIÓN DE LOS PODERES DEL JUEZ EN DEFENSA DE LOS CONSUMIDORES

Los efectos derivados del principio de efectividad, unido al derecho a la tutela judicial efectiva y a la inclusión dentro del orden público comunitario de parte de la normativa en materia de consumo, se pueden manifestar de diversas formas. La primera es la interpretación conforme de las normas internas que implica elegir entre las varias interpretaciones posibles la más respetuosa con el Derecho de la Unión. La segunda es la inaplicación de aquellas normas procesales internas —o jurisprudencia nacional— que no resulten compatibles con los derechos reconocidos por el legislador europeo. La última es la búsqueda de nuevos cauces procesales, aún no previstos en la legislación interna, con el fin de proporcionar la tutela judicial adecuada al derecho emanado de la normativa europea.

La Directiva 93/13 sobre cláusulas abusivas es especialmente tuitiva con los consumidores por considerarlos la parte más débil de la relación contractual[29]. Este desequilibrio se trata de compensar mediante un régimen de control de las cláusulas que no hayan sido negociadas individualmente y que, por tanto, el consumidor haya tenido que asumir sin poder influir en su con-

---

[29] El artículo 2, apartado b, de la Directiva 93/13, considera consumidor a «toda persona física que, en los contratos regulados por la presente Directiva, actúe con un propósito ajeno a su actividad profesional».

tenido. Conforme al artículo 3 de la Directiva 93/13, «las cláusulas contractuales que no se hayan negociado individualmente
se considerarán abusivas si, pese a las exigencias de la buena
fe, causan en detrimento del consumidor un desequilibrio importante entre los derechos y obligaciones de las partes que se
derivan del contrato»[30].

La concreta articulación de ese control se prevé en el artículo
6, apartado primero, de la Directiva 93/13 en cuya virtud «los Estados miembros establecerán que no vincularán al consumidor,
en las condiciones estipuladas por sus derechos nacionales, las
cláusulas abusivas que figuren en un contrato celebrado entre
éste y un profesional y dispondrán que el contrato siga siendo
obligatorio para las partes en los mismos términos, si éste puede
subsistir sin las cláusulas abusivas» y en el artículo 7, apartado primero, que impone a los Estados el deber de garantizar que «existan medios adecuados y eficaces para que cese el uso de cláusulas
abusivas en los contratos celebrados entre profesionales y consumidores». Ambas normas se consideran imperativas e integradas
en el orden público comunitario.

---

[30]   El artículo 4.2 añade que «la apreciación del carácter abusivo de las
cláusulas no se referirá a la definición del objeto principal del contrato
ni a la adecuación entre precio y retribución, por una parte, ni a los servicios o bienes que hayan de proporcionarse como contrapartida, por
otra, siempre que dichas cláusulas se redacten de manera clara y comprensible». Por eso, respecto de estas cláusulas se prevé el control de
transparencia. En este sentido, SSTJUE de 20 de septiembre de 2017,
asunto Andriciuc y otros (C-186/16), apartados 35 y 36; de 3 de octubre
de 2019, asunto Kiss y CIB Bank (C-621/17), apartado 32; de 16 de julio
de 2020, asunto CY y Caixabank (C-224/19 y C-259/19), apartado 62;
de 20 de abril de 2023, asunto Ocidental — Companhia Portuguesa de
Seguros de Vida (C-263/22), apartados 24 a 34 y de 13 de julio de 2023,
asunto ZR (C-265/22), apartados 51 a 60. Conforme a esta jurisprudencia la exigencia de transparencia se ha de entender en el sentido de
que impone, en particular, que un consumidor medio, normalmente
informado y razonablemente atento y perspicaz, esté en condiciones de
comprender el contenido y funcionamiento de la cláusula en cuestión.

El desarrollo jurisprudencial de esta Directiva ha provocado el replanteamiento del rol del juez en relación con la norma procesal cuando está en juego la tutela de los derechos de los consumidores. El primer paso en este proceso de potenciación de los poderes del juez ha sido la apreciación de oficio de cláusulas abusivas en los contratos celebrados entre un empresario y un consumidor.

La intervención de oficio del juez se considera por el Tribunal de Justicia el instrumento idóneo para garantizar la adecuada tutela del consumidor una vez que se convierte en parte procesal. Ese refuerzo de los poderes del juez, como se verá a continuación, se defiende con independencia de la naturaleza del proceso civil que se esté sustanciando, de la fase en que se encuentre, de la conducta del consumidor y de si está o no asistido de abogado y afecta a cualquier tipo de cláusula que pueda considerarse abusiva[31].

El proceso civil de declaración tiene por objeto la acción o acciones afirmadas por el demandante en su demanda o por el demandado en su reconvención. Además, también completan el objeto del proceso las concretas defensas que aduce el demandado con el fin de lograr la desestimación de la demanda. Si concurren los presupuestos procesales, el juez deberá resolver en su sentencia sobre todos los puntos litigiosos que hayan sido objeto del debate, sin que pueda acudir a fundamentos de hecho o de derecho distintos de los que las partes hayan querido hacer valer (artículo 218.1 de la LEC). En caso de que la sentencia se pronuncie sobre lo que las partes no han pedido incurrirá en un vicio de incongruencia.

Esta regla, sin embargo, tiene excepciones. La adecuada protección del consumidor exige, conforme a una abundante juris-

---

[31]   Una visión general sobre el tema puede verse en E. ARROYO AMAYUELAS, «No vinculan al consumidor las cláusulas abusivas: del Derecho civil al procesal y entre la prevención y el castigo», en *La europeización del Derecho privado: cuestiones actuales*, E. ARROYO AMAYUELAS y A. SERRANO DE NICOLÁS (Dirs.), Marcial Pons, Madrid, 2016, pp. 65 a 96.

prudencia del Tribunal de Justicia de la Unión Europea, que los jueces nacionales controlen de oficio las cláusulas abusivas de los contratos celebrados entre un empresario o profesional y un consumidor. El juez nacional, por tanto, deberá analizar el carácter abusivo de una de esas cláusulas sin necesidad de que los litigantes lo hayan alegado y, en su caso, declarará la nulidad, pese a que las partes no lo hayan pedido. Se produce, por tanto, una ampliación del objeto del proceso y del ámbito al que se extenderá la sentencia.

En este sentido, se ha afirmado que «...el nuevo paradigma de la función judicial en relación con la tutela de los derechos de los consumidores altera el juego de los principios dispositivo y de aportación de parte, que de forma generalizada viene imperando en nuestro proceso civil, así como la consiguiente exigencia de congruencia de la resolución judicial, que venía eminentemente marcada por lo solicitado en los escritos de alegaciones y por las causas de pedir aducidas para justificar la procedencia de esas pretensiones» y que «sería equivocado pensar que ya no rigen esos principios básicos del enjuiciamiento civil. Siguen rigiendo, pero se flexibilizan cuando se ve afectada la tutela judicial de los consumidores, porque el juez, sin dejar de ser imparcial, abandona la posición de árbitro equidistante en la contienda entre dos partes, y vela por el derecho que asiste al consumidor, al margen de si ha sido o no invocado por este y de cómo lo ha sido»[32].

2. LAS CONDICIONES PARA LA APRECIACIÓN DE OFICIO DE LAS CLÁUSULAS ABUSIVAS

La primera Sentencia en la que el Tribunal de Luxemburgo manifiesta, en concreto a los jueces españoles, el deber de apre-

---

[32]   Vid., I. SANCHO GARGALLO, «Control judicial de oficio de las cláusulas abusivas en contratos celebrados con consumidores», en *Annals de l'Acadèmia de Jurisprudència i Legislació de Catalunya*, n° 5, 2012-2014, p. 387.

ciar de oficio la abusividad de las cláusulas contractuales es la STJUE de 27 de junio de 2000, asunto Oceáno Grupo Editorial y Salvat Editores (C-240/98 a C-244/98). Se trata de una cláusula de sumisión expresa por la que se imponía al consumidor la obligación de litigar ante los tribunales del domicilio del empresario. El Tribunal considera abusiva esta cláusula y, respecto de la posibilidad de apreciarla de oficio, afirma que la obligación de los Estados, conforme al artículo 6 de la Directiva 93/13, de evitar que las cláusulas abusivas vinculen a los consumidores «no podría alcanzarse si éstos tuvieran que hacer frente a la obligación de plantear por si mismos el carácter abusivo de dichas cláusulas» y añade que «solo podrá alcanzarse una protección efectiva del consumidor si el Juez nacional está facultado para apreciar de oficio dicha cláusula».

En definitiva, en esta Sentencia el Tribunal de Luxemburgo concluye que «la facultad del Juez para examinar de oficio el carácter abusivo de una cláusula constituye un medio idóneo tanto para alcanzar el resultado señalado por el artículo 6 de la Directiva —impedir que el consumidor individual quede vinculado por una cláusula abusiva—, como para ayudar a que se logre el objetivo contemplado en su artículo 7, ya que dicho examen puede ejercer un efecto disuasorio que contribuya a poner fin a la utilización de cláusulas abusivas en los contratos celebrados por un profesional con los consumidores». Se consigue de este modo evitar el riesgo, nada desdeñable, de que el consumidor no se defienda frente a la cláusula abusiva bien porque ignore sus derechos o bien porque encuentre dificultades para ejercitarlos.

Es importante subrayar que, en esta resolución, el Tribunal de Justicia califica a la apreciación de oficio como una *facultad* del juzgador, calificativo que, como se verá, desaparece en posteriores decisiones.

La solución, prácticamente inmediata, por parte del legislador español vino de la mano del artículo 54.2 de la LEC, que no admite la sumisión expresa en contratos de adhesión, con condiciones generales de la contratación o celebrados con consumidores o usuarios[33].

En un caso muy similar, relativo también a una cláusula de sumisión expresa, la STJUE de 4 de junio de 2009, asunto Pannon (C-243/08), añade un nuevo elemento a tener en cuenta: la voluntad del consumidor como límite a la apreciación de oficio de la cláusula abusiva y la consiguiente exclusión de los efectos derivados de la misma. En esta ocasión, el Tribunal de Justicia afirma que el juez nacional debe examinar de oficio el carácter abusivo de una cláusula contractual «tan pronto como disponga de los elementos de hecho y de derecho necesarios para ello» y si estima que tal cláusula es abusiva se abstendrá de aplicarla, «salvo si el consumidor se opone»[34].

El Tribunal de Justicia mantiene que el derecho a la protección efectiva del consumidor incluye la facultad de éste de renunciar a hacer valer sus derechos. En consecuencia, el consumidor, consciente del carácter no vinculante de una cláusula abusiva, puede expresar su consentimiento libre e informado por el que renuncia

---

[33]   También se ha planteado ante el TJUE si el art. 67.1 LEC que excluye cualquier recurso contra los autos que resuelven sobre la competencia territorial puede considerarse contrario a la Directiva 93/13 cuando afecte a una acción de cesación en defensa de los consumidores y si, en consecuencia, el tribunal debe tramitar el recurso de apelación, pese a carecer de cobertura legal en la normativa nacional. La STJUE de 5 de diciembre de 2013, asunto Asociación de Consumidores Independientes de Castilla y León (C-423/12), considera que esta regulación es compatible con la Directiva a la luz de los principios de equivalencia y efectividad y añade que «las normas procesales relativas a la estructura de los recursos internos y al número de instancias, al servicio del interés general en la buena administración de la justicia y de la previsibilidad, deben prevalecer sobre los intereses particulares, en el sentido de que no pueden adaptarse en función de la situación económica particular de las partes» (apartado 38).

[34]   En idéntico sentido, SSTJUE de de 3 de marzo de 2020, asunto Gómez del Moral Guasch (C-125/18), apartado 58 o de 27 de enero de 2021, asunto Dexia Nederland (C-229/19 y C.289/19), apartado 62.

a los efectos que conllevaría la declaración del carácter abusivo de la cláusula. El consumidor solo podrá prestar este consentimiento si el juez nacional indica a las partes, «en el marco de las normas procesales nacionales y a la luz del principio de equidad en los procedimientos civiles, de manera objetiva y exhaustiva las consecuencias jurídicas que pueda entrañar la supresión de la cláusula abusiva, con independencia de que estén asistidas por un representante procesal profesional o no»[35].

Un nuevo hito se abre con la Sentencia del Tribunal de Justicia de 21 de noviembre de 2002, asunto Cofidis (C-473/2000), en la que se utiliza el principio de efectividad para imponer al juez la inapliación de una norma nacional que puede hacer excesivamente difícil la aplicación de la protección que la Directiva 93/13 confiere a los consumidores en los litigios en los que sean demandados. En concreto, se trataba de una norma del Código de consumo francés que prohibía al juez nacional apreciar de oficio o a instancia del consumidor el carácter abusivo de una cláusula contractual una vez transcurrido el plazo de dos años desde el hecho que lo motivó. El Tribunal estima que si se admitiera esta limitación, a los profesionales se les estaría dando la oportunidad de privar a los consumidores de la protección que les corresponde con solo esperar a la expiración del plazo señalado por el legislador nacional y solicitar, a continuación, el cumplimiento de la cláusula abusiva.

El siguiente paso se da con la Sentencia del Tribunal de Justicia de 26 de octubre de 2006, asunto Mostaza Claro (C-168/05). La cuestión planteada es si en el marco de un recurso de anulación de un laudo arbitral puede apreciarse el carácter abusivo de una cláusula de sumisión a arbitraje cuando el consumidor no se opuso por ese motivo en el procedimiento arbitral.

El Tribunal de Luxemburgo afirma que el artículo 6.1 de la Directiva 93/13 es una disposición de carácter imperativo «que, to-

---

[35]   Vid. STJUE de 29 de abril de 2021, asunto L. W., (C-19/20).

mando en consideración la inferioridad de una de las partes del contrato, trata de reemplazar el equilibrio formal que éste establece entre los derechos y obligaciones de las partes por un equilibrio real que pueda restablecer la igualdad entre éstas». Y, añade, que la Directiva es «una disposición indispensable para el cumplimiento de las misiones confiadas a la Comunidad, especialmente para la elevación del nivel y de la calidad de vida en el conjunto de ésta». En atención a este interés público, «un órgano jurisdiccional nacional que conoce de un recurso de anulación contra un laudo arbitral ha de apreciar la nulidad del convenio arbitral y anular el laudo si estima que dicho convenio arbitral contiene una cláusula abusiva, aun cuando el consumidor no haya alegado esta cuestión en el procedimiento arbitral, sino únicamente en el recurso de anulación».

En esta Sentencia no se habla ya de una mera facultad sino claramente de un deber del juez de apreciar de oficio las cláusulas abusivas que pueda contener un contrato entre un empresario y un consumidor[36]. Esa misma consideración se mantendrá en las posteriores decisiones del máximo intérprete del Derecho de la Unión Europea.

---

[36]   A este respecto, I. TAPIA FERNÁNDEZ, «La apreciación de oficio de la nulidad de las cláusulas abusivas», en *Boletín de la Real Academia de Jurisprudencia y Legislación de las Illes Balears*, nº. 17, 2016, pp. 125 y 126, afirma: «De este modo, la regla general anteriormente vista sobre nulidad contractual, según la cual el órgano judicial no está facultado, con carácter general, para apreciar de oficio la nulidad contractual, cede en el caso de las cláusulas abusivas, de modo que en éstas no es una excepción la declaración de oficio de las mismas, ni ha de tomarse con carácter restrictivo, sino que propiamente constituye una regla general que pretende impedir que éstas vinculen a los consumidores, al tiempo que constituyen un elemento disuasorio para su utilización por los profesionales. Se trata, así, de uno de los supuestos excepcionales en los que se ha establecido expresamente la nulidad de pleno derecho por razones de protección del orden público. El desequilibrio existente en este tipo de procesos queda minorado por esta importante quiebra del principio dispositivo, que otorga al órgano jurisdiccional la facultad/obligación de expulsar del contrato una cláusula abusiva para el consumidor».

En todo caso, el deber de apreciar de oficio las cláusulas abusivas no puede hacerse al margen de los principios o garantías básicas del proceso. En este sentido, la STJUE de 21 de febrero de 2013, asunto Banif Plus Bank (C-472/11), afirma que el juez nacional debe respetar las exigencias derivadas de «una tutela judicial efectiva de los derechos que el ordenamiento jurídico de la Unión confiere a los justiciables, conforme se garantiza en el artículo 47 de la Carta de los Derechos Fundamentales de la Unión Europea» y, entre esas exigencias, figuran el principio de contradicción y el derecho de defensa. En consecuencia, si el juez aprecia de oficio la existencia de una cláusula abusiva debe, como regla general, informar a las partes e instarles a un debate contradictorio en la forma prevista por las normas procesales nacionales[37].

Por último, cuando el juez aprecia el carácter abusivo de una cláusula, debe entenderse que ésta nunca ha existido y que no puede tener efectos frente al consumidor, con el consiguiente restablecimiento de la situación de hecho y de derecho en la que éste se encontraría de no haber existido dicha cláusula. En consecuencia, el juez, con carácter general, no tiene la facultad de integrar el contrato modificando el contenido de la cláusula. Si se admitiera esa posibilidad, se podría poner en peligro la consecución del objetivo a largo plazo previsto en el artículo 7 de la Directiva 93/13, pues «contribuiría a eliminar el efecto disuasorio que ejerce sobre los profesionales el hecho de que, pura y simplemente, tales cláusulas abusivas no se apliquen frente a los consumidores, en la medida en que los profesionales podrían verse tentados a utilizar cláusulas abusivas al saber que, aun cuando llegara a declararse la nulidad de las mismas, el contrato podría ser integrado por el juez nacional en lo que fuera necesario, garantizando de este modo el interés de dichos profesionales». Así lo ha puesto de manifiesto el Tribunal de Justicia en la Sentencia de 14 de junio de 2012, asunto Banco Español de crédito (C-618/10), en relación con una cláu-

---

[37]   Con similares términos, STJUE de 30 de mayo de 2013, asunto Asbeek Brusse y Man Garabito (C-488/11).

sula de intereses moratorios que, al considerarse abusiva, debe dejar de aplicarse sin que el juez pueda moderar esos intereses[38].

Esta regla general, sin embargo, admite excepciones que permiten al juez que aprecie una cláusula abusiva integrar el contrato y sustituir la cláusula nula por una disposición supletoria de Derecho nacional, siempre que esa integración permita la subsistencia del contrato y que la anulación del contrato pueda suponer para el consumidor un perjuicio mayor[39]. Esta doctrina, obviamente, afecta al deber de congruencia en la medida en que el juez nacional se pronunciará no sobre la pedido (esto es, la aplicación de la cláusula que se ha considerado abusiva), sino sobre algo distintos

---

[38]   En el mismo sentido, cfr., entre otras, las SSTJUE de 21 de diciembre de 2016, asunto Gutiérrez Naranjo (C-154/15, C-307/15 y C-308/15), apartado 60); de 7 de agosto de 2018, asunto Banco Santander y Escobedo Cortés (C-96/16 y C94/17), apartado 73; de 26 de marzo de 2019, Abanca Corporación Bancaria y Bankia, (C-70/17 y C-179/17), apartado 53; de 25 de noviembre de 2020, asunto Banca B. (C-269/19); de 27 de enero de 2021, asunto Dexia Nederland (C-229/19 y C-289/19), apartados 62 y siguientes, o de 29 de abril de 2021, asunto L. W. (C-19/20), apartados 66 y siguientes.

[39]   Cfr., entre otros, el ATJUE de 28 de febrero de 2023, asunto AW (C-254/22). A este respecto, el Tribunal de Justicia ha declarado, en la STJUE de 16 de marzo de 2023, asunto MB (C-6/22), que «las facultades del juez no pueden ir más allá de lo estrictamente necesario para restablecer el equilibrio contractual entre las partes del contrato y proteger así al consumidor de las consecuencias especialmente perjudiciales que pudiera provocar la anulación del contrato de préstamo de que se trata», pues si se permitiese al juez modificar o moderar libremente el contenido de las cláusulas abusivas, tal facultad podría poner en peligro la consecución de los objetivos perseguidos por la Directiva 93/13.
Sobre la posibilidad de integrar los contratos que adolecen de cláusulas abusivas y, en particular, la de vencimiento anticipado, cfr., I. CUBILLO LÓPEZ, «Evolución de la doctrina jurisprudencial del TJUE y del TS relativa a las cláusulas de vencimiento anticipado: convergencias y divergencias», en *Revista General de Derecho Procesal*, n°. 51, 2020, en www.iustel.com.

de lo pedido (esto es, lo dispuesto en la disposición supletoria del Derecho nacional)[40].

3. ¿EL DEBER DE APRECIAR DE OFICIO CLÁUSULAS ABUSIVAS SE MANTIENE CUANDO EL CONSUMIDOR ES EL DEMANDANTE?

Una cuestión de especial interés es determinar si la apreciación de oficio de cláusulas abusivas impuesta por la jurisprudencia europea se aplica también cuando el consumidor es el demandante o si se limita a los casos en que éste es el demandado. La mayoría de las cuestiones prejudiciales que se plantean al Tribunal de Justicia y que tienen relación con la apreciación de oficio de cláusulas abusivas traen causa de procesos en los que el consumidor ocupa la posición procesal de demandado o ejecutado. Sin embargo, no han faltado casos, ciertamente minoritarios, en los que el consumidor había actuado como demandante.

La STJUE de 30 de mayo de 2013, asunto Jőrös (C-397/11), se dicta en el contexto de un litigio en el que el consumidor era el demandante que había solicitado la declaración de nulidad de una cláusula abusiva y se plantea la cuestión de si, en la segunda

---

[40] En este sentido, se ha pronunciado la STJUE de 30 de abril de 2014, asunto Kásler (C-26/13), referida al tipo de cambio aplicable para devolver en moneda nacional un préstamo hipotecario denominado en moneda extranjera.

Sin embargo, la declaración de voluntad del consumidor resulta determinante a efectos de la declaración de nulidad del contrato o de su integración para que pueda subsistir. Por ello, el TJUE ha declarado que la posibilidad de integración del contrato no se admite si el consumidor ha solicitado expresamente su declaración de nulidad tras haber sido informado de manera objetiva y exhaustiva de las consecuencias jurídicas y de las consecuencias económicas especialmente perjudiciales que esta declaración puede producirle. En este sentido, STJUE de 16 de marzo de 2023, asunto MB (C-6/22), y STJUE de 3 de octubre de 2019, asunto Dziubak (C-260/18).

instancia, debe el órgano jurisdiccional apreciar la nulidad de otra cláusula contractual distinta de la señalada por el consumidor.

Esta Sentencia plantea dos cuestiones de sumo interés: la primera es el alcance del control de oficio cuando el consumidor es el demandante y la segunda es el control de cláusulas abusivas en segunda instancia. Centrándonos en la primera de las cuestiones, el TJUE analiza el problema tanto desde la perspectiva del principio de equivalencia[41] como del principio de efectividad[42]. Y concluye que «un tribunal nacional, que conoce en apelación de un litigio sobre la validez de cláusulas incluidas en un contrato celebrado entre un profesional y un consumidor sobre la base de

---

[41] En el apartado 30, puede leerse lo siguiente: «En lo que atañe al principio de equivalencia, hay que señalar que se deduce de él que, cuando el juez nacional que resuelve en apelación esté facultado, u obligado, a apreciar de oficio la validez de un acto jurídico en relación con las reglas nacionales de orden público, aunque esa disconformidad no se haya suscitado en primera instancia, debe ejercer también esa competencia para apreciar de oficio, a la luz de los criterios de la Directiva 93/13, el carácter abusivo de una cláusula contractual comprendida en el ámbito de aplicación de esa Directiva. En el supuesto de que el tribunal remitente determinara que dispone de esa competencia en las situaciones de naturaleza interna estaría obligado a ejercerla en una situación como la del litigio principal, que afecta a la salvaguardia de los derechos que el ordenamiento jurídico de la Unión confiere al consumidor».

[42] En lo que atañe al principio de efectividad, reitera que la decisión de si una disposición procesal nacional hace imposible o excesivamente difícil la aplicación del Derecho de la Unión debe analizarse teniendo en cuenta el lugar que ocupa dicha disposición dentro del conjunto del procedimiento y el desarrollo y las peculiaridades de éste ante las diversas instancias nacionales. Y concluye que en el sistema jurisdiccional húngaro el juez que resuelve en apelación es competente, cuando dispone de los elementos de hecho y de derecho necesarios al efecto, para apreciar, bien sea de oficio o bien recalificando el fundamento jurídico de la demanda, la existencia de una causa de nulidad de una cláusula contractual, nacida de esos elementos, aun si la parte litigante que habría podido alegar esa causa de nulidad no la hubiera invocado (apartados 32 a 35).

un formulario redactado previamente por ese profesional, está facultado según las reglas procesales internas para apreciar cualquier causa de nulidad que derive con claridad de los elementos presentados en primera instancia, y para recalificar en su caso, en función de los hechos acreditados, el fundamento jurídico invocado para sustentar la invalidez de esas cláusulas, debe apreciar, de oficio o previa recalificación del fundamento jurídico de la demanda, el carácter abusivo de las referidas cláusulas a la luz de los criterios de dicha Directiva».

En este caso, se condiciona la posibilidad de apreciar el carácter abusivo de la cláusula a que la nulidad derive con claridad de los elementos presentados en la primera instancia porque el Derecho húngaro limita, con carácter general, la introducción de hechos nuevos o de nuevas pruebas en la segunda instancia, igual que sucede en el ordenamiento español, y a que ese cambio sobrevenido en el fundamento jurídico esté admitido en el Derecho nacional. Esta última posibilidad no está contemplada en el ordenamiento español.

No obstante, la Sentencia no es del todo clara porque esas condiciones o limitaciones parecen estar referidas a la posibilidad de que el tribunal de apelación aprecie *ex novo* la nulidad de una cláusula abusiva cuando ni se ha apreciado en primera instancia ni se ha solicitado por el consumidor. Ahora bien, cuando se le pregunta sobre si el artículo 6, apartado primero, de la Directiva 93/23 exige que se examine la nulidad por abusiva de una condición general de la contratación, aunque no se haya solicitado por las partes, el Tribunal de Justicia responde lo siguiente:

> «el artículo 6, apartado 1, de la Directiva 93/13 debe interpretarse en el sentido de que el juez nacional que constate el carácter abusivo de una cláusula contractual está obligado, sin esperar a que el consumidor formule una solicitud a ese efecto, a deducir todas las consecuencias que según el Derecho nacional nacen de esa constatación, para cerciorarse de que el consumidor no quede vinculado por esa cláusula, por un lado, y por otro debe apreciar, en principio según criterios objetivos, si el contrato afectado puede subsistir sin esa cláusula».

Unos años después, el Tribunal de Luxemburgo se muestra mucho más contundente en su protección del consumidor demandante. La STJUE de 20 de septiembre de 2018, asunto OTP Bank (C-51/17), resuelve una cuestión prejudicial planteada en el contexto de un proceso iniciado por unos consumidores contra una entidad bancaria instando la declaración de nulidad de determinadas cláusulas por su carácter abusivo. El órgano jurisdiccional remitente pone de manifiesto que el Tribunal Supremo de Hungría ha interpretado la jurisprudencia del TJUE de conformidad con el principio dispositivo «según el cual la demanda se resolverá sobre la base de los hechos y de los motivos invocados por las partes y a la vista de la pretensión formulada» y cuestiona si, en virtud de la Directiva 93/13, «está facultado, incluso obligado, a apreciar el posible carácter abusivo de cláusulas que no hayan sido invocadas por el consumidor en apoyo de su pretensión, en su condición de parte demandante».

La respuesta del TJUE es contundente: «los artículos 6, apartado 1, y 7, apartado 1, de la Directiva 93/13 deben interpretarse en el sentido de que corresponde al juez nacional señalar de oficio, en sustitución del consumidor en su condición de parte demandante, el posible carácter abusivo de una cláusula contractual, tan pronto como disponga de los elementos de derecho y de hecho necesarios para ello». No se establecen en este caso límites o cautelas similares a las señaladas en la Sentencia Jőrös (C-397/11), que condicionaba esa apreciación de oficio a lo dispuesto en el Derecho nacional, aunque, como ya se apuntó, parece, y así lo confirma la Sentencia OTP Bank, que esas limitaciones solo se referían a la apreciación de la abusividad *ex novo* en segunda instancia.

A mi juicio, el planteamiento del TJUE en la Sentencia OTP Bank rompe la coherencia del proceso civil, regido, no lo podemos olvidar, por el principio dispositivo. Este principio, obviamente, puede requerir matizaciones o excepciones cuando concurra un interés público, como puede ser la protección del consumidor. Sin embargo, en un caso en que es el consumidor quien libremente ha acudido al proceso y ha delimitado con su demanda el objeto del mismo, no creo que resulte necesario para la adecuada protección del consumidor facultar o, más bien, obligar al juez a llevar a cabo una investigación para descubrir si existen otras cláusulas contractuales distintas de las que constituyen el objeto del proceso que pudieran resultar abusivas.

El propio Tribunal de Justicia, unos años más tarde, ha matizado su postura en la STJUE de 11 de marzo de 2020, asunto Lintner (C-511/17)[43]. Una vez más, nos encontramos ante un proceso iniciado por una consumidora frente a una entidad bancaria, solicitando la declaración de nulidad de determinadas cláusulas de un contrato de préstamo con garantía hipotecaria que conferían al acreedor el derecho a modificar unilateralmente el contrato. Entre otras cuestiones, de indudable interés, el tribunal remitente plantea el alcance del deber del tribunal nacional de analizar de oficio las cláusulas abusivas del contrato celebrado entre un consumidor y un empresario o profesional. En concreto, se suscita la duda de si esa obligación se extiende a todas las cláusulas contractuales con independencia de que la consumidora demandante solo hubiera solicitado la declaración del carácter abusivo de alguna de ellas.

Las Conclusiones del Abogado General, Sr. Evgeni Tanchev, presentadas el 19 de diciembre de 2019, marcan el camino para matizar la anterior postura del Tribunal de Justicia y preservar los principios básicos del proceso civil, sin perjuicio de la adecuada protección del consumidor. En efecto, la propuesta del Abogado General es que el juez nacional está obligado a examinar de oficio el carácter abusivo de todas las cláusulas contractuales que guarden relación con el objeto del litigio y con los elementos de hecho o de derecho que constan en los autos, pero no puede extenderse a cualesquiera otras cláusulas del mismo contrato.

---

[43] Un comentario sobre esta Sentencia puede verse en J. M. MARTÍN FUSTER, «El factor de pertinencia en la apreciación de oficio de la nulidad de cláusulas abusivas», en *Actualidad Civil*, n° 6, Sección Protección de los consumidores, Junio/2020.

El principio dispositivo es uno de los principios rectores del proceso civil en los Estados miembros y, en palabras del Abogado General, implica que las partes son «dueñas de la acción»: el proceso se inicia a instancia de parte, son éstas las que delimitan su objeto y pueden disponer de él y del proceso mismo y el juez ha de pronunciarse sobre todas las peticiones planteadas oportunamente y solo sobre ellas. Sin embargo, la Directiva 93/13 tiene como consecuencia la flexibilización del principio dispositivo cuando en el proceso intervienen consumidores, en el sentido de que el juez nacional debe desempeñar un papel activo a la hora de plantear de oficio el carácter abusivo de las cláusulas de los contratos celebrados con consumidores, aunque se salga de los límites del litigio tal como ha sido circunscrito por las partes. Ahora bien, este deber solo se extiende a las cláusulas que guarden relación con el objeto del proceso y con los elementos de hecho y de derecho que consten en los autos.

Esta propuesta permite respetar el principio dispositivo, aunque en un versión atenuada, dado que no se producirá una modificación sustancial del objeto del proceso y, a la vez, se protege de forma adecuada a los consumidores[44].

La STJUE de 11 de marzo de 2020, asunto Lintner (C-511/17), mantiene la misma postura que el Abogado General en sus Conclusiones. El Tribunal de Luxemburgo afirma que «el examen de oficio debe respetar los límites del objeto del litigio, entendido como el resultado que una parte persigue con sus pretensiones, tal y como hayan sido formuladas y a la luz de los motivos invocados en apoyo de las mismas». Resultan muy ilustrativas las palabras utilizadas por el Tribunal para justificar su renovada doctrina:

---

[44]   El Abogado General afirma, en el apartado 51 de sus Conclusiones, que «un enfoque que obligue al juez nacional a examinar de oficio de forma ilimitada el carácter abusivo de las cláusulas contractuales en virtud de la Directiva 93/13 sería contrario a los principios fundamentales del Derecho procesal civil de los Estados miembros, entre ellos, los principios dispositivo y *ne ultra petita*».

> *«30 ...la efectividad de la protección que, en virtud de la citada Directiva, el juez nacional de que se trate debe conceder al consumidor mediante una intervención de oficio no puede llegar hasta el punto de que se ignoren o sobrepasen los límites del objeto del litigio tal como las partes lo hayan definido en sus pretensiones, interpretadas a la luz de los motivos que hayan invocado, de modo que el juez nacional no está obligado a ampliar el litigio más allá de las pretensiones formuladas y de los motivos invocados ante él, analizando de manera individual, con el fin de verificar su carácter eventualmente abusivo, todas las demás cláusulas de un contrato en el que solo algunas de ellas son objeto de la demanda de que conoce».*

El respeto al principio dispositivo y a la prohibición de incurrir en *ultra petita* explican esta limitación del ámbito de control de oficio que cabe exigir al juez nacional. Ahora bien, el Tribunal de Justicia añade la siguiente precisión:

> *«32 Por lo tanto, en virtud de la protección que debe concederse al consumidor con arreglo a la Directiva 93/13, el juez nacional habrá de examinar de oficio una determinada cláusula contractual, dentro de los límites del objeto del litigio del que conoce, para evitar que las pretensiones del consumidor sean desestimadas mediante una resolución judicial que acabe adquiriendo, en su caso, fuerza de cosa juzgada, cuando tales pretensiones habrían podido estimarse si el consumidor no hubiera dejado de invocar por ignorancia el carácter abusivo de la cláusula en cuestión.*

> *33 Conviene también precisar que, para que el consumidor pueda beneficiarse plenamente de la protección que la Directiva 93/13 le concede y para que no se menoscabe el efecto útil de tal protección, el juez nacional no debe hacer una lectura formalista de las pretensiones de las que conoce, sino que, por el contrario, debe captar su contenido a la luz de los motivos invocados en apoyo de las mismas.*

> *34 De las consideraciones expuestas en los apartados 27 a 33 de la presente sentencia se desprende que están sujetas a la obligación de examen de oficio que incumbe al juez nacional que conoce del asunto únicamente aquellas cláusulas contractuales que, aunque no hayan sido impugnadas por el consumidor en su demanda, estén vinculadas al objeto del litigio tal como las partes lo hayan definido, a la vista de las pretensiones que hayan formulado y de sus motivos, y que tales cláusulas deben ser examinadas, para verificar*

su eventual carácter abusivo, tan pronto como el juez disponga de los elementos de hecho y de Derecho necesarios al efecto».

La conclusión que se puede extraer de la Sentencia Lintner es que el juez nacional está obligado a analizar de oficio el carácter abusivo de todas las cláusulas que sean necesarias para decidir sobre el objeto del proceso, aunque el consumidor no haya solicitado expresamente que se declaren abusivas, siempre que disponga de los elementos de hecho y de derecho para ello. Quedan, por tanto, excluidas del ámbito de apreciación de oficio las cláusulas contractuales cuya validez y eficacia no sea relevante para decidir sobre el objeto del proceso[45]. Todo ello sin olvidar que si el juez nacional aprecia el carácter abusivo de una cláusula ha de informar a las partes y dar la oportunidad de abrir un debate contradictorio entre ellas. Con esta nueva doctrina, el Tribunal de Justicia trata de ser respetuoso con el principio jurídico técnica básico en los procesos civiles, esto es, con el principio dispositivo, sin descuidar la protección del consumidor como parte débil de la relación contractual.

La cuestión se ha planteado ya ante los tribunales españoles y ha obtenido una respuesta en la STS 52/2020, de 23 de enero, que establece ciertos límites al control de oficio de cláusulas abusivas en procesos declarativos iniciados por el consumidor. Es in-

---

[45]   Esas otras cláusulas sí habrán de ser tenidas en cuenta por el juez nacional a efectos de valorar dentro de su contexto el carácter abusivo de la cláusula que sí forme parte del objeto del proceso. Esta valoración no implica la obligación del juez nacional que conoce del asunto de examinar de oficio el carácter eventualmente abusivo de todas esas otras cláusulas. En este sentido se pronuncia la Sentencia Lintner, en los apartados 45 a 49.

El consumidor tendrá la posibilidad de impugnar mediante una nueva demanda las cláusulas del contrato que no fueron objeto de su demanda inicial o de «ampliar, motu proprio o a instancias del tribunal…, el objeto del litigio del que este último conoce», de conformidad con el Derecho nacional aplicable (apartado 39 de la Sentencia Lintner). Esto último en nuestro ordenamiento solo podría encajar en una ampliación de demanda que, conforme al artículo 401 de la LEC, resulta posible antes de que el demandado haya contestado a la demanda.

teresante resaltar que esta Sentencia se dictó antes de que viera la luz la STJUE de 11 de marzo de 2020, asunto Lintner (C-511/17), pero cuando ya se habían presentado las Conclusiones del Abogado General.

Los hechos de los que esta Sentencia trae causa son a grandes rasgos los siguientes: los consumidores plantearon una demanda contra una entidad bancaria pidiendo la declaración de nulidad, por abusivas, de varias cláusulas de un contrato de préstamo con garantía hipotecaria. La sentencia de primera instancia, parcialmente estimatoria, fue recurrida en apelación por los demandantes, alegando, entre otros motivos, la circunstancia de que el juez no había apreciado de oficio la nulidad de una cláusula de vencimiento anticipado, no aducida en la demanda inicial. Tras la desestimación del recurso de apelación, se planteó recurso de casación en el que se solicita al Tribunal Supremo que fije como doctrina jurisprudencial que cualquier tribunal ha de controlar de oficio, en cualquier proceso declarativo o de ejecución, el carácter abusivo de cualquier cláusula de la relación jurídica que se cuestiona, siempre que estén implicados consumidores.

El Tribunal Supremo comienza recordando que tanto la jurisprudencia del TJUE como su propia jurisprudencia[46] es inequívoca en lo tocante al deber de los tribunales de controlar de oficio las condiciones generales de los contratos celebrados con consumidores. Esta exigencia se justifica tanto por razón de justicia material, en consideración a la desigual posición de las partes en los contratos, como por un objetivo de política general, concretado en el efecto disuasoria frente a la utilización de cláusulas abusivas.

Sin embargo, ese control de oficio no es absoluto, ni puede extenderse a cualquier cláusula del contrato, sino solo a aquéllas cuya validez y eficacia sea relevante para resolver las pretensiones formuladas por las partes. En este sentido, afirma el TS:

---

[46]   Cfr, como botón de muestra, la STS, Sala de lo Civil, 705/2015, de 23 de diciembre.

«Si para estimar la pretensión formulada por el empresario o profesional contra un consumidor, o determinar el alcance de tal estimación, ha de aplicarse una cláusula no negociada, el tribunal habrá de valorar y, en su caso, apreciar de oficio la abusividad y consiguiente nulidad de la cláusula incluso en el caso de que el consumidor no haya alegado tal abusividad.

Asimismo, si el consumidor ha formulado una pretensión, en una demanda o en una contestación a la demanda, para cuya estimación es preciso la apreciación del carácter abusivo de una cláusula no negociada empleada por un empresario o profesional, dicha abusividad deberá ser apreciada aunque el consumidor no lo haya postulado expresamente».

Por todo ello, el Tribunal Supremo concluye:

«Es contrario a las exigencias de utilización racional de los medios de la administración de justicia, no guarda relación con la finalidad de la normativa nacional y comunitaria de protección de los consumidores frente a las cláusulas abusivas, y supone una degradación de la función de asistencia del abogado (que en nuestro ordenamiento jurídico es obligatoria en la práctica totalidad de los litigios), pretender que el juez que resuelve sobre una demanda de juicio declarativo en la que se solicita que se declaren abusivas y nulas algunas cláusulas no negociadas en un contrato celebrado con unos consumidores, no solo debe pronunciarse sobre la pretensión formulada en la demanda por los consumidores, sino que además tiene que realizar una especie de investigación en la relación contractual que une al consumidor con el empresario para descubrir si existen otras cláusulas potencialmente abusivas y pronunciarse sobre el carácter abusivo de cláusulas que nada tienen que ver con aquellas que el consumidor, en su demanda, con la asistencia y orientación profesional de su abogado, solicitó que se declararan abusivas y que, por tanto, son irrelevantes para la estimación de la pretensión formulada»

Esta Sentencia llega, a mi juicio, a una conclusión muy razonable. Con independencia de que el consumidor sea parte demandante o parte demandada, el control de oficio de cláusulas abusivas solo debe alcanzar a aquellas que sean relevantes para resolver las pretensiones formuladas en el proceso y no a otras. En este caso, los demandantes pidieron la nulidad de unas determinada cláusulas y no de otras que, al ser independientes entre sí, no formaban parte del objeto del proceso y, por tanto, el tribunal no tenía que verificar de oficio si las cláusulas no impugnadas son nulas, pues ese examen no resulta necesario para pronunciarse sobre la nulidad de las cláusulas que sí fueron pedidas en la demanda. Esta conclusión es respetuosa con la protección que merece el consumidor en virtud de la Directiva 93/13 y con la coherencia del propio proceso civil y evita convertir al juez civil en una suerte de instructor o investigador[47].

Se puede concluir, pues, que la protección de los consumidores puede exigir una cierta atenuación del principio dispositivo con el fin de equilibrar la balanza en favor del consumidor, al que se considera la parte débil de la relación previa al proceso. Sin embargo, no puede admitirse que el proceso civil llega a convertirse en un proceso inquisitivo en el que el juez decida sobre lo que será objeto del proceso con independencia de la voluntad de las partes, ni siquiera en aras de la protección del consumidor.

4. EL CONTROL DE OFICIO DE CLÁUSULAS ABUSIVAS EN SEDE DE RECURSO

El problema que ahora se plantea es si, en sede de recurso, se debe controlar también de oficio la concurrencia de cláusulas abusivas. Esto nos enfrenta de forma directa con el tema de la congruencia en segunda instancia. En el marco de un litigio entre un empresario y un consumidor, ¿podrá el tribunal que conoce de la segunda instancia apreciar de oficio el carácter abusivo de una

---

[47] También se ha aplicado esta doctrina por las Audiencias Provinciales. Así, la SAP de Palma de Mallorca de 6 de abril de 2021, nº de resolución 293/2021, afirma que el juez no está obligado a ampliar el objeto litigioso al analizar el carácter eventualmente abusivo del contrato celebrado con un consumidor, su control de oficio solo recaerá sobre aquellas cláusulas contractuales que, aunque no impugnadas por el consumidor en su demanda, estén vinculadas al objeto litigioso tal y como las partes lo hayan delimitado.

cláusula contractual y extraer todas las consecuencias que de ello se derivan, pese a que la abusividad no se hubiera cuestionado en la primera instancia, ni el recurrente lo haya solicitado?

4.1. La STJUE de 30 de mayo de 2013, asunto Asbeek Brusse y Man Garabito (C-488/11) y la STJUE de 30 de mayo de 2013, asunto Jőrös (C-397/11): los límites a la apreciación de oficio en segunda instancia

Con respecto a esta cuestión resultan esenciales la STJUE de 30 de mayo de 2013, asunto Asbeek Brusse y Man Garabito (C-488/11) y la STJUE de 30 de mayo de 2013, asunto Jőrös (C-397/11). Los hechos de los que la primera de estas Sentencias trae causa se enmarcan en el contexto de una demanda interpuesta por una empresa que había arrendado a unos consumidores una vivienda y que, ante el impago de las rentas, solicita la resolución del contrato y la condena a abonar las rentas debidas y otras cantidades en concepto de cláusula penal. La sentencia estimatoria de la primera instancia fue recurrida en apelación por los consumidores, que solicitaron una modulación de las cantidades reclamadas en concepto de cláusula penal por la desproporción entre esas cantidades y el perjuicio real sufrido por el arrendador.

En tales circunstancias, el tribunal de apelación neerlandés decide suspender el procedimiento y plantear al Tribunal de Justicia dos cuestiones fundamentales. La primera es si la circunstancia de que el artículo 6 de la Directiva 93/13 deba considerarse una norma equivalente a las normas nacionales que en el ordenamiento jurídico interno tienen la naturaleza de normas de orden público, implica que el juez nacional, tanto en primera como en segunda instancia, está obligado a examinar de oficio (y, por tanto, *ultra petita*) si esa cláusula es abusiva. La segunda si es coherente con el efecto útil del Derecho de la Unión el hecho de que el juez nacional no excluya la aplicación de una cláusula penal abusiva, sino que se limite a moderar el importe de la pena contractual en aplicación de la legislación nacional, si un particular ha invocado la facultad de moderación del juez, pero no la anulabilidad de tal cláusula.

Es muy relevante para entender la trascendencia de esta sentencia que los consumidores no invocaron el carácter abusivo de la cláusula penal, ni en primera instancia ni en apelación. Solo al interponer el recurso de apelación solicitaron una moderación o reducción de la cláusula penal, pero no su supresión completa. Como fácilmente se puede adivinar, el problema está ligado a las normas internas que obligan al juez nacional que resuelve en apelación a atenerse a los motivos aducidos por las partes y a resolver conforme a lo pedido por estas.

El Tribunal de Justicia reitera, una vez más, el carácter imperativo del artículo 6, apartado 1, de la Directiva 93/13 y su equiparación a las normas nacionales de orden público. Con respecto a la ejecución de las obligaciones que, conforme a esa Directiva, corresponden al juez nacional en la apelación, el Tribunal de Justicia afirma:

> *«…es oportuno recordar que, en defecto de una normativa en el Derecho de la Unión, la regulación de los procedimientos de apelación destinados a garantizar la salvaguardia de los derechos que el ordenamiento jurídico de la Unión confiere a los justiciables corresponde al Derecho interno de los Estados miembros en virtud del principio de autonomía procesal de estos últimos. No obstante, esa regulación no debe ser menos favorable que la aplicable a situaciones similares de naturaleza interna (principio de equivalencia) ni articularse de tal manera que en la práctica haga imposible o excesivamente difícil el ejercicio de los derechos conferidos por el ordenamiento jurídico de la Unión (principio de efectividad)»*

Con esta premisa, la respuesta que da el Tribunal de Luxemburgo a la primera cuestión suscitada es la siguiente:

> *«De ello se deduce que, cuando el juez nacional sea competente, según las normas procesales internas, para examinar de oficio la validez de un acto jurídico en relación con las normas nacionales de orden público, competencia que, según las indicaciones expuestas en la resolución de remisión, se reconoce en el sistema judicial neerlandés al órgano jurisdiccional que resuelve en apela-*

ción, también deberá ejercer esa competencia para apreciar de ofi-
cio, a la luz de los criterios enunciados por la Directiva, el carácter
abusivo en su caso de una cláusula contractual comprendida en el
ámbito de aplicación de ésta».

Por tanto, el juez nacional que resuelve sobre la apelación estará obligado a apreciar de oficio la nulidad de una cláusula abusiva, siempre que, conforme a la legislación nacional, esté facultado u obligado a apreciar de oficio la validez de un acto jurídico en relación con las normas nacionales de orden público. La circunstancia de que el consumidor no haya invocado la nulidad de la cláusula, ni en la instancia ni al formular su pretensión impugnatoria, no altera en absoluto esta solución. Eso sí, deben respetarse, en cualquier caso, las exigencias del principio de contradicción y, por tanto, el juez nacional que aprecie de oficio el carácter abusivo de una cláusula contractual debe informar a las partes y ofrecerles la posibilidad de abrir un debate contradictorio conforme a lo previsto en las normas procesales internas.

Similar en este punto es la respuesta en la Sentencia Jőrös, dictada en un contexto diferente, pues el consumidor era el demandante y había solicitado la declaración de nulidad de una cláusula distinta de la apreciada por el tribunal de apelación. Además del alcance de la apreciación de oficio de cláusulas abusivas cuando el consumidor es demandante, que ya se analizó en un apartado anterior, se plantea si el tribunal de apelación ha de controlar también de oficio las cláusulas abusivas. Repite punto por punto los mismos argumentos de la Sentencia Asbeek Brusse y Man Garabito, a la que menciona expresamente en el texto, pese a ser ambas de la misma fecha, y concluye que «cuando el juez nacional que resuelve en apelación dispone de esa competencia en las situaciones de naturaleza interna debe ejercerla en una situación como la que es objeto del litigio principal, que afecta a la salvaguardia de los derechos que la Directiva 93/13 confiere al consumidor».

Con respecto a la segunda cuestión plateada en la Sentencia Asbeek Brusse y Man Garabito, esto es, si el juez nacional puede limitarse a moderar la cláusula considerada abusiva, tal y como solicitaron los consumidores recurrentes, o si debe sin más excluir su aplicación, el problema giraba en torno a la norma nacional que impide anular la cláusula abusiva si los consumidores solo han solicitado su minoración. Una vez más, le Tribunal de Justica acude al principio de equivalencia y resuelve que:

> «Cuando el juez nacional esté facultado, según las normas procesales internas, para anular de oficio una cláusula contraria al orden público o a una norma legal imperativa cuyo alcance justifique esa sanción, facultad que, según las indicaciones expuestas en la resolución de remisión, se reconoce en el sistema judicial neerlandés al órgano jurisdiccional que resuelve en apelación, también deberá anular de oficio una cláusula contractual cuyo carácter abusivo haya apreciado a la luz de los criterios enunciados por la Directiva».

Por tanto, si las normas procesales internas atribuyen al juez la potestad de anular de oficio una cláusula contraria al orden público o a una norma imperativa, esa misma consecuencia deberá aplicarse a las cláusulas que resulten abusivas conforme a la Directiva 93/13. La circunstancia de que los consumidores, seguramente por desconocimiento, no hayan solicitado la supresión de la cláusula sino su moderación en nada afecta a esta conclusión. Es evidente que, en este caso, el mantenimiento, aunque sea moderándola, de la cláusula abusiva no beneficia en absoluto a los consumidores.

Las Sentencias Asbeek Brusse y Man Garabito y Jőrös han sentado la doctrina de que el deber del tribunal de apelación de apreciar de oficio cláusulas abusivas gira en torno a una condición: la de que, conforme a la legislación interna, ese tribunal sea competente para examinar de oficio la validez de un acto jurídico en relación con las normas nacionales de orden público. De ello no se puede inferir que todos los órganos jurisdiccionales de segunda instancia en todos los Estados de la Unión estén obligados a apreciar de oficio el carácter abusivo de una cláusula contractual. Se trata de un dilema que ha de resolverse conforme a lo dispuesto en el ordenamiento interno de cada Estado miembro. Y la cuestión que se suscita de modo inmediato es si en nuestro ordenamiento se cumple o no la mencionada condición.

La respuesta no resulta, en absoluto, sencilla. El Tribunal de Justicia no deja claro si la equivalencia se refiere al control de cualquier acto jurídico en relación con las reglas de orden público o si, por el contrario, se refiere al control de oficio de las propias cláusulas contractuales[48]. Si se opta por la primera interpretación, más extensiva, se podría afirmar que como nuestro sistema procesal civil admite la potestad del tribunal de apelación de examinar de oficio determinados presupuestos procesales por su naturaleza de orden público y «la protección del consumidor participa de esta naturaleza, ha de concluirse que el tribunal del recurso tiene la potestad de apreciar de oficio el carácter abusivo de las cláusulas aunque este extremo no se haya analizado en primera instancia y aun cuando se haya silenciado en la formulación de la pretensión impugnatoria»[49].

Si, por el contrario, nos decantamos por la segunda interpretación, más restrictiva, las normas procesales imponen que el tribunal *ad quem* se pronuncie «exclusivamente sobre los puntos y cuestiones planteados en el recurso y, en su caso, en los escritos de oposición o impugnación» y que «la resolución no podrá perjudicar al apelante, salvo que el perjuicio provenga de estimar la impugnación de la resolución de que se trate, formulada por el inicialmente apelado» (artículo 465.5 de la LEC). No obstante, la jurisprudencia del Tribunal Supremo ha reconocido, si bien en casos excepcionales, la apreciación *ex officio* de la nulidad radical cuando se trate de actos contrarios a la legalidad o al orden público[50].

---

[48]	En este sentido, M. AGUILERA MORALES, «El control de oficio de las cláusulas abusivas en sede de recurso: la próxima batalla ante el TJUE», en *Diario La Ley*, n° 9378, Sección Doctrina, 15 de Marzo de 2019.

[49]	J.F. HERRERO PEREZAGUA, «Extensión, límites y efectos de las resoluciones civiles según la interpretación jurisprudencial europea», en *Adaptación del derecho procesal español a la normativa europea y a su interpretación por los tribunales. I Congreso Internacional de la Asociación de Profesores de Derecho Procesal de las Universidades Españolas*, ed. Tirant lo Blanch, Valencia, 2018, p. 229.

[50]	Sobre el tema, M. MARCOS GONZÁLEZ, M., *La apreciación de oficio de la nulidad contractual y de las cláusulas abusivas*, Ed. Civitas/Thomson Reuters, Navarra, 2011, pp. 103 y ss.

4.2. *La STJUE de 17 de mayo de 2022, asunto Unicaja Banco (C-869/19): los principios procesales no pueden ser un obstáculo a la efectividad del Derecho de la Unión*

El Tribunal de Justicia ha marcado un hito importante en lo que se refiere a la apreciación de oficio de cláusulas abusivas en sede de recurso en la STJUE de 17 de mayo de 2022, asunto Unicaja (C-869/19)[51].

---

[51]   Son varios los comentarios sobre esta Sentencia. Cfr., entre otros, J. DAMIÁN MORENO, «El valor de las ficciones como garantía del principio de efectividad: consideraciones en torno a la situación creada por la sentencia del TJUE de 17 de mayo de 2022», en *Diario La Ley*, nº 10174, Sección Tribuna, 21 de Noviembre de 2022; A. J., TAPIA HERMIDA, «Efectividad de la tutela judicial de los consumidores frente a las cláusulas abusivas de los contratos bancarios. Sentencias del Tribunal de Justicia 17 de mayo de 2022, asuntos C-600/19: Ibercaja Banco, C-869/19: Unicaja *banco* y otros asuntos acumulados (LA LEY 71506/2022)», en La Ley Unión Europea, nº 105, Julio/ 2022 y J. M. FERNÁNDEZ SEIJO, «Hacia un Derecho Procesal de consumo (Comentario a las recientes Sentencias del Tribunal de Justicia de la Unión Europea en materia de consumidores)», *Actualidad Civil*, nº 7/2022.
Una vez planteada la cuestión prejudicial y antes de que se dictara la Sentencia Unicaja, J. M. MARTÍN FUSTER, «La apreciación de oficio de las consecuencias de la Nulidad. Comentario a la Cuestión prejudicial presentada por el TS en el Auto de 27 de noviembre de 2019», en *Revista General de Derecho Procesal*, n°. 53, 2021, p.30, opinó que: «... los pronunciamientos que no se recurren por ninguna de las partes, devienen firmes, y por tanto no cabe su modificación de oficio, con unos efectos similar a la cosa juzgada. Pero en el caso de que algunas de las partes recurra ese pronunciamiento, sí podría admitirse la apreciación de oficio, incluso aunque empeore la situación del recurrente, en virtud de la aplicación del principio de efectividad que en este caso no se encontraría limitado al seguir esa cuestión siendo objeto del procedimiento. Y ello entendiendo que la *reformatio in peius* no limita el principio de efectividad, ya que no impide "el daño que derive de la aplicación de las normas de orden público, cuya recta aplicación es siempre deber del Juez, con independencia de que sea o no pedida por las partes", como señala el Tribunal Constitucional».

El planteamiento de la cuestión prejudicial que dio origen a esta Sentencia se enmarca en un proceso iniciado por un consumidor contra la entidad bancaria que le había concedido un préstamo con garantía hipotecaria, en el que solicitó la declaración de nulidad de la cláusula suelo inserta en el contrato y la restitución de las cantidades indebidamente percibidas. El Juzgado de Primera Instancia estimó la demanda, declarando abusiva la cláusula suelo por falta de trasparencia. En consecuencia, condenó a la entidad bancaria a la devolución de las cantidades indebidamente percibidas por aplicación de la cláusula suelo, pero limitó en el tiempo los efectos restitutorios con arreglo a la STS 241/2013, de 9 de mayo. La entidad bancaria interpuso recurso de apelación en la medida en que se le condenaba a la totalidad de las costas. La Audiencia Provincial no acordó la restitución plena de las cantidades percibidas en virtud de la cláusula suelo porque el consumidor no había recurrido la sentencia de primera instancia y, por tanto, el deber de congruencia y la prohibición de *reformatio in peius*, le impedían modificar los pronunciamiento no recurridos.

El consumidor interpuso recurso de casación en el que alegaba la infracción, entre otros, el artículo 1303 del Código Civil, que regula los efectos restitutorios vinculados a la nulidad de las obligaciones y contratos, en relación con el artículo 6, apartado 1, de la Directiva 93/13, que establece la no vinculación de los consumidores a las cláusulas abusivas. En apoyo de su pretensión, el consumidor alega que el tribunal de apelación debió acordar de oficio la restitución íntegra de las cantidades indebidamente pagadas en virtud de la cláusula suelo, tal y como exige la STJUE de de 21 de diciembre de 2016, asunto Gutiérrez Naranjo (C-154/15, C-307/15 y C-308/15).

En estas circunstancias, el Tribunal Supremo alberga dudas en cuanto a la compatibilidad de los principios de justicia rogada, de congruencia y de prohibición de *reformatio in peius* y también de la eficacia de cosa juzgada, establecidos en el Derecho nacional, con el artículo 6, apartado 1, de la Directiva 93/13. Decide, por ello, suspender el proceso y plantear al Tribunal de Luxemburgo si un tribunal nacional que conoce de un recurso de apelación interpuesto exclusivamente por la entidad bancaria, y no por el consumidor, debe acordar, pese a tales principios, la restitución íntegra de las cantidades percibidas en virtud de la cláusula abusiva.

El Tribunal de Justicia analiza el problema planteado tanto desde la perspectiva del principio de equivalencia como del principio de efectividad. El primer enfoque no supone ninguna novedad respecto de la ya dicho en las Sentencias Sentencias Asbeek Brusse y Man Garabito y Jőrös. El Tribunal de Luxemburgo reitera que cuando, en virtud del Derecho interno, el juez nacional que resuelve en apelación esté facultado u obligado a apreciar de oficio la legalidad de un acto jurídico a la luz de las normas nacionales de orden público, también debe estar obligado a apreciar de oficio la legalidad de tal acto desde el punto de vista de la referida disposición de la Directiva 93/13, aun cuando la cuestión de la legalidad de dicho acto a la luz de esas normas no se haya planteado en primera instancia. Por tanto, el problema se centra, en este caso, en la interpretación del Derecho nacional que, en este punto, no resulta del todo clara.

No se ha añadido hasta aquí nada nuevo respecto de lo que ya había dicho antes el propio Tribunal. Sin embargo, la novedad viene cuando el problema se analiza a la luz del principio de efectividad y del derecho a la tutela judicial efectiva, consagrado en el artículo 47 de la Carta de Derechos Fundamentales de la Unión Europea. El Tribunal de Justicia afirma que las condiciones establecidas por los derechos nacionales no pueden menoscabar el contenido sustancial del derecho de los consumidores a no quedar vinculados por cláusulas abusivas.

El máximo intérprete del Derecho de la Unión afirma que en el asunto en cuestión no puede presumirse una pasividad total del consumidor por el hecho de que no haya interpuesto recurso de apelación contra la sentencia de primera instancia. Esto puede imputarse a que cuando se dictó la Sentencia de 21 de diciembre de 2016, asunto Gutiérrez Naranjo, ya había transcurrido el plazo en el que se podría interponer recurso de apelación o adherirse a la apelación según el Derecho nacional. En tales circunstancias, la aplicación de los principios procesales nacionales tiene como efecto privar al consumidor de los medios procesales que le permiten hacer valer sus derechos en virtud de la Directiva 93/13 y, en consecuencia, puede hacer imposible o excesivamente difícil la protección de tales derechos, vulnerando de este modo el principio de efectividad.

Con estos argumentos la respuesta del Tribunal de Luxemburgo no podía ser otra que «el artículo 6, apartado 1, de la Directiva 93/13 debe interpretarse en el sentido de que se opone a la aplicación de principios procesales nacionales en cuya virtud un tribunal nacional que conoce de un recurso de apelación contra una sentencia que limita en el tiempo la restitución de las cantidades indebidamente pagadas por el consumidor a consecuencia de una cláusula declarada abusiva no puede examinar de oficio un motivo basado en la infracción de dicha disposición y decretar la restitución íntegra de esas cantidades, cuando la falta de impugnación de tal limitación en el tiempo por el consumidor afectado no puede imputarse a una pasividad total de este»[52].

Sin duda la Sentencia Unicaja tiene una enorme relevancia. Si nos centramos exclusivamente en el principio de equivalencia habría que concluir que solo se deben exceptuar reglas básicas del proceso, como la prohibición de *reformatio in peius*, cuando eso mismo se haga en aplicación normas internas de orden público. Sin embargo, si damos un paso más y nos basamos en el principio de efectividad, la excepción a esa regla, u otras similares, será necesaria siempre que la aplicación de la misma constituya un obs-

---

[52] El Tribunal de Justicia ya había manifestado, en la Sentencia de 25 de noviembre de 2008, asunto Heemskerk y Schaap C-455/06), que el Derecho de la Unión no puede obligar a un órgano jurisdiccional nacional a aplicar de oficio la normativa de la Unión cuando tal aplicación provoque que no se aplique el principio procesal nacional de prohibición de la *reformatio in peius*. Sin embargo, esta decisión no se refería a la protección especial de los consumidores sino a determinadas medidas de la Unión relacionadas con restituciones por exportaciones agrícolas.

táculo para garantizar el derecho de los consumidores a no verse afectado por cláusulas abusivas conforme a la Directiva 93/13.

Por tanto, al menos en los casos en que el consumidor no muestra una pasividad total, los principios procesales sobre los que se construye el proceso civil deben ceder si fuera necesario para proteger al consumidor frente a cláusulas abusivas o cuando hacen imposible o muy difícil la protección del consumidor. Habrá que esperar para ver si esta misma doctrina se acaba extendiendo a casos en los que el consumidor sí muestra una pasividad total como, por ejemplo, cuando está en rebeldía.

4.3. La postura del Tribunal Supremo: apreciación de oficio de cláusulas abusivas en apelación, pero no en recursos extraordinarios

El Tribunal Supremo, incluso antes de la Sentencia de 17 de mayo de 2022, asunto Unicaja (C-869/19), ya se había decantado por la interpretación extensiva y ha dado luz verde a la apreciación de oficio de cláusulas abusivas en sede de recurso. En este sentido, la STS 1723/2015, Sala Primera, de 22 de abril, afirmó que, «aunque constituya una facultad excepcional», el tribunal de apelación puede apreciar la nulidad de las cláusulas contractuales cuando sean contrarias al orden público» y, por tanto, existe un deber de controlar de oficio las cláusulas no negociadas individualmente que causen un desequilibrio importante de los derechos y deberes en perjuicio del consumidor[53].

Se extiende al ámbito de las cláusulas contractuales abusivas la doctrina expresada por el Tribunal Constitucional y por el Tribu-

---

[53]   En la misma línea, la STS 267/2017, de 4 de mayo, se pronuncia en el sentido de que la Audiencia Provincial al conocer de la segunda instancia debió apreciar de oficio la abusividad de una cláusula contractual, atendiendo así a la petición de los demandantes —apelantes en el escrito de interposición del recurso—, en cuanto que esa cláusula constituía un presupuesto de la pretensión contenida en la reconvención planteada por la entidad demandada.

nal Supremo, aunque en ámbitos diferentes del que nos ocupa, en el sentido de que «no cualquier empeoramiento de la situación inicial del recurrente es contrario al derecho a la tutela judicial efectiva del art. 24.1 CE, sino solo aquél que resulte del propio recurso del recurrente, sin mediación de pretensión impugnatoria de la otra parte, y *con excepción del daño que derive de la aplicación de normas de orden público, cuya recta aplicación es siempre deber del Juez, con independencia de que sea o no pedida por las partes*»[54].

Debe, no obstante, aclararse que en el caso contemplado en la Sentencia del Tribunal Supremo 1723/2015, dictada por el pleno, el tribunal de apelación no había actuado de oficio en la declaración de abusividad de la cláusula de interés de demora sobre la que se centraba la polémica, pues en el recurso de apelación se solicitó tal declaración. En lo que sí actuó de oficio el tribunal de segunda instancia fue en la determinación de los efectos de la declaración de nulidad, pues no se limitó a moderar los intereses, sino que los suprimió, aunque esto no era lo solicitado por el apelante. A este respecto, el Tribunal Supremo afirma que «al actuar de este modo, el tribunal de apelación no incurrió en incongruencia. La jurisprudencia de esta Sala ha afirmado que no es incongruente la sentencia que anuda a la declaración de ineficacia de un negocio jurídico (o una estipulación del mismo) las consecuencias que le son inherentes, que son aplicables de oficio como efecto "ex lege"

---

[54]   Vid. STC 41/2008, de 10 de marzo de 2008. En el mismo sentido, SSTC 15/1987, de 11 de febrero, FJ 3; 40/1990, de 12 de marzo, FJ 1; 153/1990, de 15 de octubre, FJ 4; y 241/2000, de 16 de octubre, FJ 2. Entre la jurisprudencia de la Sala Primera del Tribunal Supremo es interesante la STS 3257/2008, de 20 de junio, en la que se aprecia una vulneración de la prohibición de *reformatio in peius* en la sentencia de apelación porque «empeora la situación de la parte recurrente, sin que los afectados lo hubiesen solicitado, ni hubieran recurrido la sentencia en que implícitamente se aceptaba la posición de la parte actora» y, añade, que la resolución impugnada incurre en incongruencia, en su modalidad de reforma peyorativa o *reformatio in peius*, «toda vez que no se constatan razones procesales de orden público que, en defecto de petición de parte, pudieran apoyar tal decisión».

[derivado de la ley], al tratarse de las consecuencias ineludibles de la invalidez»[55].

En todo caso, lo que parece dejar claro el Tribunal Supremo es que la congruencia en segunda instancia debe matizarse cuando se trata de proteger al consumidor frente a cláusulas abusivas, pues no solo se podrán —*rectius*, deberán— apreciar de oficio por el tribunal de apelación, sino que podrá anudar a esa apreciación unas consecuencias que vayan más allá de lo que, en su caso, haya pedido el apelante en su escrito de impugnación. También deberá matizarse la tradicional prohibición de incurrir en *reformatio in peius*, pues con la apreciación de oficio de una cláusula abusiva y las consecuencias que de ello se derivan, puede ocurrir que se perjudique la situación del empresario recurrente, aunque ese perjuicio no derive de la estimación de la impugnación de la resolución por el consumidor.

Sin embargo, cuando lo que se plantea es si ese deber de apreciación de oficio se extiende al ámbito de los recursos extraordinarios, la respuesta del Tribunal Supremo es bien distinta. Así lo demuestra la STS 267/2017, de 4 de mayo, en ella se resuelve un recurso extraordinario por infracción procesal en el que el consumidor, al amparo de los ordinales 2º y 4º del artículo 469.1 de la LEC, denuncia que la sentencia de apelación no se había pronunciado sobre la nulidad de unas cláusulas abusivas al resolver el recurso de apelación en el que el recurrente solicitó la revocación de la sentencia de primera instancia precisamente por no haber apreciado de oficio la nulidad de esas cláusulas. En la apelación, el recurrente pidió que o bien la Audiencia Provincial apreciara la nulidad o bien se declarase la nulidad de actuaciones y se retrotrajeran al momento de la práctica de la prueba. La sentencia de apelación desestima el recurso y no hace referencia

---

[55]   En el mismo sentido, la propia Sentencia remite a otras anteriores de la misma Sala. Así, las Sentencias núm. 920/1999, de 9 de noviembre; 81/2003, de 11 de febrero; núm. 1189/2008, de 4 de diciembre; núm. 557/2012, de 1 de octubre y núm. 102/2015, de 10 de marzo.

alguna a la apreciación de oficio de cláusulas abusivas. En la fundamentación del recurso extraordinario, se denuncia la infracción del artículo 218 de la LEC por incongruencia omisiva de la sentencia de apelación.

El Tribunal Supremo desestima este motivo de impugnación. El Alto Tribunal comienza reconociendo que, conforme a la Sentencia del Tribunal de Justicia Asbeek Brusse y Man Garabito, el deber de apreciación de oficio se extiende a los tribunales de apelación. Por ello, estima que la falta de pronunciamiento sobre el carácter abusivo de las cláusulas por el tribunal de segunda instancia vició a la sentencia de incongruencia omisiva. En tal caso, el recurrente debió haber pedido la subsanación ante la propia Audiencia, pues «la denuncia temporánea de la infracción es un requisito inexcusable, una carga impuesta a las partes que obliga a reaccionar en tiempo y forma, con la debida diligencia, en defensa de sus derechos, ya que, de no hacerlo así, la parte pierde la oportunidad de denunciar la irregularidad procesal a través del recurso extraordinario». No se plantea, por tanto, que el propio Tribunal Supremo al conocer del recurso extraordinario pueda apreciar de oficio la nulidad de una cláusula abusiva cuando no se hubiera declarado así en la instancia.

Sin embargo, este criterio del Tribunal Supremo no parece que pueda ya mantenerse no solo por la Sentencia de 17 de mayo de 2022, asunto Unicaja (C-869/19), sino porque en ese misma fecha se dictaron otras dos Sentencias en las que esencialmente se afirma que la preclusión y la cosa juzgada no pueden impedir la apreciación de oficio de cláusulas abusivas en la ejecución[56]. Parece, por ello, que el deber de apreciar de oficio las cláusulas abusivas en perjuicio del consumidor se ha de mantener incluso en sede de recursos extraordinarios.

---

[56]   Cfr., SSTJUE de 17 de mayo de 2022, asunto Ibercaja Banco (C-600/19) y asuntos SPV Project 1503 Srl y Banco di Desio e della Brianza (C-693/19 y C-831/19).

5. ¿TIENE ALGUNA RELEVANCIA EN EL DEBER DE APRECIACIÓN DE OFICIO DE CLÁUSULAS ABUSIVAS LA CIRCUNSTANCIA DE QUE EL CONSUMIDOR ESTÉ O NO ASISTIDO POR ABOGADO?

La cuestión que ahora se plantea es si la medida en que el juez nacional ha de intervenir o plantear cuestiones de oficio puede verse modulada por la asistencia o no de abogado. O, con otros términos, se cuestiona si el juez ha de ser más activo cuando la parte más débil, es decir, el consumidor no actúa asistido de un letrado. En este sentido, algunos Estados miembros de la Unión Europea diseñan el proceso civil de manera que, aún regido por el principio dispositivo, los poderes de dirección del juez son más extensos en favor de aquella parte que no esté asistida de abogado[57].

En diversas ocasiones, el Tribunal de Justicia se ha pronunciado sobre la incidencia de la asistencia de abogado en la tutela de oficio de los derechos del consumidor en el marco del proceso civil. La Sentencia de 4 de octubre de 2007, asunto Rampion y Godard (C-429/05), se dicta en el marco de un proceso iniciado por un consumidor frente a dos entidades, una la vendedora y otra la entidad financiera del crédito al consumo, en el que solicitaba la declaración de nulidad del contrato de compraventa y la resolución del contrato de crédito. El órgano jurisdiccional remitente solicita que se dilucide si la jurisprudencia del Tribunal de Justicia relativa a la posibilidad del tribunal nacional de señalar de oficio las disposiciones contenidas en la Directiva 93/13 sobre las cláusulas abusivas en los contratos celebrados con los consumi-

---

[57] Cfr., el informe elaborado por un consorcio de universidades europeas dirigido por el *Max Planck Institute Luxembourg for Procedural Law*, a petición de la Comisión Europea, *An evaluation study of national procedural laws and practices in terms of their impact on the free circulation of judges and on the equivalence and effectiveness of the procedural protection of consumers under EU consumer law*, JUST/2014/RCON/PR/CIVI/0082, junio, 2017 pp. 169 a 170 y 177 a 178.

dores, derivada en particular de las sentencias de 27 de junio de 2000, asunto Océano Grupo Editorial y Salvat Editores (C-240/98 a C-244/98), y de 21 de noviembre de 2002, asunto Cofidis (C-473/00), puede aplicarse a la Directiva 87/102 sobre crédito al consumo.

El Tribunal de Justicia se pronuncia a favor de la apreciación de oficio por el juez de ciertos derechos adicionales que el artículo 11.2 de la Directiva 87/102 atribuye al consumidor respecto del prestamista y del proveedor de los bienes y servicios, con el fin de proteger adecuadamente al consumidor y añade:

> *«Este objetivo no podría alcanzarse efectivamente si el consumidor tuviera que encontrarse en la obligación de invocar por sí mismo el derecho, que tiene reconocido, a dirigirse contra el prestamista en virtud de las disposiciones del Derecho nacional que adaptan el ordenamiento jurídico interno al artículo 11, apartado 2, de la Directiva 87/102, en particular, debido al riesgo no despreciable de que el consumidor ignore sus derechos o encuentre dificultades para ejercitarlos.*
>
> *Según ha señalado el Abogado General en el punto 107 de sus conclusiones, el hecho de que el asunto principal haya sido promovido por el matrimonio Rampion y que, en dicho asunto, esté representado por un abogado no justifica una conclusión distinta, ya que el problema debe resolverse haciendo abstracción de las circunstancias concretas de dicho asunto»*[58].

---

[58]   Vid., Apartado 65 de la STJUE. Por su parte, las Conclusiones del Abogado General, Sr. Paolo Mengozzi, presentadas el 29 de marzo de 2007, afirman, en el punto 107, lo siguiente: «Desde otro punto de vista, ha de observarse además que el hecho de que el asunto pendiente ante el Tribunal d'instance fue promovido por los Sres. Rampion y que éstos han estado representados por un abogado, mientras que en los litigios nacionales que dieron lugar a las sentencias Océano Grupo Editorial y Salvat Editores y Cofidis los consumidores demandados no comparecieron en el procedimiento, no justifica en el presente asunto una conclusión diferente, en cuanto a la necesidad de hacer posible una intervención de oficio del juez al objeto de una tutela efectiva de los derechos del consumidor, de la acogida en tales sentencias. En efecto, el problema se resuelve en un plano general,

Unos años más tarde, la Sentencia del Tribunal de Justicia de 4 de junio de 2015, asunto Faber (C-497/13), se pronuncia de nuevo sobre los poderes del juez, esta vez en relación con la Directiva 1999/44 sobre venta y garantía de los bienes de consumo. La consumidora había comprado un vehículo de segunda mano que se incendió durante un desplazamiento y quedó totalmente inutilizado. La duda que plantea el tribunal remitente es si, en virtud del principio de efectividad, el juez nacional que conoce de un litigio sobre la garantía debida por el vendedor al comprador en el marco de un contrato de compraventa sobre un bien mueble está obligado a examinar de oficio si el comprador tiene la condición de consumidor en el sentido de la Directiva 1999/44, aunque dicha parte, que estaba asistida de abogado, no haya alegado esta condición. El Tribunal de Luxemburgo analiza la cuestión a la vista del principio de efectividad y concluye:

> *«Pues bien, las modalidades procesales que, como podría ser el caso en el litigio principal, no permitieran ni al juez de primera instancia ni al de apelación, cuando conocen de una demanda sobre obligaciones de garantía basada en un contrato de compraventa, calificar, conforme a los datos jurídicos y fácticos de los que disponen o de los que pueden disponer mediante un simple requerimiento de aclaración, la relación contractual de que se trate de venta al consumidor, cuando este último no se haya atribuido expresamente esta condición, equivaldrían a imponer al consumidor la obligación de efectuar él mismo, si no quiere verse privado de los derechos que el legislador de la Unión ha querido conferirle a través de la Directiva 1999/44, una calificación jurídica completa de su situación. En un ámbito en el que, en numerosos Estados*

es decir, a la luz de la naturaleza del litigio y de las características del procedimiento necesario para resolverlo, haciendo abstracción de las circunstancias concretas del procedimiento concreto. Por otra parte, no advierto cómo puede admitirse que una misma norma de protección del consumidor pueda considerarse aplicable de oficio respecto a un consumidor y no respecto a otro solo porque el primero no ha procedido a defenderse en juicio con la asistencia de un abogado y el segundo en cambio sí».

miembros, las normas procesales permiten a los particulares comparecer por sí mismos ante los tribunales, existiría un riesgo nada desdeñable de que, entre otras razones, por ignorancia, el consumidor no pudiera cumplir una exigencia de tal nivel.

De ello resulta que las modalidades procesales como las descritas en el apartado precedente no serían conformes con el principio de efectividad en la medida en que, en el ejercicio de acciones sobre obligaciones de garantía basadas en una falta de conformidad en las que son partes los consumidores, podrían hacer excesivamente difícil la aplicación de la protección que la Directiva 1999/44 pretende conferir dichos consumidores.

El principio de efectividad, por el contrario, exige que el juez nacional que conoce de un litigio relativo a un contrato que puede entrar dentro del ámbito de aplicación de dicha Directiva tenga la obligación, siempre que disponga de los datos jurídicos y fácticos necesarios a estos efectos o pueda disponer de ellos a simple requerimiento de aclaración, de comprobar si el comprador puede tener la condición de consumidor, aunque éste no la haya alegado expresamente.

Es preciso añadir que el hecho de que el consumidor cuente con la asistencia de un abogado no modificaría esta conclusión, por cuanto la interpretación del Derecho de la Unión y el alcance de los principios de efectividad y de equivalencia son independientes de las circunstancias concretas propias de cada caso concreto» [59].

Más recientemente la STJUE de 11 de marzo de 2020, asunto Lintner (C-511/17), se plantea la incidencia de la asistencia de

---

[59]   Vid. Apartados 44 a 47 de la Sentencia. Por su parte, la Abogada General, Sra. Eleanor Sharpston, en las Conclusiones presentadas el 27 de noviembre de 2014, afirma (punto 72): «Mi conclusión no depende de saber si el consumidor cuenta o no con asistencia jurídica (lo cual constituye el objeto de la cuestión 7). Esta circunstancia no puede alterar el sentido del Derecho de la Unión ni el alcance de los principios de efectividad y de equivalencia. Si bien (es de esperar que) el conocimiento por un individuo de su condición y sus derechos como consumidor deberían mejorar si está asistido por un abogado, el mero hecho de que un consumidor cuente con asistencia jurídica no puede demostrar ni constituir el fundamento de la presunción de tal conocimiento».

abogado al consumidor en relación con los poderes de apreciación de oficio de cláusulas abusivas conforme a la Directiva 93/13. La decisión del Tribunal de Justicia, en paralelo con las anteriores, es que la circunstancia de que la consumidora esté defendida por abogado carece de relevancia en el alcance del examen de oficio que incumbe al juez nacional, pues este deber corresponde al tribunal con independencia de las circunstancias concretas de cada procedimiento (apartado 40).

El Abogado General, Sr. Evgeni Tanchev, en las Conclusiones presentadas el 19 de diciembre de 2019, en el asunto Lintner, añade un argumento en apoyo de la reiterada postura mantenida por el Tribunal de Justicia respecto de la absoluta irrelevancia de la asistencia letrada en la determinación de los poderes del juez. Y es que esos poderes del juez «se basan en el desequilibrio que existe entre el consumidor y el profesional en el momento de la celebración del contrato y no del ejercicio de los derechos derivados del mismo»[60].

A la vista de esta jurisprudencia se puede concluir que el Tribunal de Justicia no considera que la asistencia letrada al consumidor deba servir de elemento modulador de la extensión de los poderes de dirección del juez nacional en el proceso civil. No se considera, por tanto, que la situación de inferioridad previa del consumidor con respecto al empresario o profesional quede subsanada por la asistencia de un técnico en Derecho durante la sustanciación del proceso. Es más, en alguna ocasión el Tribunal de Luxemburgo ha afirmado que la exigencia de actuar con abogado en litigios cuya cuantía a menudo es escasa puede ser un elemento disuasorio para que el consumidor defienda sus intereses en un proceso[61].

---

[60] Resultan interesantes los apartados 67 y ss. de las mencionadas Conclusiones.

[61] Cfr. SSTJUE de 27 de junio de 2000, asunto Oceano Grupo Editorial y Salvat Editores (C-240/98 a C-244/98), apartado 26, y de 4 de octubre de 2007, asunto Rampion y Godard (C-429/05), apartado 61.

6. LA FALTA DE PREVISIÓN EN LA LEC DEL DEBER DE APRECIACIÓN DE OFICIO DE CLÁUSULAS ABUSIVAS Y EL MOMENTO PARA LLEVAR A CABO ESE CONTROL EN NUESTRO PROCESO CIVIL

La jurisprudencia del TJUE es meridianamente clara en cuanto a que el órgano jurisdiccional que conoce del proceso declarativo tiene el deber de apreciar de oficio cláusulas abusivas cuando afecten a un consumidor. Sin embargo, el legislador nacional no ha plasmado en la LEC este deber en la regulación de los procesos declarativos, a diferencia de lo que sucede en otros procesos como el monitorio o el de ejecución de títulos ejecutivos extrajudiciales[62].

Es cierto que la Ley General para la Defensa de los Consumidores y Usuarios ofrece una base legal en el artículo 83, en la redacción dada por la Ley 3/2014, de 27 de marzo, en cuya virtud «las cláusulas abusivas serán nulas de pleno derecho y se tendrán por no puestas. A estos efectos, el Juez, previa audiencia de las partes, declarará la nulidad de las cláusulas abusivas incluidas en el contrato». Sería, empero, conveniente reflejar este deber en la legislación procesal y aclarar ciertas dudas que pueden suscitarse en torno al momento de apreciar la abusividad.

En los procesos declarativos corresponde, con carácter general, al letrado de la Administración de Justicia admitir la demanda y solo dará cuenta al juez cuando considere que puede haber una causa de inadmisión de la demanda. En este contexto, sería posible que el legislador dispusiera, de modo similar al proceso monitorio, que el letrado de la Administración de Justicia de traslado al juez de la demanda cuando ésta tenga como base un contrato entre un empresario y un consumidor con el fin de que analice

---

[62] Algunos autores abogan por la creación de un proceso especial en materia de consumo. Cfr, entre otros, S. GONZÁLEZ GARCÍA, «El control de oficio, un ataque frontal al principio dispositivo del proceso civil: ¿Hacia un proceso especial de consumidores?», *en Diario La Ley*, n° 9100, Sección Doctrina, 15 de Diciembre de 2017.

si concurren cláusulas abusivas que sean relevantes para decidir sobre la pretensión planteada. En el caso de que el juez tenga sospechas de abusividad tendría que dar audiencia a las partes y decidir mediante auto.

En el momento presente, a falta de previsión legislativa, el juez tendrá que controlar la existencia de cláusulas abusivas en la primera oportunidad que tenga para ello, sin perjuicio de que, en un momento posterior, pueda también realizar este examen de oficio, pues la jurisprudencia europea no fija un momento preclusivo para llevar a cabo este análisis, sino que deberá hacerse «tan pronto como disponga de los elementos de hecho y de derecho para ello».

Si estamos en un juicio ordinario, lo habitual será que, tras la admisión de la demanda por el letrado de la Administración de Justicia, sea en la audiencia previa cuando el juez pueda llevar a cabo el examen de la concurrencia de cláusulas abusivas y, en su caso, dar a las partes la oportunidad de pronunciarse sobre esta cuestión, antes de decidir[63].

Si estamos en un juicio verbal, será, con carácter general, la vista el momento procesal oportuno para analizar la concurrencia de cláusulas abusivas y dar audiencia a las partes para que hagan alegaciones sobre esta cuestión. Ahora bien, es posible que la vista no se celebre porque no lo pidan las partes y el tribunal no considere procedente su celebración (artículo 438.4 de la LEC). En ese caso, la LEC dispone que se dictará sentencia sin más trámites. Sin embargo, si el juez sospecha de la existencia de alguna cláusula abusiva será necesario que de audiencia a las partes y, a tal efecto, o bien convoca la vista o bien lo pone en conocimiento de las partes y les da un plazo para hacer alegaciones antes de decidir sobre la abusividad y, por supuesto, antes de dictar la sentencia.

---

[63] En este sentido, cfr. V. PÉREZ DAUDÍ, *La protección procesal del consumidor y el orden público comunitario*, ed. Atelier, Barcelona, 2018, pp. 162 y 163.

En el caso de que una vez dictada la sentencia, el consumidor apreciase la concurrencia de una cláusula abusiva podría interponer recurso con fundamento en la abusividad y el incumplimiento del deber judicial de apreciar de oficio la nulidad de la cláusula en cuestión. Se puede plantear, incluso, si nos podríamos encontrar ante una incongruencia por omisión de pronunciamiento en atención a que la jurisprudencia del Tribunal de Justicia considera un pronunciamiento debido la declaración judicial, incluso de oficio, de la nulidad de las cláusulas abusivas. Así parece deducirse de la STS 267/2017, de 4 de mayo, en la que se afirma que la falta de pronunciamiento por parte de la Audiencia Provincial en segunda instancia sobre el carácter abusivo de una cláusula «vició la sentencia de incongruencia omisiva» y determinó la infracción del artículo 218.1 de la LEC. En estas circunstancias, el Tribunal Supremo considera que el recurrente debió haber pedido la subsanación ante la propia Audiencia y, al no haberlo hecho, procede desestimar el recurso extraordinario por infracción procesal conforme al artículo 469.2 de la LEC. En apoyo de esta decisión, el Alto Tribunal cita la STS 450/2016, de 1 de julio, conforme a la cual:

> «De esta norma, este tribunal ha deducido que la denuncia temporánea de la infracción es un requisito inexcusable, una carga impuesta a las partes que obliga a reaccionar en tiempo y forma, con la debida diligencia, en defensa de sus derechos, ya que, de no hacerlo así, la parte pierde la oportunidad de denunciar la irregularidad procesal a través del recurso extraordinario (sentencias 634/2010, de 14 de octubre, y 241/2015, de 6 de mayo), y asimismo, que no puede admitirse el recurso extraordinario por infracción procesal por vulneración del principio de congruencia de la sentencia recurrida si no se ha solicitado, en caso de que se trate de una incongruencia omisiva, la subsanación de la omisión de pronunciamiento o complemento de la sentencia prevista en el art. 215 de la Ley de Enjuiciamiento Civil (Acuerdo sobre criterios de admisión de los recursos de casación y extraordinario por infracción procesal de 30 de diciembre de 2011, sentencia núm. 538/2014, de 30 de septiembre, y las que en ella se citan)».

Aplicar el tratamiento de la incongruencia por omisión de pronunciamiento a la falta de apreciación de oficio del carácter abusivo de una cláusula contractual plantea alguna dificultad práctica. El artículo 215 de la LEC se ocupa de la subsanación y complemento de las sentencias y autos defectuosos o incompletos. En el apartado segundo se prevé que, a instancia de parte, se inste el complemento de sentencias o autos que «hubieran omitido manifiestamente pronunciamientos relativos a pretensiones oportunamente deducidas y sustanciadas en el proceso». Es evidente que si nos estamos refiriendo a la apreciación de oficio de cláusulas abusivas, no es necesario que haya habido una previa petición de parte en este sentido. Además, el apartado tercero de la misma norma permite al tribunal corregir de oficio esas mismas omisiones mediante auto «pero sin modificar o rectificar lo que hubiere acordado». Esta previsión tampoco resulta adecuada cuando se trata de cláusulas abusivas por dos razones: la primera porque no está prevista la audiencia de las partes y la segunda porque la apreciación de la nulidad de una cláusula abusiva relevante para la decisión determinará con toda seguridad un cambio, modificación o rectificación de lo que se hubiera acordado por el tribunal.

De lo anterior se puede inferir que, tal y como está redactado el artículo 215 LEC, resulta difícil que la omisión de la apreciación de oficio de una cláusula abusiva pueda subsanarse por ese camino. Solo una reforma legislativa que contemple el complemento y, en su caso, la rectificación de la sentencia, previa audiencia de las partes, podría constituir una vía para corregir la falta de control de oficio de la cláusula abusiva.

7. UN CASO ESPECIAL: EL JUICIO VERBAL PARA LA PROTECCIÓN DEL DERECHO REAL INSCRITO

El juicio verbal de protección del derecho real inscrito es un proceso de carácter sumario por el que se encauzan las demandas que los titulares de derechos reales inscritos en el Registro de la Propiedad entablen contra las personas que les perturben en su ejercicio sin disponer de título inscrito que legitime esa perturbación (artículo 250.1.7º de la LEC).

El Juzgado de Primera Instancia número 1 de Jerez de la Frontera planteó una cuestión prejudicial en la que suscitaba la compatibilidad de este proceso sumario con la Directiva 93/13 y que fue resuelta por medio de la STJUE de 7 de diciembre de 2017, asunto Banco Santander (C-598/15). Ante el Juzgado estaba pendiente un proceso instado por una entidad bancaria que había adquirido un bien inmueble en un procedimiento de venta extrajudicial ante notario y lo había inscrito en el Registro de la Propiedad. La demandante solicitaba la condena a entregar el bien inmueble que estaba aún ocupado por la anterior propietaria consumidora, que había suscrito un préstamo con garantía hipotecaria y ante el impago de la deudora se procedió a la venta extrajudicial de la vivienda[64].

El juez nacional estimaba que debía proceder al control de oficio de las cláusulas abusivas porque el título de propiedad que se hacía valer se había obtenido en una venta extrajudicial cuyo fundamento se encontraba en un contrato de préstamo con garantía hipotecaria suscrito entre la entidad bancaria y la consumidora.

Tras la reforma llevada a cabo por la Ley 1/2013, de 14 de mayo, se prevé un cierto control de las cláusulas abusivas respecto de los procedimientos de venta extrajudicial de bienes hipotecados que se inicien con posterioridad al 15 de mayo de 2013. En concreto, el consumidor tiene la posibilidad de plantear ante el juez competente el carácter abusivo de las cláusulas contractuales que constituyan el fundamento de la venta extrajudicial o que hubieran determinado la cantidad exigible y el notario suspenderá la venta hasta que se resuelva sobre la abusividad[65]. Sin embargo,

---

[64] Sobre el polémico procedimiento de venta extrajudicial regulado en el artículo 129 de la Ley Hipotecaria, resulta de sumo interés el artículo de I. TAPIA FERNÁNDEZ, «La ¿ejecución? hipotecaria extrajudicial. Un problema no resuelto», en *Revista General de Derecho Procesal*, n°. 46, septiembre/2018.

[65] Tras las reformas llevadas a cabo por las Leyes 1/2013, de 14 de mayo y 19/2015, de 13 de julio, el artículo 129.2,f de la Ley Hipotecaria dispone: «Cuando el Notario considerase que alguna de las cláusulas del préstamo

el procedimiento extrajudicial de ejecución hipotecaria que precedió al litigio principal se inició el 24 de marzo 2011 y concluyó el 23 de febrero de 2012. Por tanto, estas previsiones no son aplicables *ratione temporis* al litigio principal.

En estas circunstancias, el órgano jurisdiccional remitente considera que en la venta extrajudicial no hay una adecuada tutela del consumidor frente a cláusulas abusivas conforme al estándar de protección fijado por la Directiva 93/13 y debe trasladarse al juicio verbal para la efectividad del derecho real inscrito el control de oficio de las cláusulas abusivas.

Se trata de una cuestión novedosa y muy relevante, pues lo que se está cuestionando es si en un proceso, como es el de protección de los derechos reales inscritos, se puede llevar a cabo un análisis de las eventuales cláusulas abusivas de un contrato de préstamo hipotecario que no es el fundamento de la acción ejercitada en ese proceso, pues esa acción se fundamenta en la inscripción registral del título.

El TJUE, confirmando el criterio expresado por el Abogado General en sus Conclusiones, estima que el juicio verbal de protección del derecho real inscrito no es una mera continuación del procedi-

---

hipotecario que constituya el fundamento de la venta extrajudicial o que hubiese determinado la cantidad exigible pudiera tener carácter abusivo, lo pondrá en conocimiento del deudor, del acreedor y en su caso, del avalista e hipotecante no deudor, a los efectos oportunos.

En todo caso, el Notario suspenderá la venta extrajudicial cuando cualquiera de las partes acredite haber planteado ante el Juez que sea competente, conforme a lo establecido en el artículo 684 de la Ley de Enjuiciamiento Civil, el carácter abusivo de dichas cláusulas contractuales. La cuestión sobre dicho carácter abusivo se sustanciará por los trámites y con los efectos previstos para la causa de oposición regulada en el apartado 4 del artículo 695.1 de la Ley de Enjuiciamiento Civil.

Una vez sustanciada la cuestión, y siempre que no se trate de una cláusula abusiva que constituya el fundamento de la venta o que hubiera determinado la cantidad exigible, el Notario podrá proseguir la venta extrajudicial a requerimiento del acreedor».

miento de venta extrajudicial y no se puede obviar la circunstancia, muy relevante, de que la garantía hipotecaria ya ha sido ejecutada, el inmueble ya ha sido vendido y los derechos reales sobre el mismo han sido transmitidos. La nueva acción ejercitada ante el órgano jurisdiccional consiste en «garantizar la protección de los derechos reales inscritos en el Registro de la Propiedad, con independencia del modo en que hayan sido adquiridos».

En esta ocasión, el TJUE resalta la importancia de proteger la seguridad jurídica de quien ha adquirido el derecho de propiedad y ha inscrito su adquisición en el Registro. Si bien en este caso concreto el adquirente de la propiedad era el propio acreedor hipotecario, no debe olvidarse que «cualquier tercero interesado puede adquirir la propiedad de dicho bien y, en consecuencia, tener interés en iniciar un procedimiento para obtener la entrega del mismo. En tales circunstancias, el hecho de permitir que el deudor que constituyó una hipoteca sobre tal bien formule frente al adquirente del mismo excepciones basadas en el contrato de préstamo hipotecario, del cual este adquirente puede no ser parte, podría afectar a la seguridad jurídica de las relaciones de propiedad ya nacidas».

La conclusión final a la que llega el TJUE es que «el artículo 6, apartado 1, y el artículo 7, apartado 1, de la Directiva 93/13 no resultan de aplicación en un procedimiento como el que es objeto del litigio principal, iniciado por quien obtuvo la adjudicación de un bien inmueble en un proceso de ejecución extrajudicial de la garantía hipotecaria constituida sobre ese bien por un consumidor en beneficio de un acreedor profesional y que persigue la protección de los derechos reales legalmente adquiridos por el adjudicatario, en la medida en que, por una parte, ese procedimiento es independiente de la relación jurídica que une al acreedor profesional y al consumidor y, por otra parte, la garantía hipotecaria ha sido ejecutada, el bien inmueble ha sido vendido y los derechos reales sobre el mismo han sido transmitidos sin que el consumidor haya hecho uso de los recursos legales previstos en este contexto».

En definitiva, el órgano jurisdiccional no puede entrar en el análisis de las cláusulas abusivas de un contrato de préstamo entre un profesional y un consumidor cuando la acción ejercitada no tiene como fundamento ese contrato de préstamo, sino el título de propiedad inscrito en el Registro de la Propiedad. La postura contraria hubiera puesto en riesgo la seguridad jurídica de quienes adquieren el derecho de propiedad e inscriben su título en el Registro cumpliendo todos los requisitos exigidos en la Ley[66].

---

[66] El Abogado General, Sr. Nils Wahl, en sus Conclusiones, presentadas el 29 de junio de 2017, añade un argumento más en favor de la decisión finalmente adoptada por el TJUE: la incompatibilidad entre el procedimiento en cuestión y la Directiva 93/13 no se justifica, al menos en este caso, desde la perspectiva del consumidor afectado cuya protección es el objetivo primordial perseguido por la misma. Tras la presentación de la demanda y el planteamiento de la cuestión prejudicial, la consumidora había suscrito un contrato de alquiler social con la entidad bancaria y permanecía en el inmueble en la condición de arrendataria. En esas circunstancias, la declaración de nulidad de la cláusula por la que se pacta la venta extrajudicial tendría como consecuencia la anulación de esa venta y la consumidora quedaría de nuevo vinculada por el contrato de préstamo cuyo pago incumplió y se dejaría sin efecto el contrato de alquiler social (apartados 70 a 81).
Este argumento, sin embargo, no se acogió por el Tribunal de Luxemburgo en la Sentencia y tiene sentido su omisión porque interpretado a *contrario sensu* podría dar lugar a entender que sí sería procedente el análisis de oficio de la cláusula en cuestión si ello pudiera suponer un beneficio para el consumidor. Esto no es, sin embargo, lo que está diciendo el TJUE. En este caso, debe primar la seguridad jurídica y no puede admitirse un control de oficio de cláusulas de un contrato que no constituye el fundamento de la acción ejercitada en el proceso para la tutela de los derechos reales inscritos.

Capítulo III
La práctica de prueba de oficio en el proceso declarativo

1. LA EXTENSIÓN DE LOS PODERES DE DIRECCIÓN DEL JUEZ NACIONAL AL ÁMBITO DE LA PRUEBA

Una consolidada y abundante jurisprudencia del Tribunal de Justicia considera, tal y como se ha constatado en los capítulos anteriores, que la apreciación de oficio de cláusulas abusivas es imprescindible para garantizar una adecuada protección del consumidor una vez que se convierte en parte de un proceso. Ese control de oficio se debe llevar a cabo tan pronto como el juez disponga de los elementos de hecho y de derecho para ello.

Ahora bien, ¿qué sucede si no se han acreditado en el proceso los hechos de los que depende la apreciación de la abusividad y consiguiente nulidad de una cláusula contractual? Se plantea, en concreto, si el poder de dirección del juez debe extenderse al ámbito de la prueba.

1.1. Las facultades directivas del juez nacional en orden a la determinación de los hechos en la jurisprudencia del Tribunal de Justicia

En principio, si se quiere garantizar al consumidor una especial protección en el ámbito probatorio son imaginables dos caminos. El primero sería el de la prueba de oficio, en cuya virtud el propio juez puede o debe ordenar la práctica de diligencias de prueba cuando sea necesario para apreciar hechos de los que dependa la abusividad. El segundo sería la inversión de las normas sobre carga de la prueba, de manera que se presuma algún hecho que, en principio, tendría que probar el consumidor y se arroje sobre la otra parte (el empresario o profesional) la carga de presentar prueba en contrario.

En algunas Directivas se incluyen normas de inversión de la carga de la prueba en beneficio del consumidor. Sin embargo, la jurisprudencia no ha dado ese salto, sino que se ha limitado a proclamar el deber del juez de ordenar la práctica de diligencia de prueba de oficio en determinados casos.

El punto de partida lo marca la Sentencia del Tribunal de Justicia de 9 de noviembre de 2010, asunto Pénzügyi Lízing Zrt. (C-137/08). Los antecedentes de hecho de esta Sentencia se refieren a un procedimiento en el que la entidad demandante (Pénzügyi Lízing Zrt.) solicita la resolución de un contrato de préstamo destinado a financiar la compra de un vehículo, así como la condena al consumidor demandado (Sr. Schneider) al pago del importe íntegro del préstamo y de los intereses. Este procedimiento comienza siendo de jurisdicción voluntaria, pero se convierte en contencioso a consecuencia de la oposición del deudor, en la que no se alegaron los motivos de defensa ni tampoco las razones por las que se consideraba infundada la pretensión del demandante. En el contrato de préstamo se incluyó una cláusula por la que se atribuía la competencia territorial a los tribunales en cuya circunscripción no tiene su residencia la parte demandada, ni su domicilio social la parte demandante, pero que está situado muy próximo al domicilio social de ésta.

El tribunal remitente de la cuestión prejudicial estima que la Sentencia del Tribunal de Justicia de 4 de junio de 2009, asunto Pannon (C-243/08), aclaró que las características específicas del procedimiento judicial que se ventila entre el profesional y el consumidor, en el marco del Derecho nacional, no pueden constituir un elemento que pueda afectar a la protección jurídica de la que debe disfrutar el consumidor en virtud de las disposiciones de la Directiva 93/13. Por lo tanto, el juez nacional deberá examinar de oficio el carácter abusivo de una cláusula contractual tan pronto como disponga de los elementos de hecho y de derecho necesarios para ello, sin importar que el procedimiento en cuestión se encuadrase inicialmente dentro de la jurisdicción voluntaria[67].

Ahora bien, a juicio del órgano jurisdiccional remitente, la Sentencia Pannon no resolvió la cuestión de si el juez nacional solo puede apreciar de oficio el carácter abusivo de una cláusula contractual cuando dispone de los elementos fácticos y jurídicos necesarios para ello o si el examen de oficio de este carácter abusivo también implica que, al efectuarlo, el juez está obligado a determinar de oficio los elementos de hecho y de derecho necesarios para dicho examen. En particular, se plantea si el tribunal nacional puede acordar de oficio la práctica de prueba, con el fin de determinar los elementos de hecho necesarios para esta apreciación, cuando, conforme a la normativa procesal nacional, las pruebas solo pueden practicarse a instancia de parte.

El Tribunal de Justicia afirma que, en el marco de las funciones que corresponden al juez en virtud de la Directiva 93/13, éste debe hacer una doble comprobación. En primer lugar, el juez debe examinar si una cláusula que es objeto del proceso está o no comprendida en el ámbito de la Directiva. Debe, por tanto, determinar si la cláusula ha sido objeto de negociación individual o si, por el contrario, ha sido impuesta por el empresario al consumidor. Si la cláusula no ha sido negociada individualmente y, por tanto, entra en el ámbito de la Directiva, se abre una segunda fase en la que el juez debe analizar si la cláusula es o no abusiva, es decir, si causa, en perjuicio del consumidor, un desequilibrio importante entre los derechos y las obligaciones de las partes que se derivan del contrato.

---

[67] Esta es una de las cuestiones que inicialmente había planteado el órgano jurisdiccional remitente, pero el Tribunal de Justicia decidió suspender el procedimiento a la espera de que se dictara la Sentencia Pannon. Una vez reanudado, el órgano remitente decidió retirar la cuestión de si el tipo de procedimiento puede incidir en la protección jurídica del consumidor y en los poderes del juez, pues ya había obtenido una respuesta en la citada Sentencia.

Con estos argumentos, el Tribunal de Justicia concluye que, con independencia de lo que establezcan las normas de Derecho interno, «el juez nacional debe acordar de oficio diligencias de prueba para determinar si una cláusula atributiva de competencia jurisdiccional territorial exclusiva, que figura en el contrato que es objeto del litigio del que conoce y que se ha celebrado entre un profesional y un consumidor, está comprendida en el ámbito de aplicación de la Directiva y, en caso afirmativo, apreciar de oficio el carácter eventualmente abusivo de dicha cláusula»[68].

La contundencia con la que el Tribunal de Justicia proclama la obligación del juez nacional de acordar la práctica de pruebas de oficio si fuera necesaria para aclarar si una cláusula contractual impuesta por el empresario es abusiva contrasta con la opinión que había manifestado la Abogada General, Sra. Verica Trstenjak. En sus Conclusiones, presentadas el 6 de julio de 2010, manifestó que «del Derecho comunitario no se infiere ninguna disposición que obligue al juez nacional a acordar de oficio la práctica de la prueba con el fin de recabar los elementos de hecho y de derecho necesarios para apreciar el carácter abusivo de una cláusula contractual, si éstos no se encuentran disponibles». Es el Derecho nacional el que, en su opinión, debe determinar estas facultades

---

[68]   Finalmente, el Tribunal de Luxemburgo confirmó, como había hecho en sentencias anteriores (así, en la Sentencia Océano Grupo Editorial y Salvat Editores), que «la cláusula que, en el asunto principal, suscita la pregunta del juez nacional, al igual que una cláusula cuyo objeto consiste en atribuir la competencia, en todos los litigios que tengan su origen en el contrato, a un órgano jurisdiccional en cuyo territorio se halla el domicilio del profesional, impone al consumidor la obligación de someterse a la competencia exclusiva de un tribunal que puede estar lejos de su domicilio, lo que puede hacer más dificultosa su comparecencia. En los litigios de escasa cuantía, los gastos correspondientes a la comparecencia del consumidor pueden resultar disuasorios y hacer que éste renuncie a interponer un recurso judicial y a defenderse. Una cláusula de esta índole queda así comprendida en la categoría de aquellas que tienen por objeto o por efecto suprimir u obstaculizar el ejercicio de acciones judiciales o de recursos por parte del consumidor, a que se refiere el punto 1, letra q) del anexo de la Directiva».

del juez y, añade, que en los procesos civiles regidos por el principio dispositivo corresponde a las partes la alegación de los hechos relevantes, así como la proposición de las pruebas.

El Tribunal de Luxemburgo se decanta, pues, por la postura más tuitiva con el consumidor. Esta misma doctrina se mantiene en posteriores decisiones y se extiende a casos en que el consumidor es el demandante[69] o a otro tipo de procesos como el monitorio[70] o el juicio cambiario[71].

Una mención especial merece la STJUE de 4 de junio de 2020, asunto Kancelaria Medius (C-495/19), en la que se plantea si la situación de rebeldía del consumidor puede suponer un límite a los poderes de dirección del juez en el proceso. A grandes rasgos, los hechos de los que esta Sentencia trae causa son los siguientes: Kancelaria Medius, una sociedad que ofrece servicios de cobro de deudas, interponer una demanda contra un consumidor solicitando la condena de éste al pago de una cantidad derivada de un crédito al consumo, cedido por otra empresa. En apoyo de su demanda, Kancelaria aportó la copia de un contrato marco que no incluía la firma del consumidor. Pese a la rebeldía del consumidor, el Tribunal de distrito de Trzcianka desestimó la demanda por entender que las pruebas aportadas no demostraban la existencia de la deuda. La demandante interpuso recurso de apelación ante el Tribunal Regional de Poznan, alegando que, conforme al artículo 339.2 del Código de Procedimiento Civil, el tribunal debería resolver con base únicamente en las alegaciones y documentos aportados con la demanda.

---

[69] Cfr., SSTJUE de 14 de marzo de 2013, asunto Aziz (C-415/11), apartado 47, y de 11 de marzo de 2020, asunto Lintner (C-511/17), apartados 36 y 37.

[70] Cfr., STJUE de 14 de junio de 2012, asunto Banco Español de Crédito (C-618/10), apartado 44.

[71] Cfr., STJUE de 7 de noviembre de 2019, asuntos Profi Credit Polska (C-419/18 y C-483/18), apartados 66 a 68, en la que se afirma que «en ausencia de control eficaz del carácter potencialmente abusivo de las cláusulas del contrato de que se trate, no puede garantizarse el respeto de los derechos conferidos por la Directiva 93/13».

En estas circunstancias, el Tribunal Regional decide plantear una cuestión prejudicial en la que suscita sus dudas sobre la compatibilidad entre el artículo 339.2 del Código de Procedimiento Civil polaco y el nivel de protección de los consumidores exigido en la Directiva 93/13. El órgano jurisdiccional remitente afirma que la mencionada norma obliga al juez a dictar una sentencia en rebeldía contra el consumidor, cuyos fundamentos de hecho estarían constituidos únicamente por las alegaciones del demandante cuya veracidad se presume a menos que planteen dudas legítimas o se hagan en fraude de ley. Por ello, cuanto más lacónica sea la información proporcionada por el empresario en su demanda menos probable será que el tribunal pueda plantear dudas legítimas. En consecuencia, el tribunal polaco pregunta si el artículo 7, apartado 1, de la Directiva 93/13 se opone a la interpretación de una disposición nacional que impide al juez, en caso de rebeldía del consumidor demandado, adoptar de oficio diligencias de prueba cuando sean necesarias para apreciar el carácter abusivo de las cláusulas en las que el empresario fundó su demanda.

En la Sentencia Kancelaria Medius, el Tribunal de Justicia afirma que si el juez nacional no dispone de los elementos de hecho y de derecho necesarios para valorar el posible carácter abusivo de una cláusula, debe tener la posibilidad de adoptar de oficio las diligencias de prueba necesarias, incluso en el caso de incomparecencia del deudor. Esta postura no choca con el principio dispositivo, ni con el «principio *ne ultra petita*» porque no se trata de sobrepasar los límites del objeto del proceso fijados en las pretensiones de las partes, sino de examinar las cláusulas en las que el profesional demandante ha basado su demanda y que constituyen el objeto del proceso. Por tanto, el juez nacional ha de poder exigir al demandante que aporte el contenido del documento o documentos en que se basa su demanda, «dado que esa petición constituye sencillamente una parte de la etapa probatoria del proceso».

Con estas premisas, corresponde al juez nacional verificar si es posible hacer una interpretación conforme de la norma nacional cuestionada o si, en caso contrario, debe inaplicar esa norma, así como la jurisprudencia nacional que se oponga a las exigencias de la Directiva 93/13.

La jurisprudencia del Tribunal de Luxemburgo es meridianamente clara, por tanto, en lo relativo a que el juez nacional no puede ser un mero espectador en materia probatoria, sino que tiene facultades directivas en orden a la fijación de la certeza de los hechos de los que dependa la inclusión de una cláusula en el ámbito de aplicación de la Directiva 93/13, así como su posible carácter abusivo[72].

Ahora bien, este planteamiento suscita una duda: ¿el juez puede ordenar la práctica de cualquier tipo de prueba o solo de aquellas que se refieran a fuentes de prueba que consten en las actuaciones?

El Tribunal de Luxemburgo no se ha manifestado de una manera explícita y contundente sobre los límites a la práctica de prueba de oficio. Sin embargo, un análisis de cada uno de los casos en los que el Tribunal de Justicia ha proclamado el deber judicial de ordenar la práctica de prueba en defensa de los consumidores muestra que sí hay límites y que, en efecto, las fuentes

---

[72]   Como señalan G. ORMAZABAL SÁNCHEZ y R. M. MÉNDEZ TOMÁS, «Los poderes probatorios del juez civil en materia de consumo a la luz de la jurisprudencia del TJUE», en *La Ley Probática*, n°. 5, 2021, p.6, «…el reforzamiento de las facultades judiciales para actuar *ex officio* y, concretamente, las ahora referidas en materia probatoria, parecen sustentarse en la consideración de que debe existir un vínculo o relación directa entre el carácter imperativo del Derecho sustantivo aplicable al fondo de la controversia y las facultades del juez para actuar *motu proprio* en el acopio del material probatorio para esclarecer los hechos». Sobre la misma cuestión, G. ORMAZABAL SÁNCHEZ «El incremento de los poderes probatorios del Juez en la jurisprudencia europea y su repercusión el ordenamiento procesal español», en *Logros y retos de la justicia civil en España* / coord. por Guillermo Schumann Barragán; Fernando Jiménez Conde (dir.), Julio Banacloche Palao (dir.), Fernando Gascón Inchausti (dir.), Tirant lo Blanch, Valencia, 2023, pp. 157 a 166.

de prueba han de constar en el proceso. No se trata, por tanto, de que el juez civil se convierta en instructor y salga del proceso para buscar nuevas fuentes de prueba.

Una clara muestra de estos límites la podemos encontrar en la STJUE de 11 de marzo de 2020, asunto Lintner (C-511/17), referida a un proceso en el que una consumidora había solicitado la declaración de nulidad de varias cláusulas de un contrato de préstamo con garantía hipotecaria. Con respecto a la prueba de oficio, el Tribunal de Luxemburgo afirma, en el apartado 37 de la Sentencia, que «como también ha señalado, en esencia, el Abogado General en los puntos 61 a 64 de sus conclusiones, si los elementos de hecho y de derecho que figuran en los autos ante el juez nacional suscitan serias dudas en cuanto al carácter abusivo de determinadas cláusulas que no fueron mencionadas por el consumidor, pero que guardan relación con el objeto del litigio, sin que sea posible realizar apreciaciones definitivas al respecto, incumbe al juez nacional acordar, si es necesario de oficio, diligencias de prueba con el fin de completar los autos, requiriendo a las partes, con plena observancia del principio de contradicción, para que le aporten las aclaraciones y los documentos necesarios al efecto».

No es casual que la única prueba que se menciona es la documental. Con carácter general, la prueba determinante y que no había sido aportada en éste y en otros procesos es el contrato celebrado entre el empresario y el consumidor o, en su caso, los documentos acreditativos de la negociación individual de la cláusula para constatar si ésta entra o no en el ámbito de aplicación de la Directiva 93/13[73].

Algo más explícito fue el Abogado General en las Conclusiones presentadas el día 19 de diciembre de 2019, a las que se remite la

---

[73] Así, en la STJUE de 7 de noviembre de 2019, asuntos Profi Credit Polska (C-419/18 y C-483/18), se refiere expresamente a la presentación de los documentos en que se basa la demanda, en concreto el acuerdo cambiario sin que sea suficiente el título cambiario que el demandante había aportado para exigir el pago al consumidor.

propia Sentencia Lintner. En ellas se pone de manifiesto que el medio adecuado para garantizar el sistema de protección de los consumidores establecido en la Directiva 93/13 es habilitar al juez nacional para que acuerde diligencias de prueba de oficio, como, por ejemplo, «solicitar a las partes litigantes que aclaren algunas cuestiones o aporten las pruebas documentales pertinentes, con el objeto de formarse una opinión sobre el posible carácter abusivo de una cláusula contractual». Sin embargo, el Abogado General no considera que haya argumentos para apoyar la necesidad de que el tribunal nacional esté obligado a acordar de oficio «medidas de instrucción» más amplias. Entre esas medidas se mencionan «la obtención de pruebas por parte de los tribunales a través del interrogatorio de testigos de oficio, el requerimiento de oficio a terceros para que aporten pruebas, el interrogatorio de peritos de oficio, o las vistas de oficio». Esta posibilidad se deja a la autonomía del Derecho procesal nacional[74].

Con esa mención a las «medidas de instrucción» puede estar haciendo referencia a la búsqueda de fuentes de prueba distintas de las que aparezcan en las actuaciones. Esta última posibilidad requeriría una labor de instrucción o investigación que choca con la general configuración del proceso civil en los ordenamientos de los Estados miembros de la Unión Europea.

1.2. El encaje de la iniciativa probatoria de oficio en el ordenamiento español

Como se ha podido constatar en las páginas anteriores, la jurisprudencia del Tribunal de Justicia de la Unión Europea exige que, con independencia de los dispuesto en el Derecho interno, los jueces nacionales han de poder ordenar la práctica de prueba de oficio para constatar si una cláusula inserta en un contrato entre un empresario y un consumidor entra en el ámbito de aplicación de la Directiva 93/13 y, en caso afirmativo, si esta cláusula es abusiva.

---

[74] Cfr., apartados 54 a 64 de las mencionadas Conclusiones.

La cuestión que ahora nos plateamos es si esta facultad o, más exactamente, deber judicial tiene cabida en la regulación del proceso civil en el ordenamiento español o si se trata de una exigencia que queda al margen de la regulación nacional.

1.2.1. El principio de aportación de parte y la iniciativa probatoria de oficio

El artículo 216 de la Ley de Enjuiciamiento Civil, bajo la rúbrica *«principio de justicia rogada»*, consagra el principio dispositivo, cuya consecuencia es que «los tribunales civiles decidirán los asuntos en virtud de las aportaciones de hechos, pruebas y pretensiones de las partes, *excepto cuando la ley disponga otra cosa»*. En el mismo sentido, el artículo 282 de la LEC, bajo la rúbrica *«iniciativa de la actividad probatoria»* consagra el principio de aportación de parte, en cuya virtud, como regla general, las pruebas se practicarán a instancia de parte, si bien como excepción, «el tribunal podrá acordar, de oficio, que se practiquen determinadas pruebas o que se aporten documentos, dictámenes u otros medios o instrumentos probatorios, cuando así los establezca la ley».

En la generalidad de los sistemas procesales civiles se entiende que no sería razonable ni viable grabar a los tribunales con la responsabilidad de comprobar de oficio la certeza de las afirmaciones fácticas que resultan relevantes a efectos de decidir sobre el objeto de un concreto proceso civil. Este planteamiento no solo sería utópico, sino también poco razonable porque son las propias partes las que de ordinario se encuentran en mejores condiciones para acceder a las fuentes de prueba. Por ello, los sistemas procesales civiles no se construyen sobre la investigación *ex officio* de los hechos relevantes, ni se hace a los tribunales responsables de establecer la certeza positiva o negativa de esos hechos, sino que son las partes las protagonistas de la iniciativa y del esfuerzo dirigido a establecer aquella certeza[75].

---

[75] Cfr. A. DE LA OLIVA SANTOS, *Curso de Derecho Procesal Civil II, Parte Especial,* con I. DÍEZ-PICAZO GIMÉNEZ y J. VEGAS TORRES, Editorial Universitaria Ramón Areces, Tercera edición, Madrid, 2016, pp. 102 y ss.

Ahora bien, como afirma CALAMANDREI, «mientras para el ejercicio de la acción y para la concreta determinación del tema de la demanda todo poder de iniciativa reconocido al juez sería incompatible con la naturaleza misma del derecho privado, no se puede decir igualmente que el carácter disponible de la relación sustancial controvertida lleve necesariamente a hacer de la iniciativa de parte la elección y la puesta en práctica de los medios de prueba»[76]. Por tanto, la naturaleza privada de los derechos o intereses en juego no resulta incompatible con el reconocimiento de una papel activo del juez en orden a la fijación de los hechos relevantes en el proceso.

Dejando al margen los procesos civiles no dispositivos en los que el interés público predominante explica las especialidades en materia probatoria, el artículo 429 de la LEC es el precepto estrella que consagra una cierta iniciativa probatoria de oficio en la generalidad de los litigios en los que estén en juego derechos o intereses privados. Esta norma establece que el Tribunal, si considera que las pruebas propuestas por las partes pudieran resultar insuficientes para el esclarecimiento de los hechos controvertidos, «lo pondrá de manifiesto a las partes indicando el hecho o hechos que, a su juicio, podrían verse afectados por la insuficiencia probatoria». Y añade: «al efectuar esta manifestación, el tribunal, ciñéndose a los elementos probatorios cuya existencia resulte de los autos, podrá señalar también la prueba o pruebas que estime conveniente». En ese caso, «las partes podrán completar o modificar sus proposiciones de prueba a la vista de lo manifestado por el tribunal».

La norma mencionada prevé una posible iniciativa probatoria del tribunal respecto de la proposición de prueba en el juicio ordinario y, más concretamente, en la audiencia previa, pero resulta extensible al juicio verbal en virtud del artículo 443.3 *in fine* de la LEC. No se trata, en puridad, de prueba de oficio porque al juez

---

[76] P. CALAMANDREI, *Instituciones de derecho procesal civil según el nuevo Código*, Vol. I (Trad. SENTÍS MELENDO), EJEA, Buenos Aires, 1972, pp. 406 y 407.

no le corresponde ordenar la práctica de prueba, sino solo indicar las que considera convenientes para acreditar la certeza de unos hechos relevantes para decidir sobre el objeto del proceso. Serán las partes quienes decidirán si asumen la sugerencia del tribunal y, en consecuencia, completan o modifican sus proposiciones de prueba. En todo caso, la eventual indicación del tribunal sobre las pruebas que pueden resultar conducentes solo será admisible si las fuentes de prueba constan en los autos y, por tanto, no puede el juez convertirse en instructor y buscar nuevas fuentes de prueba.

Esta regulación ha suscitado dudas y no ha estado exenta de polémicas. La primera cuestión que se plantea es la relativa a la naturaleza jurídica de las facultades que se confieren al juez, ya que hay discrepancia de opiniones sobre si la indicación del hecho o hechos afectados por la insuficiencia probatoria constituye una facultad o un deber del juez. Si nos ceñimos a la literalidad de los términos empleados por el legislador («lo pondrá de manifiesto»), se puede alimentar la teoría de que se trata de un deber judicial[77]. Sin embargo, la doctrina mayoritaria se inclina por calificarlo como una facultad judicial[78].

---

[77] En este sentido, J. PICÓ I JUNOY, «La iniciativa probatoria del juez civil y sus límites», en Poder Judicial, 1998, nº 51, p.160; J. DAMIÁN MORENO, Comentarios a la nueva Ley de Enjuiciamiento Civil, T.II, Ed. Lex Nova, Valladolid, 2000, p. 2160; J.L. SEOANE SPIEGELBERG, La prueba en la Ley de Enjuiciamiento Civil 1/2000. Disposiciones Generales y Presunciones, Aranzadi Editorial, Navarra, 2002, p. 34; J. CREMADES MORANT, Ley de Enjuiciamiento Civil, Vol. I, Ed. Sepin, Madrid, 2001, p. 697; F. LÓPEZ SIMÓ, Disposiciones generales sobre la prueba, Ed. La Ley, Madrid, 2001, p.85; o M. SERRANO MASIP, «La intervención del tribunal ante la insuficiencia de la prueba propuesta por las partes», en La ley, Revista jurídica española de doctrina, jurisprudencia y bibliografía, nº 1, 2004, pp. 1867 a 1875.

[78] A favor de su carácter facultativo se hallan autores como A. DE LA OLIVA SANTOS, Curso de Derecho Procesal Civil II..., cit., pp. 104 a 106; J. F. ETXEBERRÍA GURIDI, Las facultades judiciales en materia probatoria en la LEC, Tirant lo Blanch, Valencia, 2003, p. 271; J. MONTERO AROCA, Los principios políticos de la nueva Ley de Enjuiciamiento Civil. Los poderes del juez y la oralidad, ed.Tirant lo Blanch, Valencia, 2001, p.123; LL. MUÑOZ SABATÉ, Fundamentos de la prueba civil. LEC 1/2000, Bosch,

El recurso a esta facultad ha de ir precedido de una apreciación subjetiva sobre la insuficiencia de las pruebas propuestas que difícilmente será susceptible de control externo y *a posteriori*. Precisamente, la dificultad de llevar a cabo esa valoración en un momento en el que aún no se han practicado las pruebas es una de las principales críticas a la regulación legal. En el momento de la audiencia previa, los instrumentos probatorios de los que dispone el tribunal no pueden ser otros que las pruebas documentales o instrumentos asimilados y la prueba anticipada si se acordó en el momento oportuno. Por tanto, el juez tendrá que predecir o prejuzgar los resultados a los que puede conducir la práctica de unas pruebas que aún no se han practicado. No resulta, por tanto, una facultad fácil de utilizar en la práctica.

Además de esta dificultad aplicativa, se ha criticado su posible incidencia sobre el principio de igualdad de las partes procesales. Si el juez hace uso de esta facultad para remediar la insuficiencia probatoria de una de las partes, estará perjudicando a la otra parte. Se trata, por ello, de un mecanismo poco armónico con la idea que inspira el sistema procesal civil y es que si en el proceso están en juego derechos e intereses privados, son las partes a quienes corresponde realizar el esfuerzo tanto en la alegación de los hechos como en la proposición de las pruebas, puesto que son bienes jurídicos de ellas los que están en juego en el proceso[79].

Otra de las normas que atribuye al juez un cierto protagonismo en materia probatoria es el artículo 435.2 de la LEC que prevé la posibilidad de adoptar de oficio diligencias finales en el juicio ordinario. Dentro del plazo para dictar sentencia es posible que se practiquen actuaciones probatorias complementarias denomi-

---

2001, p. 235; C. VÁZQUEZ IRUZUBIETA, *Comentarios a la nueva ley de enjuiciamiento civil. Doctrina y jurisprudencia de la ley 1/2000, de 7 de enero,* Dijusa, Madrid, 2000, p.623; o J.L. VÁZQUEZ SOTELO, *Las diligencias finales,* en Instituciones del nuevo proceso civil. Comentarios sistemáticos a la ley 1/2000", Vol. II, Dijusa, Barcelona, 2000, p. 551.

[79]　Cfr. DE LA OLIVA SANTOS, *El papel del juez en el proceso civil,* Civitas, Navarra, 2012, pp. 126 y ss.

nadas diligencias finales. Estos actos de prueba se acordarán por el juez a instancia de parte y, excepcionalmente, de oficio. Esa última posibilidad solo se admite cuando las pruebas se refieren a hechos relevantes, oportunamente alegados, «si los actos de prueba anteriores no hubieran resultado conducentes a causa de circunstancias ya desaparecidas e independientes de la voluntad y diligencia de las partes, siempre que existan motivos fundados para creer que las nuevas actuaciones permitirán adquirir certeza sobre aquellos hechos». Para estos casos, la LEC exige una especial motivación del auto en el que se acuerde la práctica de las diligencias, en el que se habrá de informar sobre las circunstancias por las que la prueba fracasó y los motivos para creer que las nuevas pruebas serán conducentes para acreditar los hechos relevantes.

De esta regulación se puede deducir, en palabras de DE LA OLIVA SANTOS, que «las diligencias finales se conciben, por tanto, no para que el tribunal promueva prueba, ni para que los litigantes puedan descuidar proponerla y no hacer de su parte todo lo posible para que se practique cuando es razonable practicarla —o para que no aporten en su momento documentos, que se traerán al proceso extemporáneamente— sino para afrontar casos excepcionales, bien de imposibilidad de proponer prueba en los ordinarios momentos, bien de imposibilidad sin culpa de practicar la prueba admitida»[80].

1.2.2. ¿La facultad judicial del artículo 429.1 de la LEC colma las exigencias de la jurisprudencia europea?

Tras este breve repaso sobre la iniciativa probatoria que se reconoce al tribunal en el artículo 429.1 de la LEC, la cuestión que se plantea de modo inmediato es si esa previsión es suficiente para

---

[80] Vid., A. DE LA OLIVA SANTOS, *Comentarios a la Ley de Enjuiciamiento Civil* (con I. DÍEZ-PICAZO GIMÉNEZ, J.VEGAS TORRES y J. BANACLOCHE PALAO), Civitas, Madrid, 2011, p. 736.

satisfacer la exigencia de la jurisprudencia del Tribunal de Luxemburgo de reconocer un papel activo al juez nacional en orden a tutelar a los consumidores y usuarios en el proceso.

El aumento de los poderes directivos del juez en el proceso se ha considerado, como hemos tenido ocasión de comprobar, la herramienta fundamental para garantizar una adecuada protección de los consumidores una vez que se convierten en partes procesales y compensar de ese modo la posición de inferioridad del consumidor frente al empresario o profesional en el momento de la contratación. Especialmente en lo relativo a las cláusulas abusivas, respecto de las que el juez no solo tiene el deber de apreciarlas de oficio sino también de ordenar la práctica de pruebas para determinar si una cláusula entra dentro del ámbito de la Directiva 93/13 y, en caso afirmativo, si tiene o no carácter abusivo.

Con estas premisas es fácil concluir que la polémica facultad de sugerir pruebas de oficio en caso de que un hecho pueda verse afectado por una insuficiencia probatoria, prevista en el artículo 429.1 de la LEC, no colma las exigencias de la jurisprudencia europea. Desde la importante Sentencia del Tribunal de Justicia de 9 de noviembre de 2010, asunto Pénzügyi Lízing Zrt. (C-137/08), lo que exige la jurisprudencia comunitaria es que, con independencia de lo previsto en el Derecho interno, el juez debe poder ordenar la práctica de prueba de oficio respecto de aquellos hechos de los que depende la apreciación del carácter abusivo de una cláusula que ha de valorar para resolver sobre el objeto del proceso. No basta, pues, con una mera sugerencia que pueda o no ser asumida por el consumidor.

Esta conclusión se refuerza si se repara en que el Tribunal de Luxemburgo ha estimado que el deber judicial de ordenar pruebas de oficio se mantiene incluso aunque el consumidor se encuentre en situación de rebeldía[81]. Situación ésta en la que, obviamente, no podría asumir sugerencia probatoria alguna del tribunal.

---

[81]   Cfr., STJUE de 4 de junio de 2020, asunto Kancelaria Medius (C-495/19).

1.2.3. ¿La posibilidad de acordar diligencias finales de oficio colma las exigencias de la jurisprudencia europea?

La siguiente cuestión que se suscita a la vista de la regulación del proceso civil en la LEC es si la posibilidad de adoptar de oficio diligencias finales en el juicio ordinario es suficiente para superar el filtro del Tribunal de Luxemburgo en lo relativo a las facultades directivas del juez nacional en materia probatoria.

La respuesta debe ser claramente negativa. Las razones son, en parte, coincidentes con las que se acaban de dar para valorar la iniciativa probatoria a la que se refiere el artículo 429.1 de la LEC.

Las diligencias finales de oficio se pueden acordar excepcionalmente con el fin de repetir alguna prueba propuesta, admitida y practicada regularmente, pero que, por circunstancias ajenas a la parte proponente, no resultó conducente para acreditar los hechos. Por eso, el artículo 435.2 de la LEC dice expresamente que el tribunal, de oficio o a instancia de parte, podrá ordenar que «se practiquen de nuevo pruebas». En consecuencia, si sobre el hecho en cuestión no se hubiera propuesto por la parte interesada ninguna prueba, el tribunal no puede acudir a las diligencias finales para suplir la falta de iniciativa probatoria de la parte.

Es claro, por tanto, que el deber judicial impuesto por la jurisprudencia del Tribunal de Luxemburgo no encuentra fácil acomodo en la regulación de las diligencias finales. No se prevé, como exige el máximo intérprete del Derecho de la Unión, una auténtica prueba de oficio que permita al juez, incluso aunque el consumidor esté en rebeldía, ordenar las diligencias de prueba necesarias para determinar si una cláusula inserta en un contrato entre un consumidor y un empresario entra en el ámbito de la Directiva 93/13 y, en su caso, si es abusiva.

Pero aún hay más razones. Las diligencias finales están previstas solo para el juicio ordinario y no son extensibles al juicio verbal[82]. Sin embargo, la práctica de prueba de oficio exigida por la jurisprudencia europea no puede depender de que sea uno u otro el procedimiento a seguir. Ya desde la Sentencia del Tribunal de Justicia de 4 de junio de 2009, asunto Pannon (C-243/08), quedó claro que las características específicas del procedimiento judicial que se ventila entre el profesional y el consumidor, en el marco del Derecho nacional, no pueden constituir un elemento que pueda afectar a la protección jurídica de la que debe disfrutar el consumidor. Por tanto, no sería admisible que ese poder de actuación del juez fuera posible en el juicio ordinario y no en el juicio verbal.

1.2.4. A modo de conclusión

La ausencia de una adecuada regulación en el Derecho interno, no exime al juez nacional de actuar de acuerdo con la jurisprudencia del Tribunal de Luxemburgo. Sin embargo, una adecuada previsión en la legislación nacional contribuiría a facilitar esta tarea y a garantizar que cualquier juez civil sea consciente de la labor tuitiva que en materia probatoria le corresponde cuando en el proceso interviene un consumidor.

De cara a una futura regulación, el legislador patrio debería tener en cuenta que el deber judicial de ordenar la práctica de prueba de oficio debe admitirse con independencia del procedimiento, juicio ordinario o juicio verbal, que se deba seguir.

Por otro lado, si el deber de apreciar de oficio la existencia de cláusulas abusivas no está sometido a un momento preclusivo, parece que tampoco debería estarlo el deber de ordenar la práctica de pruebas de oficio para valorar esa eventual abusividad. Tan pronto como al juez le surjan dudas sobre el carácter abusivo de una cláusula inserta en un contrato entre un consumidor y un empresario, ha de poder ordenar la práctica de prueba de

---

[82] Cfr. Vid., A. DE LA OLIVA SANTOS, *Comentarios a la Ley de Enjuiciamiento Civil...*, cit., pp. 736 y ss.

oficio y, en su caso, declarar la nulidad de la cláusula por causar un desequilibrio entre los derechos y obligaciones de las partes en perjuicio del consumidor. Eso sí, siempre habrá de respetar la exigencia derivadas de la contradicción y, en consecuencia, debe dar a ambas partes la posibilidad de participar en la práctica de las pruebas.

Capítulo IV
La tutela cautelar de oficio

1. LA EXTENSIÓN DE LOS PODERES DE DIRECCIÓN DEL JUEZ NACIONAL A LA TUTELA CAUTELAR

Es de sobra conocido que las medidas cautelares resultan esenciales para garantizar la efectividad de la tutela judicial que pudiera otorgarse en la sentencia estimatoria que pudiera dictarse en un proceso declarativo. Como regla general, será el demandante quien, bajo su responsabilidad, podrá instar la tutela cautelar. No se admite, por tanto, que el tribunal acuerde de oficio medida cautelar alguna, salvo lo dispuesto con carácter excepcional para algunos procesos especiales (artículo 721 de la LEC).

Sin embargo, se ha planteado ante el Tribunal de Justicia si la adopción de oficio de medidas cautelares resulta necesaria para garantizar la protección del consumidor. La respuesta a una cuestión de tanta trascendencia se ha reflejado en un Auto de 26 de octubre de 2016, asunto Fernández Oliva (C-568/14 a C-570/14)[83].

Para una correcta comprensión de la decisión adoptada por el Tribunal de Luxemburgo en el mencionado auto resulta necesario hacer referencia con carácter previo a la Sentencia de 14

---

[83] Con anterioridad a este Auto, el Tribunal de Luxemburgo ya había ido empoderando a los jueces nacionales para acordar de oficio medidas adecuadas de protección los consumidores, pero sin reconocerles, al menos de forma expresa, la posibilidad de adoptar de oficio medidas cautelares. Sobre este tema, cfr., C. J. MOREIRO GONZÁLEZ, «El juez nacional de medidas cautelares y la tutela del orden público y del interés público de la Unión Europea», en *Revista de Derecho Comunitario Europeo,* nº 54/2016, pp. 473 a 516.

de abril de 2016, asuntos Sales Sinués y Drame Ba (C-381/14 y C-385/14), que constituye, como se verá, su antecedente lógico[84].

2. EL PUNTO DE PARTIDA: LA STJUE DE DE 14 DE ABRIL DE 2016, ASUNTOS SALES SINUÉS Y DRAME BA (C-381/14 Y C-385/14)

Esta sentencia trae causa de cuatro cuestiones prejudiciales planteadas por el Juzgado de lo Mercantil núm. 9 de Barcelona en el marco de dos procesos: el primero incoado por el Sr. Sales Sinués frente a Caixabank S.A. y el segundo incoado por el Sr. Drame Ba frente a Catalunya Caixa S.A. Los demandantes solicitaron la declaración de nulidad de una cláusula suelo incorporada a sus contratos de préstamo con garantía hipotecaria por falta de trasparencia y por abusividad, así como la condena a las entidades demandadas a devolver las cantidades indebidamente percibidas en virtud de tales cláusulas.

Tanto Caixabank como Catalunya Caixa se opusieron a las demandas con el argumento de que, con anterioridad a su interposición, una asociación de consumidores y usuarios, ADICAE, había ejercitado una acción de cesación respecto de esas mismas cláusulas y otra de restitución de las cantidades indebidamente cobradas y que este proceso se encontraba todavía pendiente. Con base en

---

[84] Dos interesantes comentarios sobre esta Sentencia puede verse en M. AGUILERA MORALES, «Concurrencia de acciones colectivas e individuales: la solución a un problema de legalidad ordinaria de manos del TJUE», en *Estudios sobre jurisprudencia europea: materiales del I y II Encuentro anual del Centro español del European Law Institute* / coord. por A. RUDA GONZÁLEZ y C. JEREZ DELGADO, ed. Sepin, Madrid, 2018, pp. 473 a 487; y J. LÓPEZ SÁNCHEZ, «Las relaciones entre las acciones colectivas e individuales: el precedente sentado por la sentencia del TJUE de 14 de abril de 2016», en *Estudios sobre jurisprudencia europea: materiales del I y II Encuentro anual del Centro español del European Law Institute* / coord. por A. RUDA GONZÁLEZ y C. JEREZ DELGADO, ed. Sepin, Madrid, 2018, pp. 607 a 626.

que la sentencia que recayese en el proceso colectivo desplegaría eficacia prejudicial en los procesos individuales, las entidades bancarias solicitaron la suspensión de éstos al amparo del artículo 43 de la LEC.

En estas circunstancias, el Juzgado de lo Mercantil decidió plantear al Tribunal de Justicia varias cuestiones prejudiciales en las que ponía en tela de juicio la compatibilidad entre artículo 43 de la LEC y el artículo 7 de la Directiva 93/13, en la medida en que el tribunal nacional consideraba que esa norma le obligaba a suspender el proceso individual hasta que el proceso colectivo quedase resuelto por sentencia firme y quedando la acción individual subordinada al resultado de la colectiva.

La Sentencia Sales Sinués parte de una premisa falsa debido a que el órgano jurisdiccional promotor de la cuestión prejudicial hace una interpretación claramente errónea de la norma procesal en cuestión. Es evidente que el artículo 43 de la LEC no impone al juez el deber de suspender el proceso promovido por el consumidor a la espera de que finalice el proceso en el que se ejercita la acción colectiva. El tenor literal del precepto no está redactado en términos imperativos sino potestativos: permite al juez decretar la suspensión del proceso si así se solicita a instancia de parte y previa audiencia de la parte contraria.

Debe reconocerse, no obstante, que la relación entre la acción colectiva y la acción individual no goza de una regulación clara en nuestra legislación procesal. Esto explica que los tribunales nacionales hayan ofrecido distintas soluciones en torno a las consecuencias que la pendencia de una acción colectiva puede desplegar sobre un proceso individual iniciado por un consumidor. Se pueden encontrar hasta tres respuestas dispares para abordar el problema. Una primera interpretación es la de los que entienden que existe prejudicialidad civil y, con base en el artículo 43 de la LEC, suspenden el proceso individual hasta que recaiga sentencia firme en el proceso colectivo. La segunda lectura es la de aquellos tribunales que consideran que existe una situación de litispendencia entre las acciones individuales y la acción colectiva por concurrir la identidad entre los objetos de unos y otros procesos. Esta identidad lleva a excluir el proceso individual y ponerle fin al amparo de los artículos 222.3 y 421.1 de la LEC. Una última exégesis es la de quienes estiman que no hay ni prejudicialidad ni litispendencia, pues entre las acciones individuales y la colectiva no existe identidad, ni el proceso individual ha de supeditarse al colectivo, sino que debe garantizarse el derecho a la tutela judicial efectiva del consumidor.

Debe, no obstante, ponerse de manifiesto que la STC 148/2016, de 19 de septiembre, aclaró en gran medida la polémica al afirmar que la decisión de suspender un proceso individual a la espera de que se resuelva la acción colectiva y, aún más, la decisión de poner fin a ese proceso, son contrarias al derecho fundamental a la tutela judicial efectiva en su vertiente de acceso a la justicia. Cierto es que esta decisión del Tribunal Constitucional se emitió después de la Sentencia Sales Sinués.

El Tribunal de Justicia no hace mención alguna a estas interpretaciones discrepantes, que sí se reflejan en las Conclusiones del Abogado General[85], sino que asume la tesis de la prejudicialidad y la suspensión obligatoria del proceso individual ofrecida por el juzgado proponente de la cuestión prejudicial.

En este contexto, el Tribunal de Luxemburgo afirma que las acciones individuales y las acciones colectivas tienen, en el marco de la Directiva 93/13, objetos y efectos distintos. En lo que se refiere a la acción individual, la Directiva toma como premisa la situación de inferioridad del consumidor respecto al profesional, tanto en su capacidad de negociación como en su nivel de información. Sin embargo, este desequilibrio no se da cuando se ejercita una acción colectiva. Esta diferencia explica que la jurisprudencia del Tribunal de Justicia considere que la protección del consumidor que decide ejercitar una acción individual deba

---

[85]   Cfr., Conclusiones del Abogado General, Sr. Maciej Szpunar, presentadas el 14 de enero de 2016, apartados 25 a 33.

reforzarse por la vía de imponer al juez nacional la apreciación de oficio de cláusulas abusivas a la vista de las peculiares circunstancias concurrente en su contrato y siempre respetando la facultad del consumidor de renunciar a hacer valer sus derechos cuando, consciente del carácter no vinculante de la cláusula abusiva, preste su consentimiento libre e informado. Las acciones de cesación, por su parte, tienen un carácter preventivo y una finalidad disuasoria, pero mantienen su independencia con respecto a cualquier litigio individual, de ahí que puedan ejercitarse tales acciones aun cuando las cláusulas cuya prohibición se solicita no se hayan utilizado en contratos determinados.

Con estas premisas, el Tribunal de Justicia estima que la articulación de las acciones individuales y colectivas en los ordenamientos internos de los Estados está regida por el principio de autonomía procesal, pero no puede suponer una merma en la protección de los consumidores, tal y como está prevista en la Directiva 93/13. Y esto es lo que sucede cuando por imperativo del artículo 43 de la LEC, el juez nacional suspende la acción individual a la espera de que se resuelva la acción colectiva, privando así al consumidor de los derechos que se le reconocen en el marco de la acción individual y de la posibilidad de desvincularse de la acción colectiva. Ni el objetivo de evitar pronunciamientos contradictorios, ni mucho menos el de evitar la saturación de los tribunales pueden obstaculizar el ejercicio efectivo de los derechos de los consumidores.

La respuesta final del Tribunal de Luxemburgo a las cuestione planteadas fue que «el artículo 7 de la Directiva 93/13/CEE del Consejo, de 5 de abril de 1993, sobre las cláusulas abusivas en los contratos celebrados con consumidores, debe interpretarse en el sentido de que se opone a una normativa nacional, como la de los litigios principales, que obliga al juez que conoce de una acción individual de un consumidor, dirigida a que se declare el carácter abusivo de una cláusula de un contrato que le une a un profesional, a suspender automáticamente la tramitación de esa acción en espera de que exista sentencia firme en relación con una acción colectiva que se encuentra pendiente, ejercitada por una asociación de consumidores de conformidad con el apartado segundo del citado artículo con el fin de que cese el uso, en contratos del mismo tipo, de cláusulas análogas a aquella contra la que se dirige dicha acción individual, sin que pueda tomarse en consideración si es pertinente esa suspensión desde la perspectiva de la protección del consumidor que presentó una demanda judicial individual ante el juez y sin que ese consumidor pueda decidir desvincularse de la acción colectiva».

3. PRINCIPIO DE EFECTIVIDAD Y MEDIDAS CAUTELARES DE OFICIO: EL AUTO DE 26 DE OCTUBRE DE 2016, ASUNTO FERNÁNDEZ OLIVA (C-568/14 A C-570/14)

Unos meses después de que el Juzgado de lo Mercantil núm. 9 de Barcelona planteara las cuestiones prejudiciales que dieron lugar a la Sentencia Sales Sinués, el Juzgado de lo Mercantil núm. 3 de Barcelona remitió al Tribunal de Justicia tres cuestiones prejudiciales en las que incidía de nuevo en la relación entre las acciones individuales y las colectivas. La respuesta del Tribunal de Luxemburgo se reflejó en el Auto de 26 de octubre de 2016, asunto Fernández Oliva (C-568/14 a C-570/14).

Los hechos de los que ese Auto trae causa son en parte similares a los abordados por la Sentencia Sales Sinués: ante el Juzgado de lo Mercantil estaban pendientes tres procesos iniciados por tres consumidores diferentes que, al amparo de la Directiva 93/13, pedían la declaración de nulidad de la cláusula suelo incorporada a sus contratos de préstamo con garantía hipotecaria. Paralelamente, había un proceso colectivo en el que una asociación de consumidores y usuarios había ejercitado una acción de cesación en relación con la cláusula suelo. Los bancos demandados en los procesos individuales instaron su suspensión por prejudicialidad en virtud del artículo 43 de la LEC y, en defecto de suspensión, solicitaron el sobreseimiento por litispendencia al concurrir, según su criterio, la identidad de objetos del artículo 421.1 de la LEC.

El juzgado barcelonés preguntó de nuevo sobre la compatibilidad del artículo 43 de la LEC con la Directiva 93/13, si bien retiró las preguntas relativas a esta cuestión después de que se diera respuesta a las mismas en la Sentencia Sales Sinués. Adicionalmente, el órgano remitente planteó si el artículo 721.2 de la LEC se opone al artículo 7 de la Directiva 93/13, en la medida en que no permite al juez ante el que pende un proceso entablado por un consumidor individual adoptar de oficio medidas cautelares a la espera de que se resuelva la acción colectiva. En concreto, la medida cautelar que el juez consideraba oportuno adoptar de oficio era la suspensión de los efectos económicos de la cláusula suelo impugnada.

De conformidad con el artículo 99 del Reglamento de Procedimiento del TJUE, el Tribunal decidió resolver las cuestiones planteadas por medio de auto (y, por tanto, sin opinión del Abogado General), porque, en su criterio, las respuestas se deducían claramente de su jurisprudencia anterior.

Una vez más, el planteamiento de la cuestión prejudicial tomaba como premisa que la legislación procesal española obliga a condicionar los procesos individuales incoados por los consumidores a la decisión de la acción colectiva sobre la misma cláusula abusiva. Esta circunstancia perjudica a los consumidores que habían optado por la tutela individualizada, pues el procedimiento podía resultar excesivamente largo y la negativa de la legislación procesal a la adopción de medidas cautelares de oficio por los órganos jurisdiccionales podría menoscabar la protección prevista en la Directiva 93/13.

El Tribunal de Justicia afirma que el artículo 721, apartado segundo, de la LEC impide al consumidor recibir una protección temporal para mitigar los efectos negativos de la excesiva duración del procedimiento judicial, salvo en el supuesto de que el propio consumidor haya solicitado expresamente la adopción de medidas cautelares. Sin embargo, habida cuenta de la complejidad del régimen nacional en lo que se refiere a las relaciones entre las acciones individuales y las colectivas, existe un riesgo no desdeñable de que el consumidor interesado no solicite tales medidas y ello aunque puedan concurrir los requisitos de fondo que el Derecho interno exige para la concesión de las mismas, bien porque lo ignore, bien porque no sea consciente del alcance de sus derechos.

Con el prisma del principio de efectividad, el Tribunal de Justicia estima que el régimen procesal descrito puede hacer imposible o excesivamente difícil la protección del consumidor. Si el juez no puede adoptar medidas cautelares de oficio y el consumidor no ha solicitado expresamente la adopción de una medida para suspender los efectos de la cláusula suelo a la espera de que se dicte sentencia firme en relación con la acción colectiva, el consumidor se verá obligado a abonar a lo largo del proceso, que se puede alargar excesivamente en el tiempo, unas cuotas superiores a las que le corresponderían si se excluyera la cláusula abusiva. Y esto conlleva un riesgo adicional de que el consumidor no tenga capacidad de pago y las entidades financieras inicien procesos de ejecución hipotecaria con el fin de obtener el pago de las cantidades debidas. La protección del consumidor resulta, en tales circunstancias, incompleta e insuficiente y no constituye un media adecuado para que cese el uso de cláusulas abusivas[86].

Con estos argumentos es fácil comprender que la respuesta del Tribunal de Justicia sea que «el artículo 7, apartado 1, de la Directiva 93/13 debe interpretarse en el sentido de que se opone a una

---

[86]   El Tribunal de Justicia apoya su hilo argumental en la Sentencia de 14 de marzo de 2013, asunto Aziz (C-415/11), donde ya afirmó que la Directiva 93/13 se opone a una normativa que no prevé, en el marco del procedimiento de ejecución hipotecaria, la posibilidad de formular motivos de oposición basados en el carácter abusivo de las cláusulas que constituyen el fundamento del título ejecutivo y tampoco permite al juez que conoce del proceso declarativo, competente para apreciar el carácter abusivo de esas cláusulas, adoptar medidas cautelares, entre ellas, en particular, la suspensión del procedimiento de ejecución, cuando acordar tales medidas sea necesario para garantizar la plena eficacia de su resolución final.

normativa nacional, como la examinada en el litigio principal, que no permite que el juez que conoce de una acción individual de un consumidor dirigida a que se declare el carácter abusivo de una cláusula del contrato que le une a un profesional adopte de oficio medidas cautelares, con la duración que estime oportuna, a la espera de que exista sentencia firme en relación con una acción colectiva pendiente cuya solución puede ser aplicada a la acción individual, cuando tales medidas sean necesarias para garantizar la plena eficacia de la resolución judicial que debe recaer acerca de la existencia de los derechos invocados por el consumidor sobre la base de la Directiva 93/13».

Como ya se ha adelantado, es el principio de efectividad la piedra angular en torno a la gira la vulneración del Derecho de la Unión por hacer imposible o muy difícil la eficacia de los derechos reconocidos a los consumidores en la Directiva 93/13. Sin duda la valoración de la posible vulneración del principio de efectividad debe hacerse caso por caso, pero no en abstracto, sino en atención al lugar que ocupa la disposición en cuestión en el contexto del sistema procesal de cada Estado[87].

Recapitulando se puede concluir que en el Auto Fernández Oliva, el Tribunal de Luxemburgo apreció la vulneración del principio de efectividad sobre la base de cinco premisas: primera, la gran complejidad del procedimiento nacional, en especial en lo que se refiere a las relaciones entre las acciones individuales y colectivas; segunda, esa complejidad entraña un riesgo de que el consumidor no solicite medidas cautelares, bien porque ignore que puede solicitarlas o bien porque no sea consciente del alcance de sus derechos; tercera, el proceso individual puede resultar

---

[87] Cfr., entre otras, STJUE de 13 de marzo de 2007, asunto Unibet (C-432/05), apartado 54, en la que se afirma: «cada caso en el que se plantee la cuestión de si una disposición procesal nacional hace imposible o excesivamente difícil la aplicación del Derecho comunitario debe analizarse teniendo en cuenta el lugar que ocupa dicha disposición dentro del conjunto del procedimiento y el desarrollo y las peculiaridades de éste ante las diversas instancias nacionales».

excesivamente largo a la espera de que se decida sobre la acción colectiva pendiente; cuarta, el artículo 721 de la LEC impide al juez suplir la falta de conocimiento del consumidor para protegerle de la cláusula potencialmente abusiva mientras dura el proceso; y, quinta, esta situación puede desembocar en una ejecución hipotecaria en la que el consumidor puede perder su vivienda habitual por carecer de capacidad económica para abonar las cantidades derivadas de la cláusula potencialmente abusiva.

De estas premisas hay algunas que o son erróneas o, al menos, requieren alguna matización. Desde la STC 148/2016, de 19 de septiembre, es claro que la suspensión del proceso instado por el consumidor que ha optado por una tutela individual de sus derechos a la espera del resultado de una acción colectiva es contraria al derecho a la tutela judicial efectiva en su vertiente de acceso a la justicia. Es, por tanto, erróneo ampararse en esa suspensión para considerar vulnerado el principio de efectividad.

Pero aún hay más. En el caso de que se incoara un proceso de ejecución hipotecaria contra el consumidor, tras las reformas operadas por la Ley 1/2013, de 14 de mayo, y la Ley 42/2015, de 5 de octubre, el juez está obligado ex artículo 552 de la LEC a controlar de oficio la concurrencia de cláusulas abusivas antes de despachar ejecución y el consumidor puede oponerse a la ejecución, con efectos suspensivos, amparándose en el carácter abusivo de la cláusula que fundamenta la ejecución o que determina la cantidad exigible, tal y como dispone el artículo 695 de la LEC.

A la vista de lo anterior resulta, cuanto menos, discutible que la doctrina sentada por el Tribunal de Justicia en la Sentencia de 14 de marzo de 2013, asunto Aziz (C-415/11), y en el Auto de 14 de noviembre de 2013, asunto Banco Popular Español y Banco de Valencia (C-537/12 y C-116/13), en la que se apoya el Tribunal en el Auto Fernández Oliva, constituya un sólido fundamento para apreciar la vulneración del principio de efectividad.

En efecto, en la Sentencia Aziz y en el Auto Banco Popular Español y Banco de Valencia, el Tribunal de Luxemburgo consideró contraria a la Directiva 93/13 la normativa española sobre la base de dos consideraciones. La primera que, en el marco del proceso de ejecución hipotecaria, no permite examinar, ya sea de oficio o a instancia del consumidor, el carácter abusivo de una cláusula contenida en el contrato que constituye el fundamento del título ejecutivo. La segunda, que no permite al juez que conoce del proceso declarativo, único competente en ese momento para apreciar el carácter abusivo de esas cláusulas, adoptar medidas cautelares «en particular, la suspensión del procedimiento de ejecución, cuando acordar tales medidas sea necesario para garantizar la plena eficacia de su resolución final». Sin embargo, tras las reformas a las que se ha hecho referencia, la situación ha cambiado y ya no será necesario acudir a un proceso declarativo para que se declare la nulidad de la cláusula abusiva sino que esto se puede hacer de oficio o a instancia de parte en el propio proceso de ejecución hipotecaria.

Por tanto, un examen más detallado del ordenamiento español en cuyo contexto debe valorarse la vulneración del principio de efectividad nos lleva a considerar que solo la ignorancia o la impericia del consumidor en lo que se refiere a la solicitud de medidas cautelares podría conducir a una inadecuada tutela de los derechos que le corresponden conforme a la Directiva 93/13. Esto aún podría verse matizado si se piensa que el consumidor estará asistido de abogado. La situación de inferioridad del consumidor frente al empresario o profesional a la hora de contratar no siempre se verá reflejada en el proceso y, en particular, podrá mitigarse cuando el consumidor esté asistido de abogado. Sin embargo, el Tribunal de Justicia ha repetido en diversas ocasiones que la asistencia letrada no repercute, en modo alguno, en los poderes de actuación de oficio del juez en defensa de los derechos de los consumidores[88].

---

[88]   Sobre este particular, ver el apartado 5 del Capítulo II: ¿Tiene alguna relevancia en el deber de apreciación de oficio de cláusulas abusivas la circunstancia de que el consumidor esté o no asistido por abogado?

En el caso Fernández Oliva, como en tantos otros, el Tribunal de Justicia no dispuso de una información adecuada sobre las peculiaridades del ordenamiento español como para poder valorar con mayor solvencia la realidad de las cosas. Sin embargo, no podemos aventurar si con una mejor información la decisión hubiera sido distinta. Y ello porque es difícil adivinar el alcance que el máximo intérprete del Derecho de la Unión quiere atribuir al principio de efectividad.

No cabe duda de que la protección de los consumidores frente a posibles prácticas abusivas de los empresarios o profesionales constituye un objetivo esencial dentro de la Unión Europea. Esto es lo que justifica la ampliación de los poderes de actuación de oficio del juez hasta el punto de prescindir de las normas o principios de los sistemas procesales nacionales que le impiden esa actuación. En este sentido, lo que el Tribunal de Justicia parece entender a la luz de su jurisprudencia es que los jueces nacionales, como autoridades estatales, tienen el deber de «poner los medios adecuados y eficaces para que cese el uso de cláusulas abusivas», tal y como dice el artículo 7 de la Directiva 93/13. Este deber se concreta en una extensión de los poderes de dirección del juez en el proceso con independencia de lo que disponga la legislación procesal interna de cada Estado[89].

El problema, sin embargo, es que, en ocasiones, esa extensión de los poderes de actuación de oficio del juez se hace de tal manera que genera nuevas dudas e incertidumbres dentro de los ordenamientos internos. Así, en el caso concreto de las medidas cautelares de oficio a las que se refiere el Auto Fernández Oliva resulta dudoso cuál puede ser su impacto en el ordenamiento es-

---

[89] En el mismo sentido, A. MARTÍNEZ SANTOS, «Tutela cautelar frente a posibles cláusulas abusivas: el Auto del TJUE de 26 de octubre de 2016, en los asuntos acumulados C-568 a C-570/14, Fernández Oliva», en *Estudios sobre Jurisprudencia Europea: materiales del III Encuentro anual del Centro español del European Law Institute* / A. RUDA GONZÁLEZ y C. JEREZ DELGADO (dir.), Vol. 1, ed. Sepin, Madrid, 2020, pp. 593 y 594.

pañol y, por extensión, en el de otros Estados de la Unión. Esta decisión se puede interpretar en el sentido de que siempre que se suspenda el proceso civil individual sobre cláusulas abusivas, el juez nacional está obligado a valorar si acuerda de oficio una medida cautelar y, en concreto, si suspende la eficacia de la cláusula cuestionada mientras el proceso se mantenga en suspenso. En tal caso, el impacto de este Auto sería limitado a un caso muy concreto.

Pero, también podría darse un paso más e interpretar que el juez nacional debe valorar de oficio la adopción de medidas cautelares siempre que sea «un medio adecuado y eficaz», utilizando los términos del artículo 7 de la Directiva 93/13, para proteger al consumidor frente a los efectos perjudiciales de cláusulas potencialmente abusivas. En ese caso, su impacto sería mucho mayor.

A las anteriores dudas hay que sumarle otras tantas en el plano del derecho nacional. Así, si se adoptan medidas cautelares de oficio, se puede suponer que no se exigirá caución al consumidor. En definitiva, si uno de los argumentos del Tribunal de Justicia en Fernández Oliva es el de las dificultades económicas que puede tener el consumidor para hacer frente a las cantidades debidas en aplicación de las cláusulas potencialmente abusivas, la caución puede ser un obstáculo más que puede impedir la eficacia de los derechos reconocidos en el Directiva 93/13. Esta conclusión ser refuerza a la vista de la Sentencia del Tribunal de Justicia de 17 de mayo de 2022, asunto IO e Impuls Leasing România (C-725/19), en la que se afirma que la exigencia de fianza a un consumidor para adoptar una medida cautelar de suspensión de un proceso de ejecución en tanto se desarrolla un proceso declarativo para decidir sobre una cláusula potencialmente abusiva puede desincentivar al consumidor de defender sus derechos[90]. Entonces,

---

[90] En la Sentencia IO e Impuls Leasing România se planteó la compatibilidad de la normativa rumana con la Directiva 93/13 en la medida en que en un proceso de ejecución de un título extrajudicial no se preveía el control de oficio o a instancia de parte de las cláusulas abusivas en

¿quién asumirá los daños y perjuicios en el caso de que finalmente se desestime la pretensión del consumidor? Y, en el plano de la congruencia, si el consumidor hubiera solicitado una medida cautelar, ¿podrá el juez acordar de oficio otra distinta si considera que es más eficaz para garantizar sus derechos? A la vista de la jurisprudencia europea parece que la respuesta a esta última cuestión ha de ser afirmativa.

4. LA ADOPCIÓN DE MEDIDAS CAUTELARES EN BENEFICIO DE LOS CONSUMIDORES CUANDO SEA NECESARIO PARA GARANTIZAR LA EFICACIA DE LA DECLARACIÓN DE NULIDAD DE UNA CLÁUSULA ABUSIVA: LA STJUE DE 15 DE JUNIO DE 2023, ASUNTO YQ (C-287/22)

El Tribunal de Luxemburgo no ha aclarado de momento el alcance que debe tener la adopción de oficio de medidas cautelares, pero sí se ha manifestado favorable a admitir con cierta

---

perjuicio del consumidor. Ese control lo podía instar el propio consumidor iniciando un proceso declarativo en el que podía solicitar una medida cautelar de suspensión de la ejecución, pero a condición de prestar fianza por un importe calculado en función de la cuantía de ese proceso.

En estas circunstancias, el TJUE concluye que «los artículos 6, apartado 1, y 7, apartado 1, de la Directiva 93/13 deben interpretarse en el sentido de que se oponen a una normativa nacional que no permite que el juez que sustancia la ejecución, conociendo de una oposición a la ejecución, aprecie, de oficio o a instancia del consumidor, el carácter abusivo de las cláusulas de un contrato celebrado entre un consumidor y un profesional y constitutivo de un título ejecutivo, cuando el juez que conozca de la acción declarativa de Derecho común, que puede ejercitarse separadamente con vistas a que se examine el eventual carácter abusivo de las cláusulas de tal contrato, solo pueda suspender el procedimiento de ejecución antes de pronunciarse sobre el fondo del asunto mediante la constitución de una fianza de un importe que puede desincentivar al consumidor de ejercitar tal acción y de mantenerla».

amplitud la adopción de medidas cautelares, instadas por el consumidor, cuando sea necesario para garantizar la plena eficacia de la declaración de nulidad de una cláusula abusiva.

La STJUE de 15 de junio de 2023, asunto YQ (C-287/22), resuelve una cuestión prejudicial planteada en el contexto de un proceso iniciado por dos consumidores frente a la entidad bancaria *Getin Noble Bank,* en el que solicitaban la declaración de nulidad de un contrato de préstamo por contener cláusulas abusivas y la devolución de las cantidades abonadas hasta la fecha de presentación de la demanda, más los intereses y las costas.

Los consumidores presentaron también una solicitud de medidas cautelares para que se suspendiese la obligación de pago de las cuotas mensuales previstas en el contrato de préstamo durante el periodo comprendido entre la interposición de la demanda y la conclusión del procedimiento. El órgano jurisdiccional competente para la primera instancia desestimó la solicitud de medidas cautelares por ausencia de interés legítimo de los solicitantes porque la falta de adopción de las mencionadas medidas no impediría o dificultaría la ejecución de la resolución estimatoria de la demanda. Los consumidores presentaron recurso de apelación ante el Tribunal Regional de Varsovia y éste reconoce que *prima facie* existe el derecho afirmado por los recurrentes en su demanda porque algunas cláusulas contractuales parecen abusivas y el contrato deberá ser anulado. En cuanto al interés legítimo, como condición para la adopción de las medidas cautelares, el artículo 730.2 del Código de Procedimiento Civil Polaco, lo condiciona a que la no concesión de medidas cautelares impida o dificulte seriamente que se ejecute la resolución que deba dictarse en el litigio principal o que se alcance el objetivo del procedimiento en dicho asunto.

Sin embargo, el tribunal proponente afirma que los órganos jurisdiccionales nacionales no suelen estimar las solicitudes de los consumidores tendentes a la adopción de medidas cautelares en circunstancias como las concurrentes en el litigio principal. Son variadas las razones de este rechazo, pero fundamentalmente se puede concretar en dos. La primera es que solo quedarían acreditados los perjuicios para el consumidor si se acreditase *prima facie* la mala situación financiera del banco demandado. La segunda es que en caso de anulación del contrato de préstamo, el consumidor deberá liquidar sus obligaciones frente al banco mediante el reembolso del capital prestado y, en consecuencia, estará obligado a efectuar pagos a favor del banco con independencia de cuál sea la resolución definitiva sobre el fondo.

El tribunal de apelación afirma que el Derecho polaco prevé un régimen procesal en virtud del cual la cuantía de la demanda se fija en la fecha de presentación de la demanda de nulidad del contrato de préstamo de que se trate. Por lo tanto, un consumidor solo puede solicitar la devolución del importe de las cuotas satisfechas hasta esa fecha. Por ello, si no se concede una medida cautelar al inicio del procedimiento, el consumidor se verá obligado, al término de este, a iniciar un nuevo procedimiento contra el banco correspondiente con la finalidad de obtener el reembolso de las cuotas mensuales que ha abonado durante el período comprendido entre el inicio y el final de este nuevo procedimiento.

En estas circunstancias, el tribunal remitente decide plantear al Tribunal de Luxemburgo una cuestión prejudicial para que aclare si los artículos 6, apartado 1, y 7, apartado 1, de la Directiva 93/13, interpretados a la luz de los principios de efectividad y de proporcionalidad, se oponen a una exégesis de las disposiciones nacionales y a una jurisprudencia nacional con arreglo a las cuales el órgano jurisdiccional nacional puede desestimar la solicitud del consumidor para que el órgano jurisdiccional adopte una medida cautelar consistente en suspender, mientras dure el procedimiento, la ejecución de un contrato, que probablemente será declarado nulo como consecuencia de la supresión de las cláusulas abusivas que contiene, pese a que la adopción de esa medida puede ser necesaria para garantizar la plena eficacia de la tutela solicitada en la demanda.

El Tribunal de Luxemburgo afirma que la protección garantizada a los consumidores por la Directiva 93/13, requiere que «el

órgano jurisdiccional nacional pueda adoptar una medida cautelar apropiada si ello es necesario para garantizar la plena eficacia
de la resolución que se dicte en cuanto al carácter abusivo de las
cláusulas contractuales»[91].

Con el fin de valorar la necesidad de adoptar la medida cautelar
cuestionada, el Tribunal de Justicia tiene en cuenta que, conforme al Derecho polaco, para evitar que una resolución definitiva
sobre la nulidad del contrato de préstamo se limite a restablecer
parcialmente la situación del consumidor, éste debería o bien ampliar el alcance de su demanda inicial después del pago de cada
cuota mensual —lo que implica pagar nuevas tasas—, o, después
de la resolución de anulación de dicho contrato de préstamo,
ejercitar una nueva acción cuyo objeto sería la devolución de las
cuotas mensuales pagadas durante el primer procedimiento. A
esto se debe sumar que la interposición de una nueva acción por
un consumidor siempre es necesaria cuando la resolución dictada
en el primer procedimiento de nulidad es apelada, ya que, en ese
supuesto, las normas procesales del Derecho polaco no prevén la
posibilidad de ampliar el alcance de la demanda interpuesta en
primera instancia.

---

[91]   Vid. apartado 43 de la Sentencia. Esta afirmación se apoya en la doctrina
sentada en dos decisiones anteriores. Por un lado, la STJUE de 14 de
marzo de 2013, asunto Aziz (C-415/11), en la que el Tribunal de Justicia
afirmó que la Directiva 93/13 se opone a una normativa nacional que no
permite al juez competente para apreciar el carácter abusivo de una cláusula contractual adoptar medidas cautelares, como la suspensión de un
procedimiento de ejecución hipotecaria, cuando tales medidas sean necesarias para garantizar la plena eficacia de su decisión final, pues tal normativa puede menoscabar la efectividad de la protección que pretende
garantizar la Directiva. Por otro lado, el ATJUE de 26 de octubre de 2016,
asunto Fernández Oliva (C-568/14 a C-570/14), en el que el Tribunal de
Justicia afirmó que será necesario la adopción de medidas cautelares, incluso de oficio, cuando exista un riesgo de que el consumidor abone a lo
largo del proceso judicial, cuya duración puede ser considerable, cuotas
mensuales de un importe superior al que efectivamente debería abonar
si se excluyera la aplicación de esa cláusula.

En este contexto, la desestimación de una solicitud de medidas cautelares cuyo objetivo es la suspensión del pago de las cuotas mensuales adeudadas en virtud de tal contrato convertiría en ineficaz, al menos parcialmente, la resolución definitiva sobre el fondo porque no se restablecería la situación de hecho y de derecho en la que se encontraría el consumidor de no haber existido la cláusula abusiva. Además, la falta de adopción de la medida cautelar unida a la prolongación del procedimiento puede provocar un deterioro de la situación financiera del consumidor que puede llegar a impedir el ejercicio de las acciones necesarias para obtener el reembolso del resto de las cantidades indebidamente pagadas o privar al consumidor de medios económico para hacer frente a las cuotas del préstamo con el riesgo de que el banco inicie un proceso de ejecución.

El Tribunal de Justicia afirma que incumbe al órgano jurisdiccional nacional valorar, en cada caso, si la adopción de la medida cautelar es necesaria para garantizar la efectividad de los derechos reconocidos a los consumidores por la Directiva 93/13. Esta valoración exige comprobar que existen indicios suficientes de que las cláusulas contractuales controvertidas son abusivas y que, a falta de medidas cautelares que tengan por objeto la suspensión del pago de las cuotas mensuales adeudadas en virtud de dicho contrato, no puede garantizarse la plena eficacia de la resolución definitiva que recaiga sobre el fondo.

Con estos argumentos, el Tribunal de Luxemburgo concluye que en el caso planteado la adopción de la medida cautelar puede ser necesaria para garantizar la plena eficacia de la resolución estimatoria que se puede dictar en el proceso principal y la efectividad de la protección garantizada por la Directiva 93/13. En consecuencia, el órgano jurisdiccional nacional debe hacer, en la medida de lo posible, una interpretación del Derecho interno conforme con la Directiva 93/13 y modificar una jurisprudencia nacional, aunque sea reiterada, si se basa en una interpretación del Derecho nacional incompatible con los objetivos de la Directiva.

La STJUE de 15 de junio de 2023, asunto YQ (C-287/22) se dicta en un contexto concreto en el que los propios consumidores habían solicitado la adopción de medidas cautelares. No resuelve, por tanto, el alcance de la adopción de oficio de tales medidas. Sin embargo, el Tribunal de Justicia hace una afirmación que no debe pasar desapercibida, a saber: «la protección garantizada a los consumidores por la Directiva 93/13, en particular por los artículos 6, apartado 1, y 7, apartado 1, de esta, requiere que el órgano jurisdiccional nacional pueda adoptar una medida cautelar apropiada si ello es necesario para garantizar la plena eficacia de la resolución que se dicte en cuanto al carácter abusivo de las cláusulas contractuales». Esta aseveración unida a la posibilidad de adoptar de oficio medidas cautelares, reconocida en el Auto de 26 de octubre de 2016, asunto Fernández Oliva (C-568/14 a C-570/14), puede abrir el camino para la progresiva ampliación de los poderes de dirección de los jueces nacionales en el ámbito de las medidas cautelares.

Capítulo V

La extensión de los poderes de actuación de oficio en el proceso declarativo más allá de las cláusulas abusivas

1. INTRODUCCIÓN

La Directiva 93/13 ha sido, sin duda, la piedra angular en torno a la que ha girado la progresiva ampliación de los poderes de dirección del juez en el proceso declarativo con el fin de proteger al consumidor y remediar dentro del proceso la situación de inferioridad y la desigualdad que se produce durante la negociación o contratación previa al proceso.

La apreciación de oficio de cláusulas abusivas, la adopción de pruebas de oficio o, incluso, la tutela cautelar de oficio, tal y como han sido delimitadas por el Tribunal de Justicia de la Unión Europea, se dirigen a conseguir dos objetivos esenciales: que el consumidor no quede vinculado por cláusulas abusivas y que se produzca un efecto disuasorio que empuje a los empresarios o profesionales a evitar la utilización de este tipo de cláusulas en el futuro.

En definitiva, el Tribunal de Luxemburgo ha puesto de manifiesto que hay un interés que trasciende del meramente privado en expulsar a las cláusulas abusivas de la contratación con consumidores. Ese interés se vincula con el orden público comunitario en la medida en que sirve a un objetivo fundamental en la Unión Europea como es el de «la elevación del nivel y de la calidad de vida en el conjunto de ésta»[92].

---

[92] Sentencia del TJUE de 26 de octubre de 2006, asunto Mostaza Claro (C-168/05).

Sin embargo, el máximo intérprete del Derecho de la Unión no se ha limitado a proclamar la actuación *ex officio* del juez nacional para luchar contra las cláusulas abusivas, sino que ha dado un salto cualitativo y ha extendido esa ampliación de los poderes del juez a otros ámbitos que quedan extramuros de la Directiva 93/13. Así ha sucedido en relación con la Directiva 1999/44/CE, del Parlamento Europeo y del Consejo, de 25 de mayo de 1999, sobre determinados aspectos de la venta y garantía de los bienes de consumo.

2. LA SENTENCIA DEL TRIBUNAL DE JUSTICIA DE LA UNIÓN EUROPEA DE 3 DE OCTUBRE DE 2013, ASUNTO DUARTE HUEROS (C-32/12)

El Tribunal de Justicia se ha pronunciado en la Sentencia Duarte Hueros acerca de la compatibilidad de los artículos 218, 400 y 412 de la LEC con la Directiva 1999/44 sobre venta y garantía de bienes de consumo. El fallo del Tribunal de Luxemburgo en este asunto incide directamente en los fundamentos estructurales del proceso civil español, y por extensión de otros Estados, así como en los principios que hasta el momento se consideraban pacíficos tanto por la doctrina como por la jurisprudencia.

2.1. *Los hechos del caso y las cuestiones jurídicas planteadas*

Los hechos de los que deriva la cuestión prejudicial planteada son, a grandes rasgos, los que, a continuación, se describen. La Sra. Duarte Hueros compró a la empresa Autociba un coche con techo corredizo. Tras abonar el precio y recibir el vehículo, comprobó que cuando llovía el agua se filtraba por el techo. Al haber resultado ineficaces las repetidas reparaciones efectuadas, la Sra. Duarte Hueros solicitó la sustitución del coche.

La empresa vendedora no accedió a la sustitución y la consumidora presentó demanda ante el Juzgado de Primera Instancia número 2 de Badajoz, mediante la que solicitó la resolución del contrato de compraventa y la condena solidaria a Autociba y a Citroën (como fabricante del vehículo) a la devolución del precio.

Conforme al artículo 3, apartados 5 y 6, de la Directiva 1999/44 sobre determinados aspectos de la venta y las garantías de los bienes de consumo, el consumidor, en caso de que no proceda la reparación o sustitución del bien o no se lleve a cabo en un plazo razonable, tendrá derecho a una reducción adecuada del precio o a la resolución del contrato de compraventa, aunque no podrá optar por resolver si la falta de conformidad es de escasa importancia.

El Juzgado de Primera Instancia estima que no es procedente la resolución porque el defecto es de escasa importancia. En estas circunstancias, el juez pacense plantea al Tribunal de Justicia de la Unión Europea si, pedida exclusivamente la resolución contractual y denegada por la escasa entidad del desperfecto advertido, puede el juez entrar a examinar de oficio y, en su caso, conceder la reducción adecuada del precio, a la que el consumidor también tiene derecho, según el apartado quinto del artículo 3 de la Directiva 1999/44.

El juez proponente expone que, conforme al Derecho español, no puede conceder de oficio la reducción del precio, pese a que la consumidora tenga derecho a ella, porque iría en contra de su deber de congruencia (y, añadimos también, del principio dispositivo) que exige una petición de parte para otorgar una determina tutela y una correlación entre lo pedido y lo resuelto en la sentencia (artículos 19.1, 216 y 218 de la LEC). En este caso, la consumidora no solicitó la reducción del precio, ni siquiera con carácter subsidiario, tal y como permite el artículo 71.2 de la LEC, al tratarse de pretensiones incompatibles entre sí respecto de las que no cabe una acumulación principal.

Además, el juez español afirma que al haber tenido la posibilidad de pedir en el litigio principal, siquiera con carácter subsidiario, dicha reducción del precio, esa eventual pretensión no podría ser ya juzgada en un ulterior proceso, debido a que «en el

Derecho español, el instituto de la cosa juzgada se extiende a todas las acciones que hubieran podido ser ejercitadas en un primer
procedimiento». En consecuencia, el consumidor se vería privado
de la posibilidad de obtener esa tutela a la que tiene derecho conforme a la Directiva 1999/44.

Este planteamiento sirve al juez nacional para sustentar sus
dudas acerca de la compatibilidad entre el Derecho español y la
Directiva sobre venta y garantía de bienes de consumo.

2.2. La decisión del Tribunal de Justicia de la Unión Europea

La cuestión prejudicial planteada en el asunto Duarte Hueros
no se dirige a clarificar el alcance de los derechos sustantivos reconocidos a un consumidor por la Directiva 1999/44 en caso de
falta de conformidad del bien con el contrato, sino al ejercicio
procesal de tales derechos. En concreto, se plantea la posibilidad
de que el juez otorgue de oficio una rebaja del precio del bien,
pese a que la consumidora solo solicitó en su demanda la resolución del contrato y la condena a la devolución íntegra del precio
pagado.

Una simple lectura de la Directiva sobre venta y garantía de
bienes de consumo pone de manifiesto que ésta no contiene regulación alguna acerca de las facultades que se han de reconocer
a los jueces nacionales para garantizar una adecuada protección
procesal de los derechos sustantivos reconocidos en la misma. No
se otorga, por tanto, a los jueces nacionales de modo expreso una
facultad, ni mucho menos un deber, de conceder de oficio tutelas no solicitadas por el demandante, como sería, en este caso, la
reducción del precio del bien adquirido, por mucho que esas tutelas sean admisibles conforme a la normativa europea. Por tanto,
lo que se pretende dilucidar a través de esta cuestión prejudicial
es si tal facultad de actuar de oficio por parte del juez nacional
puede deducirse por vía interpretativa de la Directiva 1999/44.

La cuestión no es, en absoluto, baladí, pues una respuesta afirmativa por parte del Tribunal de Justicia conlleva necesariamente

una quiebra del principio dispositivo o, si se prefiere, de justicia rogada, así como del deber de congruencia que impone al juez resolver sobre todo lo pedido por las partes y no conceder más de lo pedido, ni cosa distinta de la pedida.

El Tribunal de Justicia comienza su argumentación precisando que la Directiva 1999/44 no obliga al juez nacional a reconocer de oficio al consumidor una reducción del precio de compra del bien, pero sí obliga a los Estados miembros a adoptar las medidas necesarias para que el consumidor pueda ejercer efectivamente los derechos sustantivos reconocidos en la Directiva.

A falta de una normativa europea respecto del ejercicio judicial de tales derechos, corresponde a los Estados miembros, en virtud del principio de autonomía procesal, delimitar los medios y cauces procesales para garantizar la salvaguardia de los derechos de los consumidores. Ahora bien, esa autonomía procesal está sujeta a dos limitaciones: no debe ser menos favorable que la aplicable a situaciones similares de carácter interno, por exigencias del principio de equivalencia y no debe hacer imposible o excesivamente difícil el ejercicio de los derechos reconocidos por el ordenamiento jurídico de la Unión en virtud del principio de efectividad.

El Tribunal de Luxemburgo considera que la normativa española es respetuosa con el principio de equivalencia porque la misma es de aplicación con independencia de que las pretensiones de los consumidores tengan su origen en el Derecho de la Unión o en el Derecho nacional.

Sin embargo, la respuesta del Tribunal de Justicia es muy diferente en lo que respecta a la compatibilidad entre la normativa española y el principio de efectividad. Como ha repetido en reiteradas ocasiones el Tribunal de Luxemburgo, cuando se plantee la cuestión de si una disposición nacional hace imposible o excesivamente difícil la aplicación del Derecho de la Unión debe tenerse en cuenta el lugar que ocupa esa disposición en el conjunto del procedimiento y el desarrollo y las peculiaridades de éste en las diversas instancias nacionales[93]. Y son precisamente un conjunto de normas procesales españolas las que, a juicio del máximo intérprete del Derecho de la Unión, suponen un obstáculo para el ejercicio procesal de los derechos de los consumidores y hacen necesario otorgar a los jueces nacionales la facultad de reconocer al consumidor el derecho a una rebaja del precio, a pesar de que en la demanda se hubiese limitado a pedir la resolución del contrato.

Se trata, en concreto, de las normas que regulan el principio de justicia rogada y el correlativo deber de congruencia del tribunal, por un lado, junto con las que consagran la prohibición de cambio de demanda, la preclusión y la cosa juzgada, por otro. El Tribunal de Justicia advierte que, conforme a los artículos 216 y 218 de la LEC, los jueces nacionales están vinculados por la pretensión deducida por el demandante en su demanda y que, en virtud del artículo 412.1 de la misma Ley, el demandante no puede modificar el objeto del proceso una vez que éste ha sido fijado en la demanda, la contestación y, en su caso, la reconvención.

El Tribunal de Justicia parte de la premisa de que una vez interpuesta la demanda precluye la posibilidad del actor para hacer dentro del proceso nuevas peticiones, que sí podrían haberse acumulado en la demanda inicial. En realidad, esa preclusión se produce una vez contestada la demanda, pues el artículo 401 de la LEC permite hasta ese momento la ampliación de la demanda para el ejercicio de nuevas acciones. En todo caso, este dato no resulta relevante para la decisión final del asunto Duarte Hueros, puesto que es claro que la demandante en ningún momento pretendió ampliar su demanda inicial.

Lo que sí resulta fundamental en la decisión adoptada por el Tribunal de Justicia es que hace suya una dudosa interpretación

---

[93]   Cfr., entre otras, SSTJUE de 14 de junio de 2012, asunto Banco Español de Crédito (C-618/10) y de 14 de marzo de 2013, asunto Aziz (C-415/11).

del artículo 400.1 de la LEC, conforme a la cual el demandante no tiene la posibilidad de presentar una nueva demanda para plantear pretensiones que hubieran podido deducirse, aunque sea con carácter subsidiario, en un primer proceso. Esta exégesis de la regla de preclusión lleva a la conclusión de que las peticiones que pudiesen haberse acumulado en la demanda inicial quedan comprendidas en el objeto del proceso y, por tanto, no podrán ser objeto de otro proceso, ni de forma simultánea, pues habría litispendencia, ni de forma sucesiva, pues lo impediría la cosa juzgada.

Esta concepción de la preclusión implica que si el consumidor se limita a pedir en la demanda únicamente la resolución del contrato de compraventa y no acumula de modo subsidiario la petición de rebaja del precio, quedará privado de modo definitivo de la posibilidad de ejercer el derecho a obtener una reducción adecuada del precio, derecho que le reconoce la Directiva 1999/44, si el juez nacional considera que la falta de conformidad del bien es de escasa importancia.

Y, a mayor abundamiento, el Tribunal considera que imponer al consumidor la carga de ejercitar una pretensión de forma subsidiaria no resulta compatible con la finalidad tuitiva de la Directiva 1999/44, pues esto resulta demasiado complejo al obligar a los consumidores a anticipar el resultado de la calificación jurídica de la falta de conformidad del bien, cuyo análisis corresponde al juez competente tras la práctica de las oportunas diligencias[94].

---

[94] Sobre esta misma cuestión, el Tribunal de Justicia afirma también, en el apartado 38, que: «...habida cuenta del desarrollo y de las peculiaridades del sistema procesal español, debe considerarse que el referido supuesto es muy improbable, ya que existe un riesgo no desdeñable de que el consumidor afectado no deduzca una pretensión subsidiaria, la cual, por lo demás, tendría por objeto una protección inferior a la que tiene por objeto la pretensión principal, ya sea debido a la relación especialmente inflexible de concomitancia que se da entre una y otra pretensión, ya porque el consumidor ignora o no percibe la amplitud de sus derechos».

Con estas premisas la decisión del Tribunal de Justicia es que «la Directiva 1999/44/CE del Parlamento Europeo y del Consejo, de 25 de mayo de 1999, sobre determinados aspectos de la venta y las garantías de los bienes de consumo, debe interpretarse en el sentido de que se opone a la normativa de un Estado miembro, como la controvertida en el litigio principal, que, cuando un consumidor que tiene derecho a exigir una reducción adecuada del precio de compra de un bien se limita a reclamar judicialmente únicamente la resolución del contrato de compraventa, resolución que no va a ser acordada porque la falta de conformidad del bien es de escasa importancia, no permite que el juez nacional que conoce del asunto reconozca de oficio la reducción del precio, y ello a pesar de que no se concede al consumidor la posibilidad de modificar su pretensión inicial ni de presentar al efecto una nueva demanda».

Parece, pues, que para el Tribunal de Luxemburgo la rigidez de las normas procesales nacionales sobre preclusión exige otorgar al juez la potestad de conceder una tutela no pedida por el consumidor demandante y, por tanto, establecer una excepción al principio de justicia rogada y a la exigencia de congruencia con el fin de garantizar la efectividad del Derecho de la Unión[95].

---

[95]   En este sentido, M. A. PÉREZ CEBADERA, «La exigente congruencia de la demanda y el principio de efectividad», en *Tribuna, Revista de Jurisprudencia*, nº 2, abril/2014, accesible en https://repositori.uji.es/xmlui/bitstream/handle/10234/130850/63268.pdf?sequence, llega a la conclusión de que «…si un tribunal tiene que resolver una cuestión litigiosa en la que tenga que aplicar disposiciones del Derecho de la Unión, no está sometido a la concreta petición que haya realizado el demandante, pudiendo de oficio otorgar algo diferente a lo solicitado en el suplico, siempre que se respeten los hechos alegados jurídicamente relevantes, y se garantice el derecho de defensa de las partes, para así lograr la eficacia del Derecho de la Unión».
A similar conclusión llega A. ARMENGOT VILAPLANA, «La incidencia de la doctrina del TJUE en los principios que informan el proceso civil», en *Revista General de Derecho Procesal*, nº. 44, 2018, p. 18.

3. ¿EL ARTÍCULO 400.1 DE LA LEC IMPIDE EL EJERCICIO DE NUEVAS ACCIONES CON DISTINTOS *PETITA* QUE PUDIERON ACUMULARSE EN UN PROCESO ANTERIOR?

La lectura de la Sentencia Duarte Hueros pone de manifiesto que uno de los pilares sobre los que el Tribunal de Justicia fundamenta la incompatibilidad entre la normativa española y el Derecho de la Unión es una interpretación del artículo 400.1 de la LEC en cuya virtud la preclusión se extiende a aquellas acciones con distintos *petita* que tienen en común los sujetos y la causa de pedir con la acción o acciones que sí se ejercitaron en un proceso concreto.

Esta interpretación, manifestada también por el juez proponente de la cuestión prejudicial, lleva al Tribunal de Luxemburgo a concluir que el consumidor se verá privado de la posibilidad de obtener tutelas concretas a las que tiene derecho conforme a la Directiva 1999/44 si no acumula todas ellas en un único proceso.

No puede negarse que un sector jurisprudencial ha mantenido esa exégesis del artículo 400.1 de la LEC. Sin embargo, la mencionada norma no permite concluir que el no ejercicio de una pretensión subsidiaria sea sancionado con la imposibilidad de ejercitar esa acción en un nuevo proceso. Antes al contrario, el presupuesto básico del que parte la ley es que «lo que se pida en la demanda pueda fundarse en diferentes hechos o en distintos fundamentos o títulos jurídicos». Solo en ese caso, «habrán de aducirse en ella cuantos resulten conocidos o puedan invocarse al tiempo de interponerla, sin que sea admisible reservar su alegación para un proceso ulterior». Por tanto, si lo que se pide en la demanda es diferente de lo que se pidió en un anterior proceso, no puede aplicarse la regla de preclusión.

En este sentido, se puede afirmar que la preclusión afecta a hechos y a títulos jurídicos que integran la causa de pedir, pero no se extiende a distintos *petita*, aunque éstos hubieran podido aducirse en el proceso anterior. Si el actor puede fundar el *petitum* que formula frente al demandado en distintas causas de pedir (hechos y/o títulos jurídicos) tiene la carga de alegarlos todos en el proceso. Si no lo hace, la consecuencia jurídica es la imposibilidad de presentar una nueva demanda con el mismo *petitum*, pero con base en una causa de pedir diferente que pudo aducir en el proceso anterior[96].

Esta interpretación no solo está abonada por el propio tenor literal del artículo 400.1 de la LEC, sino que es la única respetuosa con el criterio *pro actione* y con el derecho a la tutela judicial efectiva. El artículo 400 de la LEC es una norma restrictiva de derechos y no puede, por ello, ser objeto de interpretación extensiva. En caso de duda, el criterio *pro actione* obliga a los tribunales a decantarse por la interpretación más favorable a la efectividad del derecho fundamental de acceso a la justicia y del derecho a la tutela judicial efectiva[97].

No debe tampoco olvidarse que la seguridad jurídica constituye el fundamento último de la preclusión, pero también debe constituir un límite a su aplicación cuando el ordenamiento no permita concluir con claridad que una determinada situación está afectada por la preclusión[98]. En definitiva, no se puede negar a

---

[96] Cfr., I. DÍEZ-PICAZO GIMÉNEZ (con A. DE LA OLIVA SANTOS, J. VEGAS TORRES y J. BANACLOCHE PALAO), *Comentarios a la Ley de Enjuiciamiento Civil*, Civitas, Madrid, 2001, p. 669. En el mismo sentido, E. VALLINES GARCÍA, «Preclusión, cosa juzgada y seguridad jurídica: a vueltas con el artículo 400 de la Ley de Enjuiciamiento Civil», en *Derecho, Justicia, Universidad. Liber amicorum de Andrés de la Oliva Santos*, Centro de Estudios Ramón Areces, Madrid, 2016, pp. 3171 a 3195.

[97] A este respecto, E. VALLINES GARCÍA, «Preclusión, cosa juzgada y seguridad jurídica…, cit., p. 3195, llega a la siguiente conclusión: «En suma, ante la disyuntiva de si debe primar el derecho fundamental a la tutela judicial efectiva o el valor jurídico de evitación de múltiples procesos sobre peticiones distintas que podrían haberse acumulado en una sola demanda, los tribunales han de decantarse por la protección de aquel derecho, de conformidad con el criterio *pro actione* (STC 71/2010, de 18 de octubre, FFJJ 3-5; y STC 106/2013, de 6 de mayo, FFJJ 4-5)».

[98] Esto es lo que VALLINES GARCÍA denomina la «vertiente subjetiva del principio de seguridad jurídica». En este sentido, el mencionado autor

un justiciable el ejercicio de un derecho, por considerar que está alcanzado por la preclusión, si éste no pudo prever con la debida seguridad y certidumbre que sus actos o sus omisiones tendrían como consecuencia jurídica la pérdida de la posibilidad de ejercitar ese derecho en el futuro.

La interpretación correcta de la regla de preclusión del artículo 400.1 de la LEC permite concluir que, en el asunto Duarte Hueros, la consumidora no había perdido la posibilidad de acudir a un segundo proceso en el que pidiera la reducción del precio en atención al defecto del vehículo adquirido, pese a que en el primer proceso solo hubiera pedido la resolución del contrato. El cambio en el *petitum* cierra el paso a la aplicación de la regla de preclusión. Por tanto, la consumidora no se verá privada injustamente del derecho a obtener una tutela que le otorga la Directiva 1999/44 por el solo hecho de no haber acumulado esta petición de tutela en el primer proceso.

Los anteriores argumentos nos llevan a afirmar que el Tribunal de Justicia partió de un error de base al asumir una exégesis extensiva de una regla restrictiva de derechos como es la preclusión.

---

afirma: «Por una parte, entendemos que el principio de seguridad jurídica proclamado en el art.9.3 CE impone al legislador el deber de ser claro y preciso a la hora de regular la preclusión y la cosa juzgada, de manera que los justiciables puedan anticipar qué conductas suyas van a provocar que determinadas cuestiones queden afectadas por la preclusión o por la cosa juzgada.

Por otra parte, en el trance de la aplicación de las normas sobre preclusión y cosa juzgada, a la hora de determinar si una cuestión determinada entra dentro de lo "precluido" o de lo "juzgado" —y, por ende, de resolver si resulta lícito plantear esa cuestión en sede judicial—, entendemos también que, en virtud del principio de seguridad jurídica, las oscuridades del legislador no deben perjudicar al justiciable. Así las cosas, si el ordenamiento jurídico no permite concluir con razonable certeza que una determinada cuestión ha sido afectada por la preclusión o por la cosa juzgada, nos parece que los tribunales deben permitir el planteamiento de la cuestión de que se trate» (E. VALLINES GARCÍA, «Preclusión, cosa juzgada y seguridad jurídica..., cit., p. 3182).

Error que, obviamente, encuentra su origen en el planteamiento de la cuestión prejudicial por el juez nacional. Pero, en todo caso, esta equivocación constituye un elemento distorsionador que ha de tenerse en cuenta a la hora de valorar el impacto real que la Sentencia Duarte Hueros ha de tener en el ordenamiento interno.

4. ¿PUEDE APLICARSE LA DOCTRINA DE LA APRECIACIÓN DE OFICIO DE CLÁUSULAS ABUSIVAS A LA CONCESIÓN DE UNA TUTELA NO PEDIDA POR EL CONSUMIDOR EN EL ÁMBITO DE LA VENTA DE BIENES DE CONSUMO?

Una consolidada jurisprudencia del Tribunal de Justicia impone a los jueces nacionales el deber de apreciar de oficio cláusulas abusivas tan pronto como dispongan de los elementos de hecho y de derecho para ello. La cuestión que ahora se plantea es si la misma doctrina es extensible a la apreciación de oficio de una tutela no pedida por el demandante consumidor en un ámbito ajeno a las cláusulas abusivas.

Tanto la Directiva 93/13 sobre cláusulas abusivas como la Directiva 1999/44 sobre venta y garantía de bienes de consumo tienen en común su finalidad de proteger a los consumidores. Sin embargo, el contexto en el que una y otra se enmarcan es muy diferente. En el caso de las cláusulas abusivas se parte de una contratación viciada *ab initio* por una situación de desigualdad e inferioridad del consumidor frente al empresario o profesional que lleva a la parte más débil a asumir las condiciones impuestas por la parte más fuerte sin poder influir en su contenido. Los consumidores carecen de medios para evitar la inclusión en el contrato de cláusulas abusivas. Estamos, por tanto, ante una limitación inicial de los derechos conferidos a los consumidores en virtud del Derecho de la Unión Europea.

No sucede lo mismo en el marco de la venta y garantía de bienes de consumo. La Directiva 1999/44 ofrece a los consumidores varios caminos ante la falta de conformidad del bien adquirido con el contrato y la imposibilidad, sea material o derivada de la negativa del vendedor, de sustituir o reparar el bien: pueden solicitar la resolución del contrato o una reducción del precio en función de cuál sea el defecto de que adolezca el bien adquirido. No se trata en este caso de una negociación viciada por una situación de inferioridad, sino de la tutela de los derechos del comprador consumidor ante el incumplimiento por parte del empresario vendedor de las características del bien derivadas de un contrato perfectamente válido. El consumidor puede discernir si el bien comprado presenta la calidad reflejada en el contrato y, en caso negativo, reclamar la tutela judicial de sus derechos. En estas circunstancias, lo que debe garantizar el derecho procesal es que cualquiera de las tutelas a las que el consumidor tiene derecho conforme a la ley sustantiva pueda hacerse valer en un proceso.

No pueden tampoco identificarse los objetivos que se alcanzarían con la actuación *ex officio* del juez en uno y otro caso. La apreciación de oficio de cláusulas abusivas sirve a un doble propósito: evitar que los consumidores queden vinculados por las cláusulas abusivas que contenga un contrato y lograr un efecto disuasorio que lleve a los empresarios a abstenerse de utilizar en el futuro este tipo de cláusulas. Se trata, en definitiva, de alcanzar la anhelada expulsión de las cláusulas abusivas de la contratación con consumidores. Objetivo éste que se considera fundamental para mejorar el nivel de vida de los ciudadanos de la Unión y facilitar de este modo un beneficio que va más allá del concreto consumidor que puede resultar perjudicado por la cláusula abusiva[99].

Ni esto ni nada parecido se logrará con el otorgamiento de oficio de una tutela no pedida por el consumidor en el marco de la venta y garantía de bienes de consumo. No se trata de reparar una situación de inferioridad en la que el consumidor pueda no ser consciente de sus derechos y, en consecuencia, se requiera la

---

[99]   Cfr. Sentencia del TJUE de 26 de octubre de 2006, asunto Mostaza Claro (C-168/05).

actuación de oficio de un tercero imparcial como es el juez. Es el consumidor el que, ante la falta de conformidad del bien adquirido con el estándar de calidad reflejado en el contrato, acude a los tribunales para hacer valer sus derechos e, incluso, en algunos casos lo hace asistido de un abogado[100].

No parece tampoco que se vaya a conseguir un beneficio colectivo equiparable al efecto disuasorio de la utilización de cláusulas abusivas de cara al futuro. Muchas veces la calidad del producto vendido no depende del propio vendedor sino del fabricante y, por tanto, difícilmente el empresario vendedor va a poder evitar la venta de productos defectuosos cuando no está en sus manos determinar la calidad del producto vendido. Así sucede en el asunto Duarte Hueros en el que la empresa vendedora del vehículo no es la fabricante del mismo.

No existe, por tanto, una identidad de razón que permita extender la doctrina de la apreciación de oficio de cláusulas abusivas a una tutela no pedida por el consumidor demandante que, en uso de su derecho a elegir, ha ejercitado una determinada acción y no otra[101]. Es más, ni siquiera en el contexto de las cláusulas

---

[100]   No obstante, en muchos Estados de la Unión Europea no se exige la asistencia de abogado para este tipo de litigios.

[101]   En este sentido, resultan muy ilustrativas las palabras de P. CALDERÓN CUADRADO cuando afirma: «Reconocidas las diferencias —celebración y cumplimiento del contrato, presencia y ausencia de funciones disuasorias, desequilibrio inicial e igualdad posterior...—, no cabe otra opción que cuestionar eventuales equiparaciones más allá del sujeto afectado y al mismo tiempo defender la posibilidad de soluciones varias en lo que a la intervención de los poderes públicos se refiere. Y es que, trazada la distinción y como vimos, germina la duda sobre las facultades *ex officio* concedidas al juez en protección de unos intereses que no son, a diferencia de los recogidos por la Directiva 1993/13/CEE, predominantemente públicos y que tampoco se conforman por el legislador bajo la condición de irrenunciables» (P. CALDERÓN CUADRADO, «Derechos, proceso y crisis de la justicia», en *Publicaciones de la Real Academia Valenciana de Jurisprudencia y Legislación*, Cuaderno núm. 85, p. 42).

abusivas, la apreciación de oficio puede ir tan lejos. A este respecto conviene recordar la STJUE de 11 de marzo de 2020, asunto Lintner (C-511/17), en la que el Tribunal de Luxemburgo afirmó que «el examen de oficio debe respetar los límites del objeto del litigio, entendido como el resultado que una parte persigue con sus pretensiones, tal y como hayan sido formuladas y a la luz de los motivos invocados en apoyo de las mismas». Niega, por tanto, el Tribunal de Justicia que el juez nacional deba o pueda apreciar de oficio la abusividad de una cláusula distinta de aquella respecto de la que el consumidor demandante haya pedido la declaración de nulidad por su carácter abusivo, cuando ello no sea necesario para resolver sobre el objeto litigioso.

Precisamente, la Sentencia Lintner ha servido de inspiración al Tribunal de Justicia de la Unión Europea en una nueva decisión que afecta a principios procesales básicos del proceso civil. Se trata de la Sentencia de 14 de septiembre de 2023, asunto Tuk Tuk Travel (C-83/22) [102]. Los hechos en los que se enmarca esta decisión se refieren a un consumidor español que había cancelado un viaje combinado a causa de la pandemia del covid-19. El consumidor había pagado por adelantado 2.402 euros, de los cuales la agencia le devolvió 302 euros y se quedó con 2.100 euros en concepto de gastos de cancelación. El consumidor demandó a la agencia de viajes para obtener un reembolso adicional de 1.500 euros y afirmó que la agencia solo podía quedarse con 601 euros en concepto de gastos de gestión. Al tratarse de un juicio verbal cuya cuantía no excede de 2.000 euros, el demandante no estaba asistido de abogado, como permite el artículo 31 de la LEC.

---

[102]   Un interesante comentario sobre esta Sentencia puede verse en E. VA-LLINES GARCÍA, «Tuk Tuk Travel (C-83/22): rebuilding procedural autonomy or simply defending personal freedom», en *EU Law Live*, (https://eulawlive.com/op-ed-tuk-tuk-travel-c-83-22-rebuilding-proce-dural-autonomy-or-simply-defending-personal-freedom-by-enrique-va-llines/).

El artículo 12, apartado 2, de la Directiva 2015/2302, de 25 de noviembre de 2015, relativa a los viajes combinados y a las modalidades de viaje vinculadas, dispone que «... el viajero tendrá derecho a poner fin al contrato de viaje combinado antes del inicio del viaje sin pagar ninguna penalización de concurrir circunstancias inevitables y extraordinarias en el lugar de destino o en las inmediaciones, que afecten de forma significativa a la ejecución del viaje combinado o al transporte de pasajeros al lugar de destino. En caso de terminación del contrato de viaje combinado con arreglo al presente apartado, el viajero tendrá derecho al reembolso completo de cualesquiera pagos realizados por el viaje combinado, pero no a una indemnización adicional». Sin embargo, el consumidor, posiblemente por desconocimiento, no solicitó en su demanda la restitución íntegra de las cantidades abonadas, sino solo una parte de las mismas.

En estas circunstancias, el Juzgado de Primera Instancia nº 5 de Cartagena presentó una cuestión prejudicial en la que planteaba si el artículo 12, apartado 2, de la Directiva 2015/2302, a la luz de los artículos 114 y 169 del TFUE, debe interpretarse en el sentido de que se opone a la aplicación de determinados principios procesales nacionales, el de justicia rogada y el de congruencia, conforme a los cuales el órgano jurisdiccional no puede otorgar de oficio al consumidor el reembolso íntegro de las cantidades a que tiene derecho, cuando en la demanda ha pedido una cantidad inferior.

El Tribunal de Luxemburgo afirma que un órgano jurisdiccional nacional está obligado a examinar de oficio si una disposición específica del Derecho de la Unión en materia de consumo es aplicable al asunto en cuestión, cuando se cumplen cinco requisitos. En primer lugar, debe existir un interés público en la aplicación de la disposición, pudiendo deducirse de que la misma sea fundamental para lograr el objetivo de protección efectiva de los consumidores y de que reconozca un «derecho principal» en favor de la parte más débil[103]. En segundo lugar, debe existir un procedimiento judicial pendiente. En tercer lugar, la aplicación de esa disposición debe estar vinculada al objeto del litigio «tal y como las partes lo hayan definido, a la vista de las pretensiones que hayan formulado y de sus motivos». En cuarto lugar, el juez nacional debe disponer de todos los elementos de hecho y de derecho necesarios para apreciar si se ha de aplicar la disposición. En quinto lugar, el viajero no debe haber indicado expresamente al juez nacional su oposición a la aplicación de la disposición.

La conclusión a la que llega el Tribunal de Luxemburgo es que «el artículo 12, apartado 2, de la Directiva 2015/2302 debe interpretarse en el sentido de que no se opone a la aplicación de los preceptos de Derecho procesal nacional que consagran los principios de justicia rogada y de congruencia en virtud de los cuales, cuando la resolución de un contrato de viaje combinado cumple los requisitos establecidos en esta disposición y el viajero afectado reclama ante el juez nacional una cantidad inferior al reembolso completo, ese juez no puede concederle de oficio el reembolso completo, siempre y cuando esos preceptos no excluyan que dicho juez pueda, de oficio, informar a ese viajero de su derecho al reembolso completo y permitir a este invocarlo ante él».

Parece, pues, que el Tribunal de Justica ha decidido no continuar por la peligrosa senda iniciada en la Sentencia Duarte Hueros y ha evolucionado de imponer al órgano jurisdiccional la concesión de oficio de tutelas no solicitadas por el demandante, excediendo de los límites del objeto del proceso, a proclamar el deber del juez nacional de informar al consumidor de los derechos que le asisten para que, si lo considera conveniente, modifique sus peticiones de tutela.

---

[103]   En el caso autos, la Directiva 2015/2302 reconoce un «derecho principal» del viajero a la resolución del contrato y al reembolso íntegro del coste, respecto del que el organizador de viajes tiene la obligación de informar.

5. A MODO DE CONCLUSIÓN: SOBREPROTECCIÓN DEL CONSUMIDOR Y RIESGOS PARA LA SEGURIDAD JURÍDICA

La interpretación que la Sentencia Duarte Hueros hace del Derecho europeo conlleva una quiebra del principio de justicia rogada y del correlativo deber de congruencia sin justificación razonable. Sobre la base de una supuesta vulneración del principio de efectividad, se insta al órgano jurisdiccional nacional a apreciar de oficio una tutela distinta de la inicialmente formulada por el consumidor en su demanda[104].

No pueden equipararse la apreciación de oficio de cláusulas abusivas y el otorgamiento de una tutela sin petición de parte en un ámbito regido por la autonomía de la voluntad. En el primer caso, el interés general subyacente justifica que el juez pueda apreciar, sin necesidad de petición de parte, circunstancias fácticas, generalmente de naturaleza impeditiva, que determinan la nulidad de una cláusula por su carácter abusivo. En el segundo caso, el juez suplanta la voluntad del consumidor en la elección de la tutela solicitada en relación con unos derechos de contenido patrimonial y disponibles para su titular. No se ve en esta última situación dónde se puede encontrar el interés público y sí se ve, en cambio, un riesgo nada desdeñable para la seguridad jurídica.

Es procedente preguntarse, a continuación, qué es lo que el ordenamiento procesal debe garantizar al justiciable en una situación fáctica como la descrita en la Sentencia Duarte Hueros, en la que hay una disconformidad en la calidad del bien adqui-

---

[104] A este respecto, F. CORDÓN MORENO, «La posibilidad de que el juez otorgue de oficio una tutela jurisdiccional no pedida por el consumidor (STJUE de 3 de octubre de 2013)», en www.uclm.es/centro/cesco, fecha de publicación: 29 de octubre de 2013, afirma que «...la modificación procesal introducida por la sentencia (ejercicio de la acción subsidiaria de oficio por el juez) supone otorgar al derecho subjetivo del consumidor tutelado (derecho a la reducción del precio) la relevancia de un derecho público, lo cual parece cuando menos discutible».

rido por el consumidor. La respuesta es sencilla: el ordenamiento debe permitir al justiciable, sea o no consumidor, el ejercicio ante los tribunales, sin obstáculos ni restricciones de ningún tipo, de las acciones que estime convenientes para la defensa de sus derechos. Y esas peticiones de tutela han de sustanciarse en un proceso con todas las garantías. Así lo exigen tanto el artículo 24 de la Constitución Española como el artículo 47 de la Carta de Derechos Fundamentales de la Unión Europea.

Con esta premisa, la cuestión que surge de modo inmediato es si la legislación procesal española cumple o no esas exigencias. Y la respuesta es afirmativa. El consumidor, ante esa situación de conflicto jurídico derivada de un incumplimiento contractual, puede acceder sin ningún tipo de obstáculo a la jurisdicción para solicitar la resolución del contrato o la reducción del precio del bien adquirido o ambas cosas mediante una acumulación eventual de acciones. Si se decanta por una sola de las acciones, como puede ser la de resolución del contrato, y el órgano jurisdiccional desestima ésta porque entiende que la disconformidad del bien es de escasa importancia o por cualquier otro motivo, el consumidor podrá instar un nuevo proceso para ejercitar una acción con un *petitum* distinto. La regla de preclusión del artículo 400 de la LEC no entra en juego cuando lo que se pide en el segundo proceso es distinto de lo que se pidió en el proceso anterior. Y, por supuesto, la economía procesal no puede servir de fundamento para impedir sin sustento legal el ejercicio de acciones por los justiciables. Por tanto, no parece que la legislación española haga imposible o excesivamente difícil la tutela de los derechos del consumidor reconocidos en la normativa europea.

Se puede plantear, incluso, si la Directiva 1999/44 exige algo más que un acceso sin obstáculos a la tutela judicial y un proceso con todas las garantías. O, con otros términos, si la normativa europea impone al juez nacional la apreciación de oficio de una tutela no solicitada por el consumidor demandante. La respuesta negativa a esta cuestión se reconoce por el propio Tribunal de Justicia cuando afirma: «En este contexto, (...), es necesario precisar que el referido artículo 3 no recoge disposiciones que obliguen al juez nacional, en circunstancias como las que son objeto del litigio principal, a reconocer de oficio al consumidor una reducción adecuada del precio de compra del bien controvertido»[105].

La Directiva europea sobre venta y garantía de bienes de consumo no impone una protección mayor del consumidor y la legislación procesal española permite al consumidor ejercitar sin obstáculo alguno los derechos reconocidos en aquélla normativa. En consecuencia, no hay razón alguna para fundamentar la vulneración del principio de efectividad por la circunstancia de que la legislación procesal no permita al juez nacional otorgar de oficio una tutela no pedida. Solo el error de base del que partió el Tribunal de Justicia en la interpretación de las reglas de preclusión y de la función negativa de la cosa juzgada material puede explicar la conclusión a la que llega en la Sentencia Duarte Hueros[106].

---

[105] Apartado 29 de la Sentencia Duarte Hueros. Con más claridad aún se manifiesta la Abogada General, Sra. Juliane Kojott, en el apartado 41 de las Conclusiones presentadas el 28 de febrero de 2013, donde puede leerse lo siguiente: «Es decir, la Directiva no impone que, con independencia de toda intervención del consumidor, se le reconozca a éste lo que el artículo 3 de aquélla le permite exigir. Si se hubiera pretendido alcanzar ese resultado, en la Directiva se habrían adoptado normas en este sentido. Antes bien, la Directiva dispone, por una parte, tal como expone acertadamente el Gobierno polaco, que el consumidor tiene la facultad de elegir los derechos conferidos por la Directiva que desea invocar (véase su artículo 3, apartados 2 y 5). Por otra parte, la Directiva admite que, para ejercitar en vía judicial sus derechos, el consumidor debe poder recurrir a las vías ordinarias de recurso (y, al mismo tiempo, que debe proceder así si desea hacer valer sus derechos), en su caso, incluso con el requisito de que respete determinados plazos dentro de los que debe informar al vendedor de la falta de conformidad. El principio de tutela judicial efectiva no exige más. Solo se requiere que el consumidor pueda ejercitar sus derechos. Al mismo tiempo, ello supone que el consumidor debe proceder a ese ejercicio. En consecuencia, la Directiva no recoge una obligación general de rebajar de oficio el precio».

[106] En esta misma línea, G. ORMAZABAL SÁNCHEZ, «Cuando Luxemburgo declaró la guerra al principio dispositivo: el deber judicial de

El Tribunal de Justicia ha dado en esta Sentencia un salto cualitativo que supone un riesgo para la seguridad jurídica, valor fundamental recogido en el artículo 9.3 de nuestra Norma Constitucional. Y es que la seguridad jurídica no es compatible con la incertidumbre que se deriva del otorgamiento a los jueces, sin base legal alguna, del poder de conceder tutelas no pedidas por el consumidor en ejercicio de su derecho a escoger y, paralelamente, liberar al titular de la potestad jurisdiccional del deber de congruencia en un ámbito, no lo podemos olvidar, en el que están en juego derechos e intereses privados.

Es más, como señala CALDERÓN CUADRADO, no se trata aquí simplemente de arbitrar mecanismos que protejan la contradicción como se hace en el marco de la apreciación de oficio de cláusulas abusivas. El problema es previo y se centra en que «con tales atribuciones el juez se aleja de su condición de tercero imparcial para acercarse a posiciones de parte»[107]. Se pone en riesgo, por tanto, una de las garantías básicas del proceso jurisdiccional.

En definitiva, la sobreprotección del consumidor que se deriva de la Sentencia Duarte Hueros altera la esencia del proceso en el que necesariamente debe haber dos partes en posiciones contrapuestas ante un juez en posición neutral, al que no le está permitido, en un ámbito en el que están en juego derechos o intereses privados, introducir en el proceso peticiones de tutela que no hayan sido solicitadas a instancia de parte, incluso pese a que una de esas partes tenga la condición de consumidor. No en-

---

reconocer al consumidor el derecho a la reducción del precio que no pidió en la demanda», en *La Ley. Unión Europea*, núm. 11/2014, pp. 39 a 45, afirma que «...este condicionamiento o supeditación a una cierta interpretación del Derecho nacional implica también que si se parte de una lectura del artículo 400.1 LEC —diversa de la defendida en la sentencia— que circunscriba la regla de preclusión contenida en el mismo a los "hechos" y a los "fundamentos jurídicos" y no incluya el *petitum,* claudicaría también un presupuesto necesario para concluir en la necesidad del deber de apreciar de oficio el derecho a la rebaja del precio».

[107] Vid. P. CALDERÓN CUADRADO, «Derechos, proceso...», cit., p. 48.

tenderlo así quiebra la coherencia del sistema procesal civil en el que son admisibles ciertas especialidades en aras a la protección de los consumidores, siempre que haya una justificación clara y razonable, que no se da en el caso que nos ocupa.

Capítulo VI
El principio de efectividad y sus repercusiones sobre la cosa juzgada: ¿el derecho del consumidor a no resultar vinculado por una cláusula abusiva exige hacer una excepción a la cosa juzgada?

1. LA DOCTRINA SOBRE LA RETROACTIVIDAD LIMITADA DE LA DECLARACIÓN DE NULIDAD DE LA CLÁUSULA SUELO

Como es sobradamente conocido, la jurisprudencia del Tribunal de Justicia de la Unión Europea recaída en la interpretación de la Directiva 93/13 está ocasionando una auténtica revolución que ha puesto en jaque los cimientos de nuestro proceso civil. Y precisamente la cuestión que ahora se plantea afecta a uno de los pilares sobre el que se construye el sistema procesal: la cosa juzgada. La polémica en este ámbito se centra en determinar si el Derecho de la Unión Europea exige la revisión de los pronunciamientos con eficacia de cosa juzgada que sean contrarios a la jurisprudencia del Tribunal de Luxemburgo.

En el contexto de la protección de los consumidores, la controversia ha surgido con ocasión de las distintas interpretaciones del Tribunal Supremo y el Tribunal de Luxemburgo respecto de los efectos de la declaración de nulidad de la denominada cláusula suelo. La inserción masiva en los contratos de préstamo con garantía hipotecaria de cláusulas limitativas de la variabilidad del interés remuneratorio originó una enorme litigiosidad en España.

El debate en torno al carácter abusivo de tales cláusulas se intentó zanjar en la conocida Sentencia del Tribunal Supremo 241/2013, Sala de lo Civil, de 9 de mayo de 2013, que, lejos de solventar la cuestión, abrió una nueva polémica en relación con los efectos de la declaración de nulidad de una cláusula abusiva.

A grandes rasgos los hechos de los que esta resolución trae su causa son los siguientes: la Asociación de Usuarios de Servicios Bancarios (AUSBANC) ejercita una acción colectiva de cesación de una condición general de la contratación (en concreto, una cláusula suelo) en defensa de los intereses de consumidores y usuarios contra BBVA, Caja de Ahorros de Galicia y Cajamar. La demandante estima que las cláusulas suelo incluidas en los contratos de préstamo con garantía hipotecaria celebrados por los demandados son abusivas y contrarias a la Directiva 93/13 sobre las cláusulas abusivas en los contratos celebrados con consumidores.

El Tribunal Supremo recuerda que la Directiva 93/13 toma como premisa la situación de inferioridad en la que se encuentra el consumidor respecto del profesional, tanto en lo que se refiere a su capacidad de negociación como a su información y, por ello, es habitual que se adhiera a las condiciones redactadas por el profesional sin poder influir en su contenido. En este contexto, las cláusulas abusivas no deben vincular al consumidor y el juez ha de poder examinar de oficio el carácter abusivo de una cláusula, dando audiencia a las partes para respetar el principio de contradicción, pues solo así se garantiza la adecuada protección del deudor y la eficacia de la Directiva.

No obstante, no puede olvidarse que la finalidad de la Directiva es la protección del consumidor y, por tanto, no puede operar en contra de su voluntad cuando éste ha sido debidamente informado y ha manifestado su clara voluntad de aceptar una cláusula contractual.

Esta doctrina se ha de aplicar con independencia de si el carácter abusivo de una cláusula se plantea en un proceso para la tutela de intereses individuales o colectivos de los consumidores.

Con estas premisas, el Tribunal Supremo afirma que para que una cláusula, como la cláusula suelo, pueda considerarse válida es necesario que concurra alguna de las siguientes circunstancias:

a) Que haya sido objeto de negociación individual. Es un hecho notorio que esto no suele suceder en la práctica, sino que se trata de una condición impuesta por el empresario que el consumidor ha de aceptar o renunciar a contratar. Si el empresario afirma que una cláusula no ha sido impuesta sino que se trata de una simple propuesta sujeta a negociación, corresponderá a él la carga de la prueba de este hecho.

b) Si la cláusula ha sido impuesta por el empresario como una condición general de la contratación, ello no comporta necesariamente su ilicitud. Será admisible esa cláusula si se ha cumplido el deber de trasparencia que se concreta en la existencia de información clara, precisa y detallada al consumidor que le permita comprender que la cláusula suelo define el objeto principal del contrato, pues afecta a su obligación de pago y pueda tener un conocimiento real y razonablemente completo de cómo juega esta cláusula en la economía del contrato. No basta para superar este filtro de trasparencia que esta cláusula se incluya, junto con otras, en el contrato firmado por el consumidor, sino que es necesario un plus de información que le permita conocer las consecuencias de esa cláusula.

El Alto Tribunal, por tanto, declara en principio la licitud de la cláusula suelo, aunque no haya sido objeto de negociación individual, pero abre la puerta a la declaración de nulidad de la misma en la medida que se incorpore al contrato sin la debida trasparencia[108].

---

[108] Parte de la doctrina civilista considera que el test de transparencia es tan estricto que de facto supone casi una universalización del carác-

La conclusión final es que las cláusulas suelo a las que se refiere el litigio han de considerarse abusivas y, por tanto, nulas porque no cumplen este deber de información suficiente y clara, sino que se insertan de forma conjunta con otras cláusulas contractuales sin darle la trascendencia que realmente tienen. Por ello, incumplen las exigencias de la buena fe y causan un desequilibrio en perjuicio del consumidor.

La nulidad de la cláusula suelo no comporta la nulidad del contrato en el que se inserta porque éste puede subsistir sin esa cláusula. Por ello, la Sentencia condena a los demandados a eliminar esa cláusula de los contratos en los que se inserta, pero considera que éstos seguirán siendo obligatorios entre las partes sin esa cláusula.

Sin duda el aspecto más controvertido de este fallo es la limitación de los efectos restitutorios de la declaración de nulidad, obviando la regla general del artículo 1303 del Código Civil que obliga a la plena restitución de las cantidades y a la vuelta a la situación anterior a la aplicación de la cláusula nula. O, con otros términos, la nulidad de pleno derecho de un contrato o de una cláusula contractual exige destruir sus consecuencias y borrar sus huellas como si no hubiese existido. Sin embargo, el Tribunal Supremo estima que la eficacia retroactiva de la declaración de nulidad debe limitarse por razones de seguridad jurídica y para evitar graves trastornos en el orden público económico. Por ello, el Alto Tribunal declara la irretroactividad de la Sentencia, de forma que la declaración de nulidad no afectará a situaciones definitivamente decididas por resoluciones judiciales con fuerza de cosa juzgada ni a los pagos ya efectuados en la fecha de publicación de la Sentencia[109].

---

ter abusivo de estas cláusulas. En este sentido, F. PERTIÑEZ VILCHEZ, «Falta de transparencia y carácter abusivo de la cláusula suelo en los contratos de préstamo hipotecario», en *InDret*, núm. 3/2013, p. 15.

[109] La misma doctrina aplica la STS 139/2015, de 25 de marzo de 2015 respecto de una demanda individual de un consumidor que reclamaba la

2. LA SENTENCIA DEL TRIBUNAL DE JUSTICIA DE 21 DE DICIEMBRE DE 2016, ASUNTO GUTIÉRREZ NARANJO, (C-154/15, C-307/15 Y C-308/15)

La dudosa compatibilidad entre la STS 241/2013, de 9 de mayo, y las normas europeas sobre protección de los consumidores frente a cláusulas abusivas originó una situación caótica en la que podían encontrarse pareceres antagónicos entre los tribunales nacionales, que se movían entre la aplicación estricta de la doctrina del Tribunal Supremo y la devolución íntegra de las cantidades abonadas sin limitación temporal alguna.

No resulta, por ello, extraño que se presentasen al Tribunal de Justicia cinco cuestiones prejudiciales[110] para decidir fundamentalmente si la limitación de los efectos restitutorios derivados de la declaración de nulidad por abusiva de una cláusula suelo inserta en un contrato de préstamo es compatible con la tan mencionada Directiva 93/13. La decisión se plasmó en la Sentencia de 21 de diciembre de 2016, asunto Gutiérrez Naranjo (C-154/15, C-307/15 y C-308/15)[111].

---

devolución íntegra de las cantidades abonadas en virtud de la cláusula suelo.

[110]   Se trata de las siguientes: peticiones de decisión prejudicial presentadas por la Audiencia Provincial de Alicante de 25 de junio de 2015, asuntos Ana María Palacios c. BBVA (C-307/15) Banco Popular Español c. Emilio Irles (C-308/15) y peticiones de decisión prejudicial presentadas por el Juzgado de lo Mercantil n.º 3 de Barcelona mediante autos de 1 de diciembre y 27 de noviembre de 2014 en los asuntos Isamael Fernández c. Caixabank (C-568-14), Jordi Carné c. Catalunya Banc (C-569/14) y Nuria Robirosa c. Banco Popular Español (C-570/14).

[111]   Sobre esta Sentencia, M. I. DOMÍNGUEZ YAMASAKI, «La aparente corrección parcial del control de transparencia a propósito de la STJUE de 21 de diciembre de 2016», en *Cuadernos de Derecho Transnacional,* Vol. 9, nº 1, Marzo 2017, pp. 406 a 429; A. CARRASCO PERERA, «Retroactividad de la nulidad, procedimiento extrajudicial de reemboloso de intereses por cláusula suelo y el problema de la cosa juzgada», en *Revista CESCO de Derecho de Consumo,* nº 20/2016 (accesible en http://

Con anterioridad a la Sentencia, el Abogado General en su informe había concluido que la irretroactividad declarada por nuestro Tribunal Supremo era adecuada al Derecho de la Unión por cuanto éste no armoniza ni las sanciones derivadas del carácter abusivo de una cláusula ni las condiciones en que un órgano jurisdiccional decide limitar los efectos de sus sentencias, sino que estas cuestiones se dejan a la autonomía de los Estados miembros[112].

Frente a esta postura, la Comisión Europea emitió un informe en el que se manifestaba en contra de la doctrina del Tribunal Supremo español, pues entiende que no es posible que los tribunales nacionales moderen la devolución de lo pagado por el consumidor, ya que si una cláusula es declarada nula lo es desde el origen.

Finalmente, el Tribunal de Justicia, en la Sentencia de 21 de diciembre de 2016, afirma que la previsión del art. 6.1 de la Directiva 93/13 en cuya virtud no vincularán al consumidor las cláusulas abusivas que figuren en un contrato celebrado entre éste y un profesional es una norma de orden público y de carácter imperativo que pretende restablecer el equilibrio entre las partes. En consecuencia, los Estados miembros tienen la obligación de establecer medios adecuados y eficaces para que cese el uso de cláusulas abusivas en los contratos celebrados entre profesionales y consumidores. En este contexto, corresponde al juez nacional dejar de aplicar la cláusula abusiva sin que esté facultado para moderar el contenido de la misma. La declaración judicial del ca-

---

www.revista.uclm.es/index.php/cesco); S. CÁMARA LAPUENTE, «Un examen crítico de la STJUE de 21 diciembre 2016: nulidad retroactiva sí, falta de transparencia "abusiva" de las cláusulas suelo no», en *Cuadernos de derecho transnacional*, vol. 9, n° 1/2017, pp. 383 a 395; y S. CHOOLANI FARRAY, «El principio de no vinculación de cláusulas abusivas conforme a la reciente jurisprudencia del TJUE», en Revista de estudios europeos, n°. 71, 2018 (Ejemplar dedicado a: Congreso internacional de Jóvenes investigadores sobre la Unión Europea), pp. 138 a 148.

[112] Cfr. Conclusiones del Abogado General, PAOLO MENGOZZI, presentadas el 13 de julio de 2016.

rácter abusivo de una cláusula debe tener como efecto, en principio, el restablecimiento de la situación de hecho y de derecho en la que se encontraría el consumidor de no haber existido dicha cláusula. Los Derechos nacionales no pueden alterar el contenido sustancial del derecho a no estar vinculado por una cláusula abusiva, tal y como ha sido interpretado por la jurisprudencia comunitaria. Por tanto, si como consecuencia de la cláusula abusiva se han pagado cantidades indebidamente, estos importes deben restituirse.

3. RETROACTIVIDAD PLENA DE LA DECLARACIÓN DE NULIDAD Y COSA JUZGADA

La imposición por el Tribunal de Luxemburgo de la retroactividad plena de la declaración de nulidad de la cláusula suelo ha generado un importante problema que afecta a una de las reglas que hasta hace poco se consideraban axiomáticas en nuestro sistema procesal civil: la cosa juzgada.

Buena parte de los tribunales españoles siguieron la doctrina del Tribunal Supremo y, en consecuencia, limitaron la restitución de las cantidades abonadas en virtud de la cláusula suelo a las devengadas a partir de mayo de 2013, desestimando la devolución de las pagadas hasta esa fecha. En estas circunstancias, una nueva reclamación del consumidor con base en la Sentencia Gutiérrez Naranjo choca con un obstáculo: si una sentencia con eficacia de cosa juzgada ha limitado los efectos de la declaración de nulidad y ha ordenado la devolución solo de una parte de lo pedido, la cosa juzgada impedirá al consumidor volver a reclamar la restitución íntegra de las cantidades abonadas. ¿Es esto compatible con el Derecho de la Unión en materia de protección de consumidores?

Más privilegiada, paradójicamente, es la situación de los consumidores que aún no habían presentado reclamación antes de la Sentencia Gutiérrez Naranjo o, incluso, la de aquellos cuyos intereses se habían reclamado en el marco de una acción colectiva a los que la STS 123/2017, de 24 de febrero, consideró no alcanzados por la cosa juzgada de las sentencias dictadas en los proceso colectivos. Unos y otros tenían, por tanto, la posibilidad de obtener la satisfacción íntegra de las cantidades abonadas en virtud de la cláusula abusiva[113].

Sin embargo, los consumidores que, en principio, habían sido más diligentes a la hora de reclamar sus derechos se encuentran con una realidad más desfavorable. Con carácter general, la seguridad jurídica exige que las decisiones revestidas de fuerza de cosa juzgada permanezcan inalterables. Así, los consumidores que vieron rechazada su pretensión indemnizatoria sobre la base de una doctrina jurisprudencial cuya antijuridicidad se pone de manifiesto con posterioridad a la sentencia firme, no podrán volver a reclamar lo mismo en un segundo proceso. La eficacia negativa o excluyente de la cosa juzgada constituye un óbice que impide una nueva decisión judicial. En este sentido, el artículo 222.1 de la LEC dispone que «la cosa juzgada de las sentencias firmes, sean estimatorias o desestimatorias, excluirá, conforme a la ley, un ulterior proceso cuyo objeto sea idéntico al del proceso en que aquélla se produjo».

4. ¿EXIGE EL DERECHO DE LA UNIÓN EUROPEA DEJAR SIN EFECTO UNA SENTENCIA FIRME CUANDO SEA CONTRARIA A LA PROTECCIÓN DE LOS CONSUMIDORES FRENTE A CLÁUSULAS ABUSIVAS?

La cosa juzgada es una característica distintiva de la aplicación jurisdiccional del Derecho y viene impuesta por la seguridad jurídica. Ahora bien, hay supuestos excepcionales en los que la cosa

---

[113]　Ante la previsible avalancha de reclamaciones y la consiguiente sobrecarga de los juzgados, se aprobó el Real Decreto-ley 1/2017, de 20 de enero, de medidas urgentes de protección de los consumidores en materia de cláusulas suelo, que articuló una vía extrajudicial para obtener el reintegro de las cantidades pagadas por los consumidores en aplicación de la cláusula suelo.

juzgada puede dejarse sin efecto. Y la cuestión que se plantea a continuación es si nos encontramos ante uno de esos supuestos excepcionales. O, con otros términos, si el estándar de protección de los consumidores establecido por el Derecho de la Unión impone dejar sin efecto la cosa juzgada cuando sea necesario para conseguir ese objetivo fundamental de tutelar a los consumidores frente a cláusulas abusivas.

Debemos partir de la premisa de que no hay ninguna norma en el ordenamiento de la Unión Europea que exija, al menos de forma expresa, la revisión o anulación de sentencias firmes que se han revelado *a posteriori* incompatibles con el Derecho de la Unión a resultas de alguna sentencia del Tribunal de Justicia dictada, como regla general, al resolver una cuestión prejudicial.

A falta de norma expresa, la cuestión que se plantea es si el Tribunal de Justicia ha hecho una interpretación extensiva del principio de efectividad o del derecho a la tutela judicial efectiva, como en otras ocasiones, que lleve aparejada la obligación de los Estados de prever mecanismos de rescisión de resoluciones firmes cuando se hayan revelado *a posteriori* contrarias al objetivo fundamental de proteger a los consumidores frente a cláusulas abusivas.

4.1. El Derecho de la Unión no obliga, con carácter general, a dejar sin efecto la cosa juzgada

El Tribunal de Justicia parece confirmar que la protección de los consumidores no es absoluta y que la cosa juzgada se ha de respetar. Así lo manifiesta en la propia Sentencia de 21 de diciembre de 2016, asunto Gutiérrez Naranjo, que consideró errónea la limitación de los efectos de la declaración de nulidad de una cláusula abusiva, pero también proclamó lo siguiente:

> «68. A este respecto, es verdad que el Tribunal de Justicia ya ha reconocido que la protección del consumidor no es absoluta. En este sentido ha declarado, en particular, que el Derecho de la Unión no obliga a un tribunal nacional a dejar de aplicar las normas procesales internas que confieren fuerza de cosa juzgada a una resolución,

aunque ello permitiera subsanar una infracción de una disposición, cualquiera que sea su naturaleza, contenida en la Directiva 93/13 (véase, en este sentido, la sentencia de 6 de octubre de 2009, Asturcom Telecomunicaciones, C-40/08, EU:C:2009:615, apartado 37). De ello se deduce que el Tribunal Supremo podía declarar legítimamente, en la sentencia de 9 de mayo de 2013, que esta última no afectaba a las situaciones definitivamente decididas por resoluciones judiciales anteriores con fuerza de cosa juzgada».

La misma doctrina que en la Sentencia Gutiérrez Naranjo se recoge de una manera incidental se ha reflejado en otras decisiones del Tribunal de Luxemburgo que han abordado específicamente la cuestión. Así, la Sentencia de 16 de octubre de 2015, asunto Târsia (C-69/14). En esta ocasión, las circunstancias fácticas se concretan en la imposición al Sr. Târsia, mediante resolución judicial dictada en un procedimiento civil, de un impuesto de contaminación de automóviles que el Tribunal de Justicia de la Unión Europea declaró incompatible con el artículo 110 del TFUE en Sentencia dictada con posterioridad a la fecha en que la resolución judicial civil devino firme. En principio, los Estados están obligados a devolver los tributos impuestos en contra del Derecho de la Unión[114]. Sin embargo, la restitución en el caso Târsia chocaba con el obstáculo de la sentencia firme que obligaba al pago del impuesto en cuestión.

En tales circunstancias, el tribunal remitente de la cuestión prejudicial señala que las normas procesales aplicables al proceso civil no prevén la posibilidad de interponer, debido a la infracción del Derecho de la Unión, un recurso de revisión de una resolución judicial devenida firme, mientras que tal recurso puede interponerse con arreglo a las normas procesales que regulan el proceso contencioso-administrativo. Se plantea, por ello, la com-

---

[114]   Cfr., Sentencias de 16 de septiembre de 1976, asunto Rewe-Zentralfinanz y Rewe-Zentral (C-33/76), apartado 5; de 26 de enero de 2010, asunto Transportes Urbanos y Servicios Generales (C-118/08), apartado 31, y de 12 de diciembre de 2013, asunto Test Claimants in the Franked Investment Income Group Litigation, C-362/12, apartado 32.

patibilidad entre la legislación rumana que impide la revisión de una sentencia civil firme y el principio de primacía del Derecho de la Unión.

El Tribunal de Luxemburgo comienza resaltando la importancia de la cosa juzgada, tanto en el ordenamiento de la Unión como en los ordenamientos nacionales, con el fin de garantizar la estabilidad del Derecho y de las relaciones jurídicas, así como la buena administración de justicia. En consecuencia, los ordenamientos consagran, como regla general, la imposibilidad de impugnar las resoluciones judiciales que hayan adquirido firmeza tras haberse agotado las vías de recurso disponibles o tras expirar los plazos previstos para recurrir.

Con estas premisas, el Tribunal de Justicia se plantea si los principios de equivalencia y efectividad se oponen a que un juez nacional no tenga la posibilidad de revisar una resolución judicial firme dictada en el marco de un procedimiento civil, cuando esta resolución sea incompatible con la interpretación del Derecho de la Unión realizada por el Tribunal de Luxemburgo con posterioridad a la fecha de la resolución firme, mientras sí existe tal posibilidad en relación con las resoluciones judiciales firmes dictadas en procedimientos contencioso-administrativos.

Con respecto al principio de equivalencia, el Tribunal de Justicia aclara que el mismo obliga a dar idéntico trato a los recursos basados en la infracción del Derecho nacional y a aquellos similares basados en la infracción del Derecho de la Unión, pero no impone que sean equivalentes las normas procesales aplicables en los procesos civiles y en los contencioso-administrativos. De lo anterior se deduce que «el principio de equivalencia no se opone a que un juez nacional no tenga la posibilidad de revisar una resolución judicial firme dictada en un procedimiento civil, cuando esta resolución resulta incompatible con una interpretación del Derecho de la Unión adoptada por el Tribunal de Justicia con posterioridad a la fecha en la que dicha resolución ha devenido firme, mientras que tal posibilidad existe en lo que atañe a las resoluciones judiciales firmes incompatibles con el Derecho de la Unión dictadas en el marco de procedimientos administrativos».

En cuanto al principio de efectividad, el Tribunal de Luxemburgo manifiesta que «el Derecho de la Unión no obliga a un órgano jurisdiccional nacional a inaplicar las normas procesales nacionales que confieren fuerza de cosa juzgada a una resolución, aunque ello permitiera subsanar una situación nacional incompatible con ese Derecho»[115]. Ahora bien, el perjuicio sufrido por el particular como consecuencia de la sentencia que vulnera los derechos conferidos por el Derecho de la Unión y que no puede ser objeto de revisión o anulación, ha de compensarse reconociendo al perjudicado «la posibilidad de iniciar un procedimiento de responsabilidad patrimonial del Estado a fin de obtener por este medio una protección jurídica de sus derechos»[116].

Centrándonos en la cosa juzgada y dejando para un momento posterior la posible responsabilidad patrimonial del Estado, parece, a la vista de las anteriores sentencias, que la respuesta a la cuestión planteada en este epígrafe es, en principio, negativa: el estándar de protección de los consumidores establecido por el Derecho de la

---

[115]   En el mismo sentido se pronuncia la STJUE de 10 de julio de 2014, asunto Impresa Pizzarotti (C-213/13), apartados 59 y 60, en la que se afirma que «el Derecho de la Unión no exige que, para tener en cuenta la interpretación de un precepto aplicable de ese Derecho adoptada por el Tribunal de Justicia con posterioridad a la resolución de un órgano jurisdiccional con fuerza de cosa juzgada, éste deba, por regla general, reconsiderar dicha resolución».
Con términos parecidos, las SSTJUE de 1 de junio de 1999, asunto Eco Swiss (C-126/97), apartados 46 y 47; de 16 de marzo de 2006, asunto Kapferer (C-234/04), apartado 21; de 6 de octubre de 2009, asunto Asturcom Telecomunicaciones (C-40/08), apartados 35 a 37, y de 22 de diciembre de 2010, asunto Comisión/Eslovaquia (C-507/08), apartados 59 y 60.

[116]   Así lo proclama la Sentencia Târsia en los apartados 39 y 40. En el mismo sentido, ya se pronunció el Tribunal de Luxemburgo en las Sentencias de 30 de septiembre de 2003, asunto Köbler (C-224/01), apartado 34 y de 13 de junio de 2006, asunto Traghetti del Mediterráneo (C-173/03), apartado 31.

Unión no llega al punto de obligar a los Estados a establecer mecanismos que permitan dejar sin efecto una sentencia con fuerza de cosa juzgada. Por tanto, la *res iudicata* se ha de respetar siempre que sea conforme con los principios de equivalencia y efectividad.

Los tribunales españoles han mantenido esta misma postura de salvaguardar la cosa juzgada frente a las interpretaciones posteriores de la normativa europea por el Tribunal de Justicia de la Unión Europea. Una buena prueba de ello la encontramos en el Auto de 4 de abril de 2017, en el que la Sala Primera del Tribunal Supremo frena el primer intento de obtener la revisión de una sentencia firme que limitó los efectos restitutivos de la cláusula suelo conforme a la STS de 9 de mayo de 2013[117]. La demanda de revisión se dirigía frente a una Sentencia de 31 de octubre de 2016, dictada por un Juzgado de Primera Instancia de Torremolinos, y que devino firme ante la ausencia de recurso de las partes.

El Tribunal Supremo pone de manifiesto que solo podrá calificarse como «documento recobrado» en el sentido del artículo 510.1.1.º de la LEC, aquél que exista con anterioridad al momento en que precluyó la posibilidad de aportarlo al proceso, en cualquiera de sus instancias, dado que la causa de que el demandante de revisión no haya podido aportarlo no puede ser su inexistencia sino la fuerza mayor o la actuación de la parte contraria. Por tanto, una sentencia posterior a la resolución cuya revisión se pre-

---

[117] Este Auto ha sido objeto de diversos comentarios. Cfr., entre otros, F. GASCÓN INCHAUSTI, «¿Exige el Derecho de la Unión Europea la revisión de las sentencias firmes dictadas al amparo de la doctrina jurisprudencial en materia de cláusulas suelo establecida con anterioridad a la sentencia del Tribunal de Justicia de 21 de diciembre de 2016? (A propósito del Auto del Tribunal Supremo de 4 de abril de 2017)», en *La Ley Mercantil* n° 35, abril 2017, N° 35, 1 de abr. de 2017, pp. 1 a 11; o E. SÁNCHEZ ÁLVAREZ, «No es viable la revisión de sentencias firmes en materia de cláusula suelo: comentario al Auto del Tribunal Supremo de 4 de abril de 2017», *Diario La Ley*, N° 9012, Sección Doctrina, 3 de Julio de 2017, p. 1 a 16.

tende no tiene la consideración de «documento recobrado», ni siquiera aunque esa sentencia sea del Tribunal de Justicia de la Unión Europea[118].

A esta falta de encaje en la normativa reguladora del proceso de revisión se añade que ni el Derecho de la Unión Europea, ni su interpretación por el Tribunal de Justicia de la Unión Europea, obligan a un órgano jurisdiccional nacional a dejar de aplicar las normas procesales internas que confieren fuerza de cosa juzgada a una resolución, aunque ello permitiera subsanar una vulneración del Derecho europeo. No hay, a este respecto, una jurisprudencia del Tribunal de Luxemburgo que permita afirmar que una sentencia posterior de dicho Tribunal deba considerarse motivo suficiente para revisar una sentencia firme dictada por un tribunal nacional.

La trascendencia de una sentencia del TJUE en la que se establezca una doctrina incompatible con la mantenida hasta ese momento por un tribunal español se manifestará hacia el futuro y obligará, en su caso, a modificar la jurisprudencia nacional, pero no permitirá dejar sin efecto decisiones anteriores revestidas de eficacia de cosa juzgada. Esta eficacia futura es una consecuencia ineludible de la integración de España en la Unión Europea y de la función del Tribunal de Justicia de la Unión Europea como máximo intérprete del Derecho de la Unión. De ahí que la Ley Orgánica 7/2015, de 21 de julio, haya introducido el nuevo artículo 4.bis de la Ley Orgánica del Poder Judicial, en cuya virtud «los Jueces y Tribunales aplicarán el Derecho de la Unión Europea de conformidad con la jurisprudencia del Tribunal de Justicia de la Unión Europea»[119].

---

[118]   En el mismo ya se había pronunciado el Tribunal Supremo en la Sentencia 81/2016, de 18 de febrero.

[119]   Sobre el tema, cfr., M. JIMENO BULNES, «El diálogo entre tribunales europeo y nacional: su incidencia en derecho procesal español», en *Adaptación del Derecho procesal español a la normativa europea y a su interpretación por los tribunales, I Congreso Internacional de la Asociación de Profesores de Derecho Procesal de las Universidades Españolas*, dir. F. JIMÉNEZ CONDE, Ed. Tirant lo Blanch, Valencia, 2018, pp. 101 a 135.

No existe tampoco, al menos *de lege lata*, una regulación en el ordenamiento español que permita la revisión de resoluciones firmes que se hayan revelado a *posteriori* incompatibles con el Derecho de la Unión a resultas de una Sentencia del Tribunal de Luxemburgo. La Ley Orgánica 7/2015, de 21 de julio, por la que se modifica la Ley Orgánica 6/1985, de 1 de julio, del Poder Judicial, reformó el art. 510 de la Ley de Enjuiciamiento Civil e incluyó un apartado 2, en el que sí permite la revisión con base en sentencias del Tribunal Europeo de Derechos Humanos que declaren la vulneración de algunos de los derechos o libertades reconocidos en el CEDH. Sin embargo, esa reforma no se extendió a las sentencias del Tribunal de Justicia de la Unión Europea.

4.2. La cosa juzgada no puede ser, en determinados casos, un obstáculo para la tutela de los consumidores

La doctrina del Tribunal de Justicia sobre la necesidad de respetar las resoluciones (judiciales o administrativas) firmes no es del todo sólida, sino que en algunas ocasiones ha primado la efectividad del Derecho de la Unión sobre la seguridad jurídica. Así ha sucedido de manera particular en el ámbito fiscal y administrativo en el que el Tribunal de Luxemburgo se ha manifestado favorable a la revisión de resoluciones firmes en determinadas circunstancias[120].

---

[120] Esta doctrina tiene su origen en la STJUE de13 de enero de 2004, asunto Kühne & Heitz NV (C-453/00), referida a la errónea calificación por parte de la Administración holandesa de unas mercancías exportadas y los importes derivados de esa exportación. La empresa afectada acudió a los tribunales que desestimaron la demanda mediante sentencia firme. Tres años después, el TJUE dictó una sentencia de la que se desprendía que las autoridades holandesas habían clasificado mal la mercancía exportada por Kühne & Heitz.
La empresa se dirigió entonces a la Administración para solicitar el abono del importe indebidamente cobrado. Ante la negativa de la Administración, Kühne & Heitz interpone recurso ante el tribunal holandés competente, que eleva entonces una cuestión prejudicial a Luxemburgo, planteando el problema de si una resolución administrativa firme

(y que, además, había sido confirmada por una resolución judicial también firme, como la que dictó en su día el tribunal holandés) puede ser revisada cuando, más tarde, se hace evidente que es incorrecta desde el punto de vista del Derecho de la Unión Europea.

El Tribunal luxemburgués considera que las autoridades administrativas deben revisar la resolución errónea, pese a ser confirmada por una sentencia firme, si se dan cuatro condiciones: según el Derecho nacional, dispone de la facultad de reconsiderar esta resolución; la resolución controvertida ha adquirido firmeza a raíz de una sentencia de un órgano jurisdiccional nacional que resuelve en última instancia; dicha sentencia está basada en una interpretación del Derecho comunitario que, a la vista de una jurisprudencia del Tribunal de Justicia posterior a ella, es errónea y que se ha adoptado sin someter la cuestión ante el Tribunal de Justicia, con carácter prejudicial, conforme a los requisitos previstos en el artículo 234 CE; y el interesado se ha dirigido al órgano administrativo inmediatamente después de haber tenido conocimiento de dicha jurisprudencia. A pesar de que en este asunto se trataba de la revisión de una resolución administrativa firme que había sido confirmada por una decisión judicial con eficacia de cosa juzgada, el Tribunal de Justicia prefirió no abordar la cuestión de los efectos que la primacía del Derecho de la Unión debía tener sobre una resolución judicial firme. El Abogado General, Sr. Léger, en las Conclusiones presentadas el 17 de junio de 2003, sí opinó que el Derecho de la Unión debía primar sobre la cosa juzgada de la sentencia. Ha sido en posteriores decisiones donde se ha planteado la posibilidad de aplicar la doctrina Kühne & Heitz a resoluciones judiciales y no solo administrativas. A este respecto las SSTJUE de 16 de marzo de 2006, asunto Kapferer (C-234/04) y de12 de febrero de 2008, asunto Kempter (C-2/06), han aclarado alguna de las condiciones mencionadas en Kühne & Heitz. Es cierto que estas Sentencias no puede calificarse como revolucionarias si se repara en que la primera condición es que el Derecho nacional prevea la posibilidad de revisión y, por tanto, no están en ningún caso proclamando que los ordenamientos nacionales tengan que prever necesariamente esa revisión de resoluciones firmes. Sin embargo, en otras decisiones, el Tribunal de Justicia se ha ido mostrando algo más contundente. Así, en la Sentencia del Tribunal de Justicia de 18 de julio de 2007, asunto Lucchini (C-119/05), apartados 59 a 63, se muestra favorable a establecer una excepción a la *res iudicata* cuando su aplicación constituye un obstáculo para la recuperación de una ayuda del Estado concedida en contra de Derecho comunitario, área extremadamente sensible para el funcionamiento del mercado común. En el asunto Lucchini se trataba de una situación muy particular en la que se discutían los principios que

Sin embargo, en el ámbito de la protección de los consumidores frente a cláusulas abusivas, la jurisprudencia europea se había mostrado tradicionalmente respetuosa con la «santidad» de la cosa juzgada de las resoluciones judiciales (o, más ampliamente, procesales) firmes. Esta postura, empero, está experimentando un importante cambio en los últimos años, que ha llevado al Tribunal de Justicia a dar el paso de proclamar que la cosa juzgada no puede constituir, en determinados casos, un obstáculo para la protección de los consumidores frente a cláusulas abusivas[121].

---

rigen el reparto de competencias entre los Estados miembros y la Unión Europea en materia de ayudas al sector de la industria.

También resulta de interés la Sentencia de 3 de septiembre de 2009, asunto Olimpiclub (C-2/08), que considera contraria al Derecho comunitario la jurisprudencia italiana en cuya virtud el alcance de la cosa juzgada de una sentencia referida a la aplicación de determinados impuestos a unos contribuyentes no se circunscribe al periodo fiscal examinado, sino que se extiende a ejercicios posteriores, dándose la circunstancia de que esa sentencia incurría en un error en la aplicación del Derecho comunitario.

Un análisis sobre la cuestión puede verse en V. FERRERES COMELLA, «Las posibilidades de revisar sentencias judiciales firmes por infracción del Derecho de la Unión Europea», en *Actualidad Jurídica Uría/Menéndez*, 25/2010, pp. 75 a 80; M. LÓPEZ ESCUDERO, «Desafíos y límites a la primacía del Derecho de la UE: jurisprudencia reciente del TJUE y de los tribunales constitucionales nacionales», en *Revista General de Derecho Europeo*, nº 58, octubre/2022, pp. 65 a 71; y J. M. ARIAS RODRÍGUEZ, «Reflexiones sucintas sobre la cosa juzgada en la jurisprudencia del TJUE», en *Diario La Ley*, nº 10208, Sección Doctrina, 16 de Enero de 2023.

[121] No han faltado autores que se han manifestado a favor de hacer una excepción a la cosa juzgada en aras de preservar el principio de efectividad y la protección de los consumidores. A este respecto, cfr., J. M. SÁNCHEZ GARCÍ, «El principio de efectividad en la jurisprudencia del TJUE en materia de consumidores y su repercusión sobre los efectos de la cosa juzgada regulada en la LEC», en *Revista Jurídica de Catalunya*, nº 1/2017, pp. 13 a 30; o J. M. BECH SERRAT, «Cláusulas suelo y autonomía procesal en la Unión Europea: ¿por qué no hacer una excepción a la cosa juzgada?», *InDret, Revista para el análisis del Derecho*, Enero/2018, (accesible en https://indret.com/clausulas-suelo-y-autonomia-proce-

La Sentencia del Tribunal de Luxemburgo de 18 de febrero de 2016, asunto Finanmadrid (C-49/14) resuelve una cuestión prejudicial planteada en el marco de un proceso de ejecución derivado de un proceso monitorio en el que, ante la falta de oposición del deudor, el letrado de la Administración de Justicia dictó un decreto con eficacia ejecutiva. En el momento en que se planteó este litigio, la Ley de Enjuiciamiento Civil española no preveía un control de oficio de cláusulas abusivas en el proceso monitorio, ni tampoco en el proceso de ejecución subsiguiente y el artículo 816.2 de la LEC confería y confiere al decreto del letrado una eficacia similar a la de la cosa juzgada al afirmar que «el solicitante del proceso monitorio y el deudor ejecutado no podrán pretender ulteriormente en proceso ordinario la cantidad reclamada en el monitorio o la devolución de la que con la ejecución se obtuviere».

El Tribunal de Justicia afirma que «la resolución del secretario judicial por la que se pone fin al proceso monitorio adquiere fuerza de cosa juzgada, lo cual hace imposible el control de las cláusulas abusivas en la fase de la ejecución de un requerimiento de pago, y ello como consecuencia del mero hecho de que los consumidores no formularan oposición al requerimiento de pago en el plazo previsto para ello y de que el secretario judicial no requiriera la intervención del juez». Por ello, el Tribunal de Luxemburgo concluye que «la normativa española controvertida en el litigio principal, relativa al sistema de aplicación del principio de cosa juzgada en el marco del proceso monitorio, no resulta conforme con el principio de efectividad, en la medida que hace imposible o excesivamente difícil, en los litigios iniciados a instancia de los profesionales y en los que los consumidores son parte demandada, aplicar la protección que la Directiva 93/13 pretende conferir a estos últimos».

---

sal-en-la-union-europea-por-que-no-hacer-una-excepcion-a-la-cosa-juzgada/), pp. 1 a 63.

En el asunto Finanmadrid, el máximo intérprete del Derecho de la Unión hace primar la adecuada protección de los consumidores sobre la cosa juzgada. Sin embargo, no debe ignorarse que el problema en este caso no se centra en la institución de la cosa juzgada en sí misma, sino en el modo en que el legislador español perfiló los límites de la cosa juzgada: se atribuye efectos equivalentes a la cosa juzgada a la ausencia de oposición del deudor-consumidor ante un requerimiento de pago emitido por una autoridad no judicial, el letrado de la Administración de Justicia, que carecía de competencia para apreciar el carácter abusivo de las cláusulas contractuales en las que se basa la pretensión del acreedor[122].

Unos meses antes de que el Tribunal de Luxemburgo resolviese el asunto Finanmadrid, el legislador español decidió reformar el proceso monitorio por medio de la Ley 42/2015, de 5 de octubre. A tal fin se añadió un cuarto apartado al artículo 815 LEC en el que detalla el régimen de control de oficio de las cláusulas abusivas.

Es evidente que en el asunto Finanmadrid se planteaba un problema muy concreto de falta de vías de control de oficio de las cláusulas abusivas en perjuicio de los consumidores y que se podía solucionar con una reforma legal que regulase ese control. Ahora bien, ¿qué sucede en los casos en que sí es posible el control de oficio o a instancia de parte dentro del proceso? O, con otros términos, ¿se ha de dejar sin efecto la cosa juzgada cuando en el marco del proceso en el que se dictó la resolución sí ha sido posible el control de oficio o a instancia de parte de las cláusulas abusivas?

Para encontrar una respuesta a las cuestiones planteadas tenemos que analizar dos recientes resoluciones. La primera es la Sentencia de 17 de mayo de 2022, asuntos SPV Project 1503 Srl y Banco di Desio e della Brianza SpA (C-693/19 y C-831/19). Los hechos relevantes de los asuntos acumulados se enmarcan en un

---

[122]   En sentido parecido, F. GASCÓN INCHAUSTI, «¿Exige el Derecho de la Unión Europea la revisión de las sentencias firmes ...», cit., p. 6.

requerimiento de pago formulado por un órgano jurisdiccional frente a unos deudores. El órgano jurisdiccional que dictó el requerimiento de pago en cuestión no se pronunció sobre el eventual carácter abusivo de las cláusulas contractuales y debido a la falta de oposición de los deudores, el requerimiento adquirió fuerza de cosa juzgada. El tribunal remitente de la cuestión prejudicial manifiesta que en el proceso de ejecución subsiguiente no podía examinar el carácter abusivo de unas cláusulas contractuales en perjuicio del consumidor porque en virtud de la «fuerza de cosa juzgada implícita», se considera que todas las cláusulas que figuran en los contratos de financiación objeto del litigio principal fueron examinadas por ese órgano jurisdiccional y que a ellas se extiende esa forma de fuerza de cosa juzgada.

A la vista de las anteriores circunstancias la cuestión fundamental que se plantea al Tribunal de Justicia es si los artículos 6, apartado 1, y 7, apartado 1, de la Directiva 93/13 y el artículo 47 de la CDFUE deben interpretarse en el sentido de que se oponen a una normativa nacional como la italiana que establece que, cuando un requerimiento de pago expedido por un juez a instancia de un acreedor no haya sido objeto de oposición por parte del deudor, el juez que conoce de la ejecución no puede controlar posteriormente el eventual carácter abusivo de las cláusulas del contrato en las que se fundamenta dicho requerimiento, por causa de la extensión de la eficacia de cosa juzgada a la validez de todas las cláusulas aún cuando no haya habido pronunciamiento alguno sobre el particular.

En la misma línea que la opinión manifestada por el Abogado General[123], el Tribunal de Justicia afirma que «habida cuenta de

[123] El Abogado General, Sr. EVGENI TANCHEV, en las Conclusiones presentadas el 15 de julio de 2021, manifiesta, en el apartado 80, lo siguiente: «el control del posible carácter abusivo de las cláusulas contractuales en el ámbito de la Directiva 93/13 debe ser objeto de una apreciación explícita y suficientemente motivada por parte del juez nacional. Como ilustran las circunstancias de los presentes asuntos, la normativa nacional controvertida hace que la cuestión del carácter abusivo de las cláusulas contractuales se considere resuelta en cuanto

la naturaleza y de la importancia del interés público que subyace a la protección que la Directiva 93/13 confiere a los consumidores, una normativa nacional según la cual se considera que se ha realizado un examen de oficio del carácter abusivo de las cláusulas contractuales y que éste tiene fuerza de cosa juzgada aún en ausencia de cualquier motivación al efecto en una resolución como la expedición de un requerimiento de pago puede vaciar de contenido la obligación que incumbe al juez nacional de proceder a un examen de oficio del carácter eventualmente abusivo de las cláusulas contractuales».

Con este argumento, la decisión final no podía ser otra que «los artículos 6, apartado 1, y 7, apartado 1, de la Directiva 93/13 deben interpretarse en el sentido de que se oponen a una normativa nacional que establece que, cuando un requerimiento de pago expedido por un juez a instancia de un acreedor no haya sido objeto de oposición por parte del deudor, el juez que conoce de la ejecución no puede controlar posteriormente el eventual carácter abusivo de las cláusulas del contrato en las que se fundamenta dicho requerimiento, por el motivo de que la fuerza de cosa juzgada de la que goza dicho requerimiento se extiende implícitamente a la validez de estas cláusulas y excluye cualquier control de la validez de estas».

La segunda resolución que ahonda en este camino de la limitación de la eficacia de cosa juzgada es la Sentencia de 17 de

---

al fondo, aun cuando no haya sido tratada en absoluto por el órgano jurisdiccional nacional. A mi entender, como indica la Comisión, si el control del carácter abusivo de las cláusulas contractuales no se motiva en la resolución que contiene el requerimiento de pago, el consumidor no podrá comprender ni analizar las razones de esta decisión ni, si procede, oponerse eficazmente a la ejecución. Tampoco será posible que se pronuncie un tribunal nacional ante el que se pueda presentar un recurso. A este respecto, el Tribunal de Justicia ha aclarado que, en ausencia de control eficaz del carácter potencialmente abusivo de las cláusulas del contrato de que se trate, no puede garantizarse el respeto de los derechos conferidos por la Directiva 93/13».

mayo de 2022, asunto Ibercaja Banco (C-600/19). Los hechos se concretan en un proceso de ejecución hipotecaria en el que, a instancia del banco acreedor, el órgano jurisdiccional despachó ejecución frente a dos deudores consumidores por el impago del crédito con garantía hipotecaria.

El tribunal que despacha la ejecución tiene que examinar de oficio si alguna de las cláusulas incluidas en el contrato puede ser calificada como abusiva conforme al artículo 552.1 de la LEC española. Cuando aprecie que alguna cláusula es abusiva dará audiencia a las partes y decidirá lo procedente, que puede oscilar entre decretar la improcedencia de la ejecución o la continuación de la misma sin la aplicación de la cláusula abusiva.

Ahora bien, si el órgano jurisdiccional no aprecia la concurrencia de cláusulas abusivas, puede ocurrir, y de hecho es lo más habitual, que el tribunal se limite a despachar ejecución sin motivar, siquiera sucintamente, el examen de abusividad que ha llevado a cabo. Y ahí precisamente se centra el principal problema planteado en la cuestión prejudicial. En concreto se pregunta si los artículos 6, apartado 1, y 7, apartado 1, de la Directiva 93/13 deben interpretarse en el sentido de que se oponen a una legislación nacional que, debido al efecto de cosa juzgada y a la preclusión, no permite al juez examinar de oficio el carácter abusivo de cláusulas contractuales en el marco de un procedimiento de ejecución hipotecaria ni al consumidor, transcurrido el plazo para formular oposición, invocar el carácter abusivo de tales cláusulas en ese procedimiento o en un procedimiento declarativo posterior cuando el juez, al inicio del procedimiento de ejecución hipotecaria, ya ha examinado de oficio el eventual carácter abusivo de dichas cláusulas, pero la resolución judicial en que se despacha la ejecución hipotecaria no contiene ningún motivo que acredite la existencia de tal examen ni indica que la apreciación efectuada por dicho juez al término de ese examen no podrá ya cuestionarse si no se formula oposición dentro del referido plazo.

El Tribunal de Justicia estima que las condiciones establecidas por los Derechos nacionales no pueden menoscabar el contenido sustancial del derecho de los consumidores a no quedar vinculados por cláusulas abusivas y que no puede garantizarse un control eficaz del eventual carácter abusivo de las cláusulas contractuales, tal como se exige en la Directiva 93/13, si la fuerza de cosa juzgada se extendiera a la valoración de la abusividad cuando las resoluciones judiciales no hacen referencia alguna a tal control. El principio de efectividad y el derecho a la tutela judicial efectiva no resultan compatibles con la regulación nacional[124].

El propio Tribunal de Luxemburgo propone una vía de solución cuando afirma que la adecuada protección de los consumidores frente a cláusulas abusivas quedaría garantizada si «el juez nacional indicase expresamente, en su resolución en que se despacha ejecución hipotecaria, que ha examinado de oficio el carácter abusivo de las cláusulas del título que da lugar al proce-

---

[124]   En el mismo sentido, el Abogado General, Sr. Evgeni Tanchev, en las Conclusiones presentadas el 15 de julio de 2021, afirma, en apartado 61, que el órgano jurisdiccional ha de explicar y motivar suficientemente el control que hace del posible carácter abusivo de las cláusulas contractuales.

En apoyo de esta postura, el Abogado General hace referencia a algunas resoluciones del Tribunal de Justicia en las que, en materias ajenas a la protección de la Directiva 93/13, se ha opuesto a que se confiera una protección excesiva a las resoluciones firmes a través del principio de cosa juzgada de modo tal que obstaculice significativamente la aplicación efectiva del Derecho de la Unión. Así, la Sentencia de 17 de octubre de 2018, asunto Klohn (C-167/17), en la que Tribunal de Justicia señaló que la fuerza de cosa juzgada únicamente se extiende a las pretensiones jurídicas sobre las que se haya pronunciado el tribunal y, por tanto, no obsta a que un juez se pronuncie, en el marco de un litigio posterior, acerca de cuestiones jurídicas sobre las que esta resolución firme no se pronunció. También las Sentencias de 29 de junio de 2010, asunto Comisión/Luxemburgo (C-526/08), apartado 27, y la de 31 de enero de 2019, asunto Islamic Republic of Iran Shipping Lines y otros/Consejo (C-225/17), apartado 47, en las que el Tribunal de Justicia afirma que la fuerza de cosa juzgada solo afecta a los extremos de hecho y de derecho que han sido efectiva o necesariamente zanjados por la resolución judicial de que se trate.

dimiento de ejecución hipotecaria, que dicho examen, motivado al menos sucintamente, no ha puesto de manifiesto la existencia de ninguna cláusula abusiva y que, si no formula oposición dentro del plazo establecido en el Derecho nacional, el consumidor ya no podrá invocar el eventual carácter abusivo de dichas cláusulas».

Debe reconocerse que las limitaciones que el Tribunal de Justicia impone a la eficacia de cosa juzgada en las Sentencias SPV Project 1503 Srl y Banco di Desio e della Brianza SpA e Ibercaja Banco, ambas de 17 de mayo de 2022, no resultan del todo novedosas si se repara en que este planteamiento era previsible a la vista de la Sentencia de 26 de enero de 2017, asunto Banco Primus (C-421/14).

Una de las cuestiones que se sometió al Tribunal de Luxemburgo en el asunto Banco Primus fue si la regulación de la eficacia de cosa juzgada en la legislación española era compatible con el Derecho de la Unión, en la medida en que impedía al órgano jurisdiccional controlar de oficio el carácter abusivo de cláusulas contractuales una vez que en el proceso de ejecución hipotecaria había dictado un auto de despacho de la ejecución y, en consecuencia, había realizado ese inicial control de oficio, pero no se había reflejado en la resolución judicial.

El Tribunal de Justicia afirma que la Directiva 93/13 «no se opone a una disposición nacional, como la que resulta del artículo 207 de la LEC, que impide al juez nacional realizar de oficio un nuevo examen del carácter abusivo de las cláusulas de un contrato celebrado con un profesional cuando ya existe un pronunciamiento sobre la legalidad del conjunto de las cláusulas del contrato a la luz de la citada Directiva mediante una resolución con fuerza de cosa juzgada» (apartado 49). Pero, acto seguido, añade «en el supuesto de que, en un anterior examen de un contrato controvertido que haya concluido con la adopción de una resolución con fuerza de cosa juzgada, el juez nacional se haya limitado a examinar de oficio, a la luz de la Directiva 93/13, una sola o varias de las cláusulas de ese contrato, dicha Directiva impone a un juez nacional, como el del presente asunto, ante el cual el consumidor ha formulado, cumpliendo lo exigido por la norma, un incidente de oposición, la obligación de apreciar, a instancia de las partes o de oficio, cuando disponga de los elementos de hecho y de derecho necesarios para ello, el eventual carácter abusivo de las demás cláusulas de dicho contrato. En efecto, en ausencia de ese control, la protección del consumidor resultaría incompleta e insuficiente y no constituiría un medio adecuado y eficaz para que cese el uso de ese tipo de cláusulas, en contra de lo que establece el artículo 7, apartado 1, de la Directiva 93/13» (apartado 52).

Se puede concluir, pues, que ya desde la Sentencia Banco Primus el máximo intérprete del Derecho de la Unión se mostraba partidario de que solo un pronunciamiento expreso sobre la validez de una cláusula presuntamente abusiva pueda pasar en autoridad de cosa juzgada e impedir un nuevo examen por parte del órgano jurisdiccional.

En este sentido, la jurisprudencia de las Audiencias Provinciales ha utilizado esta última decisión del Tribunal de Justicia para extraer dos conclusiones. La primera es que el consumidor ejecutado puede pedir la declaración de nulidad de una cláusula abusiva en un proceso declarativo si en el proceso de ejecución de un título extrajudicial previo no se ha examinado expresamente por el juez ejecutor el carácter abusivo de esa cláusula y el ejecutado no lo puso de manifiesto a través del incidente de oposición a la ejecución[125]. La segunda es que el tribunal de la ejecución puede,

---

[125] Esta jurisprudencia se resume en la SAP Córdoba, Sección 1ª, de 24 de febrero de 2017 (n°. 89/2017), con los siguientes términos: «Hasta recientemente se ha venido considerando lo indicado por nuestro Tribunal Supremo (SS. de 28.10.2013, recurso 2096/2011 y de 24.11.2014, recurso 2962/2012), en el sentido de que ni siquiera hacía falta resolución expresa sobre la misma cuestión para hablar de cosa juzgada, bastando la preclusión en trámite anterior de la posibilidad de plantear la misma cuestión que ahora es objeto de alzada, por lo que la falta de oposición del ejecutado, pudiendo haberla formulado, determinaba la improcedencia de promover nuevamente la incidencia (o un juicio declarativo posterior pretendiendo v,gr, la ineficacia del proceso de ejecución), dado el carácter de principio general de lo dispuesto en el apdo. 2 del art. 400 LEC en relación con su art. 222, que permitía concluir

de oficio o a instancia de parte, apreciar la abusividad de una cláusula en cualquier momento del procedimiento de ejecución si no

que si la parte actora pudo plantear en la ejecución hipotecaria como causa de oposición en el trámite incidental oportuno y no lo hizo entonces, tampoco puede hacerlo en momento posterior.

Ahora bien, la reciente sentencia del TJUE de fecha 26.1.2017 obliga a modificar este criterio, como venimos diciendo desde SAP Córdoba n.º 48/2017, al haber considerado, —no solo la contrariedad con la Directiva 93/13 /CEE sobre las cláusulas abusivas en los contratos celebrados con consumidores, del plazo preclusivo de un mes previsto en la DT4ª Ley 1/2013, de 14 de mayo, ahondando en los principios de equivalencia y efectividad en la tutela de los derechos del consumidor—, "sino lo que es más importante, que ha de modificarse el criterio interpretativo que se venía haciendo en orden a apreciar la vinculación entre el previo proceso de ejecución singular hipotecario y el declarativo ulterior, puesto que "en caso de que existan una o varias cláusulas contractuales cuyo eventual carácter abusivo no ha sido aún examinado en un anterior control judicial del contrato controvertido concluido con la adopción de una resolución con fuerza de cosa juzgada, la Directiva 93/13 debe interpretarse en el sentido de que el juez nacional, ante el cual el consumidor ha formulado, cumpliendo lo exigido por la norma, un incidente de oposición, está obligado a apreciar, a instancia de las partes o de oficio, cuando disponga de los elementos de hecho y de Derecho necesarios para ello, el eventual carácter abusivo de esas cláusulas".

"En conclusión, como quiera que debe distinguirse los supuestos en los que hay un pronunciamiento expreso sobre la no abusividad de una cláusula de aquéllos en los que no lo hay, aunque se pudo plantear, y solo, en el primer caso siendo la resolución firme se cerraría la posibilidad de su revisión" en fases o procedimientos sucesivos, como quiera que en el caso de autos, no hay pronunciamiento expreso, porque no ha habido siquiera control ni de "oficio" ni a "instancia de parte", en los momentos procesales que les eran propios, debe acordarse que no hay inconveniente en proceder al análisis del carácter abusivo de tales cláusulas en un momento ulterior, en línea a lo que ya apuntaban las Conclusiones del Abogado General de 2 de febrero de 2016 en el asunto C-421/14. En definitiva, en defecto de anterior pronunciamiento, el control de abusividad puede suscitarse en cualquier momento procesal o en procedimiento ulterior, mientras no haya sido objeto de decisión».

En el mismo sentido, AAP Madrid, Sección 28ª, de 27 de septiembre de 2019 (nº. 122/2019); AAP Lleida, Sección 2ª, de 27 de noviembre de 2020 y SAP Baleares, Sección 5ª, de 12 de enero de 2021 (nº. 1/2021).

ha habido con anterioridad un pronunciamiento expreso sobre esa misma cuestión[126].

4.3. A modo de conclusión: los límites a la cosa juzgada en relación con las cláusulas abusivas

La *res iudicata* es una de las principales manifestaciones del principio de seguridad jurídica. Esta eficacia se atribuye a todas las resoluciones firmes y obliga al tribunal del proceso en el que hayan recaído a estar en todo caso a lo dispuesto en ellas (artículo 207 de la LEC) y a las sentencias o resoluciones equivalentes firmes que resuelven sobre el fondo e implica tanto la imposibilidad de iniciar un nuevo proceso con objeto idéntico al ya decidido por sentencia firme sobre el fondo (o resolución equivalente) como la influencia de la decisión en otros procesos posteriores

---

[126] Como botón de muestra, el AAP Zamora, Sección 1ª, de 18 de enero de 2018 (nº. 7/2018), afirma: «Pues bien, en tanto no haya terminado el procedimiento de ejecución hipotecaria, con la aprobación del remate, se puede plantear por el juez de oficio el incidente sobre la abusividad de las cláusulas contractuales, aunque no lo hubiera planteado en el momento de despachar la ejecución y, pese a que en dicho momento solo hubiera planteado la abusividad de alguna de las clausulas, (…). Por otro lado, en tanto no haya un pronunciamiento judicial firme sobre la abusividad de determinadas cláusulas del contrato no puede apreciarse la cosa juzgada, que solo cabe cuando en efecto se ha dictado ya una resolución judicial firme que resuelve sobre si una determinada cláusula es o no abusivas. Del contenido de los apartados 49 y 53 de la de la STJUE de 26 de enero de 2.017 se infiere claramente, como no puede ser de otra manera, que solo produce cosa juzgada la resolución judicial que ha resuelto sobre la cláusula abusiva. Por todo lo cual, si el procedimiento de ejecución hipotecaria aún no ha terminado no se puede decir que haya precluido la posibilidad de plantear de oficio la nulidad por abusiva de alguna cláusula del contrato, como es el caso de autos».
La misma postura se mantiene en el AAP Pontevedra, Sección 3ª, de 20 de abril de 2018 (38/2018); AAP Girona, Sección 2ª, de 24 de febrero de 2020 (nº. 77/2020) y AAP Barcelona, Sección 1ª, de 24 de febrero de 2020 (nº, 177/2020).

con objeto conexo (artículo 222 de la LEC). El problema, desde la perspectiva europea, se plantea en los casos en que esas decisiones firmes de los jueces nacionales vulneran el Derecho de la Unión y afectan, por tanto, a la primacía de éste sobre los ordenamientos de los Estados miembros. En tales circunstancias, ¿deben los ordenamientos nacionales limitar el alcance de la cosa juzgada o, incluso, prever mecanismos que permitan dejar sin efecto la resolución con eficacia de cosa juzgada que resulte contraria a la protección de los consumidores conforme a la Directiva 93/13?

Con carácter general, el Tribunal de Justicia se ha mostrado respetuoso con la eficacia de cosa juzgada que las legislaciones nacionales atribuyen a las resoluciones, aun cuando esto pueda suponer una limitación para el principio de primacía del Derecho de la Unión. No obstante, hay casos en los que el Tribunal de Luxemburgo ha llevado a cabo una ponderación de los intereses en juego y ha establecido ciertas limitaciones a la eficacia de cosa juzgada de la que gozan las resoluciones dictadas por los tribunales nacionales. Estas limitaciones se han manifestado de manera particular en materias especialmente sensibles para los intereses de la Unión Europea. Así, cuando estaba en juego la distribución de competencias entre la Unión y los Estados miembros[127].

En el ámbito de la protección de los consumidores, la tónica general ha sido proclamar que la protección de los consumidores no es absoluta y que el Derecho de la Unión Europea no obliga a dejar sin efecto resoluciones revestidas de eficacia de cosa juzgada conforme a las legislaciones nacionales, aunque ello pudiera subsanar una aplicación incorrecta del Derecho europeo. Por tanto, la seguridad jurídica que sustenta la institución de la cosa juzgada y que constituye un principio básico del Derecho de la Unión puede operar como límite a la plena aplicación de este Derecho[128]. La

---

[127]   Cfr., Sentencia del Tribunal de Justicia de 18 de julio de 2007, asunto Lucchini (C-119/05), apartados 59 a 63.

[128]   En este sentido, cfr., J. SARRIÓN ESTEVE, «Apuntes sobre la autoridad de la *res iudicata* en la jurisprudencia del Tribunal de Justicia de la

reparación en ese caso será de carácter económico y se producirá a través de los mecanismos para exigir responsabilidad al Estado.

Ahora bien, esa tendencia se ha ido matizando en los últimos años. La autonomía procesal de la que gozan los Estados miembros ha de garantizar el «efecto útil» del Derecho de la Unión, es decir, debe hacer posible el ejercicio de los derechos reconocidos a los ciudadanos por el ordenamiento europeo. De ahí que el Tribunal de Justicia condicione la autonomía procesal al respeto de los principios de equivalencia y de efectividad, así como al derecho a la tutela judicial efectiva. La regulación nacional sobre la cosa juzgada no es una excepción, sino que ha de superar esos mismos filtros.

El principio de equivalencia exige que si la normativa procesal nacional o su interpretación por la jurisprudencia nacional permite la revisión o corrección de una decisión judicial con fuerza de cosa juzgada por una vulneración del Derecho interno en un supuesto equivalente, deberá también permitirse la revisión o corrección por vulneración del Derecho de la Unión[129]. Este constituiría, por tanto, un primer límite a la eficacia de cosa juzgada consagrada en los ordenamientos nacionales.

En relación con el principio de efectividad y también con el derecho a la tutela judicial efectiva, la ponderación resulta algo más compleja. La regulación nacional debe estar articulada de manera

---

Unión Europea», en *Cuadernos Europeos de Deusto*, Nº 65/2021, pp. 139 y ss.

[129]   Cfr., J. SARRIÓN ESTEVE, «Apuntes sobre la autoridad de la *res iudicata...*», cit., p. 157. A este respecto, la STJUE de 10 de julio de 2014, asunto *Impresa Pizzarotti* (C-213/13), apartado 65, dispone: «si las normas procesales nacionales aplicables implican la posibilidad, con ciertos requisitos, de que el tribunal nacional reconsidere una resolución con fuerza de cosa juzgada con objeto de restablecer la conformidad de una situación con el Derecho nacional, esta posibilidad debe prevalecer, de acuerdo con los principios de equivalencia y de efectividad —si concurren dichos requisitos— a fin de que se restablezca la conformidad de la situación de que se trate en el procedimiento principal con la normativa de la Unión en materia de contratos públicos de obras».

que no haga imposible o excesivamente difícil el ejercicio de los derechos conferidos por el ordenamiento de la Unión. A este respecto, el Tribunal de Justicia ha puesto de manifiesto que la protección del consumidor no es absoluta, pero tampoco lo es la eficacia de cosa juzgada de las resoluciones judiciales. Por ello, el máximo intérprete del Derecho de la Unión intenta buscar un punto de equilibrio entre la aplicación de las normas nacionales reguladoras de la cosa juzgada y la protección de los consumidores conforme a la Directiva 93/13, de modo que las primeras no menoscaben el régimen de tutela de los consumidores instaurado en la Directiva. Si la balanza se inclinase siempre en favor de la primacía del Derecho de la Unión se acabaría dejando vacía de contenido la cosa juzgada que, no lo podemos olvidar, sirve a la seguridad jurídica. Ahora bien, si la cosa juzgada se considera en todo caso un muro inexpugnable quebraría el «efecto útil» del Derecho de la Unión.

Las últimas decisiones del Tribunal de Luxemburgo han situado ese punto de equilibrio en la interacción entre las normas nacionales sobre la cosa juzgada y la protección de los consumidores conforme a la Directiva 93/13 en asumir la cosa juzgada respecto de los pronunciamientos que expresamente se hayan reflejado en una resolución judicial firme, pero excluir la extensión de la cosa juzgada a aquellas cuestiones que pudieron ser objeto de la decisión judicial, pero que de hecho no lo fueron, al menos de forma expresa. El Derecho de la Unión no obliga al juez nacional a reconsiderar una resolución provista de autoridad de cosa juzgada que se ha pronunciado expresamente sobre una cláusula abusiva, por mucho que se revele *a posteriori* su incompatibilidad con aquel Derecho. Esto es algo que queda a la discrecionalidad de los Estados miembros. Ahora bien, esa eficacia de cosa juzgada no puede extenderse a la valoración de cláusulas abusivas respecto de las que no hay pronunciamiento expreso en la resolución judicial.

A la vista de las Sentencias SPV Project 1503 Srl y Banco di Desio e della Brianza SpA e Ibercaja Banco se ha de concluir que solo un pronunciamiento expreso sobre el carácter abusivo o no de una cláusula contractual en perjuicio del consumidor estará protegido por la «santidad de la cosa juzgada», incluso aunque ese pronunciamiento pueda no ser acorde con la normativa europea o, más exactamente, con la interpretación del Tribunal de Luxemburgo sobre el Derecho europeo. Sin embargo, no se admite una «cosa juzgada implícita», es decir, la cosa juzgada no podrá extenderse a la validez de aquellas cláusulas de posible carácter abusivo que no fueron objeto de pronunciamiento explícito.

Ahora bien, no puede perderse de vista el contexto en el que estas Sentencias se han dictado. Las Sentencias SPV Project 1503 Srl y Banco di Desio e della Brianza SpA e Ibercaja Banco se refieren a resoluciones judiciales dictadas en el marco de procesos monitorios o procesos de ejecución en los que está prevista la apreciación de oficio o la denuncia a instancia de parte de las cláusulas abusivas. Se trata, en ambos casos, de procesos sin una cognición plena en los que solo en el momento en que el órgano jurisdiccional ha de decidir sobre el requerimiento de pago o sobre el despacho de la ejecución se prevé el examen de oficio de las cláusulas abusivas y el consumidor tiene un plazo para oponerse al requerimiento o al despacho de la ejecución y poner de manifiesto así la existencia de cláusulas abusivas. Vincular la eficacia de cosa juzgada a la resolución que acuerda el requerimiento de pago o a la que despacha la ejecución puede resultar excesivo en ese contexto cuando ni una ni otra han hecho referencia alguna a las cláusulas abusivas. Esa omisión de pronunciamiento no puede garantizar un control eficaz de la abusividad.

En el ordenamiento español es una cuestión polémica el atribuir eficacia de cosa juzgada a ciertas resoluciones dictadas en procesos de ejecución o en procesos monitorios respecto de las cuales la Ley de Enjuiciamiento Civil no establece, al menos de una forma clara e inequívoca, esa eficacia. Un caso paradigmático es el del auto que resuelve la oposición a la ejecución. No hay ninguna norma que de forma explícita e indubitada aclare si el auto firme que resuelve un incidente de oposición a la ejecución tiene o no efectos de cosa juzgada y, en caso afirmativo, cuáles son los límites de esa eficacia. No existe tampoco una regulación clara sobre si el ejecutado tiene o no la posibilidad de promover un proceso declarativo después de que haya dejado precluir la posibilidad de promover un incidente de oposición a la ejecución[130]. No obstante, la jurisprudencia del Tribunal Supremo se inclina por reconocer la eficacia de cosa juzgada al auto firme que resuelve sobre la oposición a la ejecución y llevar a sus últimas consecuencias la preclusión, vedando la posibilidad de que el ejecutado inicie un proceso declarativo posterior con base en hechos que podría haber alegado en el proceso de ejecución[131].

---

[130]   A este respecto, M. CACHÓN CADENAS, «Oposición a la ejecución y cosa juzgada, con especial referencia a las cláusulas abusivas», en *Proceso y Consumo*, dir. M. CACHÓN CADENAS y V. PÉREZ DAUDÍ, Ed. Atelier, Barcelona, 2022, pp. 244 y ss. Como señala el autor, la fórmula «a los solos efectos de la ejecución», que utiliza el artículo 561 de la LEC en relación con el auto que resuelve la oposición por motivos de fondo, hubiera sido suficiente para entender que la resolución firme dictada en el incidente de oposición a la ejecución no produce efectos de cosa juzgada y, por tanto, puede promoverse un proceso declarativo posterior si no fuera por la contradicción que, en el momento de promulgarse la LEC vigente, había entre el tenor literal del artículo 1479 de la LEC 1881, que excluía la cosa juzgada de la sentencia firme recaída en el juicio ejecutivo, y la jurisprudencia que había extendido la eficacia de cosa juzgada a tal resolución. A esto se le debe sumar que el artículo 564 de la LEC vigente admite la posibilidad de promover un proceso declarativo respecto «hechos o actos, distintos de los admitidos por esta Ley como causas de oposición a la ejecución, pero jurídicamente relevantes respecto de los derechos de la parte ejecutante frente al ejecutado o de los deberes del ejecutado para con el ejecutante». Esta norma solo tiene sentido si se entiende que los «hechos o actos» que ya se alegaron o que pudieron alegarse en el incidente de oposición a la ejecución quedan alcanzados por la cosa juzgada o la preclusión y no podrán servir de fundamento para promover un proceso declarativo posterior.

[131]   Cfr., STS 462/2014, de 24 de noviembre, afirma que «la falta de oposición del ejecutado, pudiendo haberla formulado, determinará la improcedencia de un juicio declarativo posterior en el que se pretenda la ineficacia del proceso de ejecución anterior, "dado el carácter de principio general de lo dispuesto en el apdo. 2 del art. 400 LEC en relación con su art. 222"; mientras que, si se formuló oposición, pero fue rechazada única y exclusivamente porque las circunstancias que constaban en el propio título no podían oponerse en el proceso de ejecución,

Esta doctrina jurisprudencial no es, empero, la seguida por las Audiencias Provinciales que desde la STJUE 26 de enero de 2017, asunto Banco Primus (C-421/14), han mantenido de forma mayoritaria que en un proceso declarativo posterior al ejecutivo se puede plantear el carácter abusivo de una cláusula contractual respecto de la cual no ha habido un pronunciamiento expreso en el proceso de ejecución de un título extrajudicial, ni de oficio ni a instancia de parte[132].

El Tribunal de Justicia de la Unión Europea no ha entrado en la cuestión de si se puede o no reconocer eficacia de cosa juzgada a resoluciones dictadas en procesos de ejecución o monitorios más allá del propio proceso en el que se dictan. Es ésta una decisión que se deja a la autonomía procesal de los Estados. Por tanto, son las legislaciones nacionales las que tienen que aclarar cuál es el alcance de la preclusión y de la cosa juzgada en los procesos de ejecución o en los procesos monitorios. Eso sí, cualquier solución nacional debe ser respetuosa con el principio de equivalencia y con el principio de efectividad. De este último principio se deriva que sin un control eficaz sobre las cláusulas abusivas en perjuicio del consumidor, no se puede garantizar el respeto a los derechos conferidos por la Directiva 93/13. Y, precisamente por ello, lo que sí ha hecho la jurisprudencia europea es poner ciertos límites a la

---

entonces el ejecutado sí podrá promover un juicio declarativo posterior sobre la misma cuestión». La misma doctrina se recoge en las SSTS 123/2012, de 9 de marzo; 812/2012, de 9 de enero de 2013; 768/2013, de 5 de diciembre; 526/2017, de 27 de septiembre; 331/2022, de 27 de abril o 3504/2022, de 6 de octubre.
Sobre esta cuestión, M. CACHÓN CADENAS, «Oposición a la ejecución y cosa juzgada...», cit., pp.241 y ss.; y A. BERNARDO SAN JOSÉ, «El despacho de la ejecución y la oposición del ejecutado», en *Proceso de ejecución forzosa. Problemas actuales y soluciones jurisprudenciales*, coord. A. GUTIÉRREZ BERLINCHES, La Ley, Madrid, 2015, pp. 287 y ss.

[132] Cfr., SAP Córdoba, Sección 1ª, de 24 de febrero de 2017 (nº. 89/2017); AAP Madrid, Sección 28ª, de 27 de septiembre de 2019 (nº. 122/2019); AAP Lleida, Sección 2ª, de 27 de noviembre de 2020 y SAP Baleares, Sección 5ª, de 12 de enero de 2021 (nº. 1/2021).

extensión de la preclusión y de la cosa juzgada en los procesos de ejecución o monitorios.

En un procedimiento en que las posibilidades de apreciación de oficio se limitan a momentos muy concretos, el Tribunal de Justicia no se conforma con exigir a los jueces nacionales que controlen la existencia de cláusulas abusivas, sino que exige que exterioricen ese control. De esta forma, el máximo intérprete del Derecho de la Unión eleva el estándar de protección de los consumidores al exigir a los jueces nacionales que exterioricen la motivación que han llevado a cabo para descartar que las cláusulas contractuales sean abusivas. Si la resolución exterioriza ese control de las cláusulas abusivas, el consumidor tendrá la carga de oponerse en caso de que no esté conforme con la decisión. Si no lo hace, tendrá que asumir las consecuencias, es decir, el *non bis in idem* podría impedir que se pueda volver a plantear de nuevo la misma cuestión si así lo establece el Derecho nacional, sin que el Derecho de la Unión, en su interpretación por la jurisprudencia del Tribunal de Justicia, suponga un obstáculo a estos efectos[133]. Se evita con ello el riesgo de que los tribunales prescindan del control de abusividad.

La cuestión que ahora se debe plantear es si ese mismo razonamiento es trasladable a procesos declarativos con una cognición plena, en los que habrá más oportunidades de apreciar en distintos momentos e, incluso, en distintas instancias la abusividad. El Tribunal de Justicia no aborda expresamente este problema. El argumento fundamental que permite al Tribunal de Justicia llegar a la conclusión de que se debe excluir la eficacia de cosa juzgada respecto de las cláusulas eventualmente abusivas que no hubieran sido objeto de un pronunciamiento expreso es que esa omisión de

---

[133] No sería tampoco incompatible con el Derecho de la Unión, ni con la jurisprudencia del Tribunal de Justicia sobre la protección de consumidores frente a cláusulas abusivas que la legislación nacional excluyera, en todo caso, la eficacia de cosa juzgada más allá del propio proceso en el que se dicta de cualquier resolución emitida en el marco de un proceso de ejecución o de un proceso monitorio.

pronunciamiento no puede garantizar un control eficaz de la abusividad. El Tribunal no vincula expresamente esa conclusión con la cognición limitada o con las menores oportunidades de apreciación en un proceso monitorio o ejecutivo. Por ello, podría concluirse que el argumento sería trasladable a las resoluciones dictadas en procesos declarativos: en ausencia de pronunciamiento no puede considerarse que haya habido un control eficaz de la cláusula abusiva en cuestión, con independencia de que haya habido más o menos oportunidades para pronunciarse sobre la abusividad.

Esta conclusión, empero, no parece correcta. Por razones de política legislativa se puede atribuir eficacia de cosa juzgada o similar a ésta a resoluciones dictadas en procesos en los que no hay plenas posibilidades de alegación y prueba y, por tanto, de defensa del consumidor. En estos casos, el Tribunal de Justicia ha pretendido establecer ciertos límites a la cosa juzgada para evitar que se desaprovechen las pocas oportunidades que hay para controlar las cláusulas abusivas en ese tipo de procesos. Sin embargo, en un proceso declarativo con plenas posibilidades de alegación y prueba, habrá distintos momentos en los que de oficio o a instancia de parte se puede llevar a cabo un control eficaz de las cláusulas abusivas. Si el juez no aprecia en alguno de esos momentos el carácter abusivo de alguna cláusula, el consumidor podrá ponerlo de manifiesto en la primera instancia o por medio de los recursos legalmente previstos. No puede concluirse, por tanto, que en un proceso en el que hay diversos momentos para apreciar de oficio o a instancia de parte la abusividad, sea para los consumidores imposible o extremadamente difícil hacer valer los derechos que les reconoce la Directiva 93/13.

Como ha reiterado el Tribunal de Luxemburgo en diversas ocasiones, cuando se plantee si una disposición nacional hace imposible o excesivamente difícil la aplicación del Derecho de la Unión debe tenerse en cuenta el lugar que ocupa esa disposición en el conjunto del procedimiento, su desarrollo y sus particularidades, así como los principios en los que se basa el sistema jurisdiccional nacional, tales como el derecho de defensa, la seguridad jurídica o el buen desarrollo del procedimiento[134]. En este sentido, las conclusiones del Tribunal de Justicia en las Sentencias SPV Project 1503 Srl y Banco di Desio e della Brianza SpA e Ibercaja Banco se encuadran en un contexto determinado —proceso monitorio o ejecutivo con limitadas posibilidades de cognición— y no pueden sin más extenderse a otro contexto radicalmente diferente —proceso declarativo con plenas posibilidades de cognición—.

En todo caso, parece conveniente que también en los procesos declarativos se exteriorice en alguna resolución judicial el control que se ha hecho de las cláusulas abusivas. A estos efectos sería recomendable que una futura reforma de la Ley de Enjuiciamiento Civil aclarase cuándo el tribunal ha de apreciar la concurrencia de cláusulas abusivas en las demandas fundadas en un contrato entre un empresario y un profesional y se exigiese motivar las decisiones que afecten al derecho de los consumidores a no quedar vinculados por cláusulas abusivas.

Habrá que esperar a futuros pronunciamientos del Tribunal de Luxemburgo para aclarar si la jurisprudencia sobre la exclusión del ámbito de la cosa juzgada de las cláusulas abusivas respecto de las que no haya habido un pronunciamiento expreso debe entenderse aplicable también al ámbito de los procesos declarativos en los que se hayan planteado pretensiones fundadas en un contrato entre un empresario y un consumidor. Extensión ésta que no parece tener una justificación clara.

---

[134]   Cfr., entre otras, la STJUE de 22 de abril de 2021, asunto Profi Credit Slovakia (C-485/19), apartado 53 o la propia Sentencia de 17 de mayo de 2022, asunto Ibercaja Banco (C-600/19), apartado 44.

Capítulo VII
La responsabilidad patrimonial del Estado por violación del Derecho de la Unión a través de las resoluciones judiciales

1. INTRODUCCIÓN: «SANTIDAD» DE LA COSA JUZGADA SÍ, PERO COMPENSACIÓN ECONÓMICA TAMBIÉN

Con carácter general, el Derecho de la Unión no exige reabrir procesos ya concluidos ni ignorar las disposiciones de los Derechos nacionales sobre la eficacia de cosa juzgada de las resoluciones judiciales, aunque esas resoluciones incurran en una infracción del Derecho europeo. En este sentido, la jurisprudencia del Tribunal de Justicia ha puesto de manifiesto que no se opone al principio de equivalencia, ni al principio de efectividad que un juez nacional tenga vedada la revisión de una sentencia firme dictada en un proceso civil cuya contradicción con el ordenamiento europeo se haya puesto de manifiesto *a posteriori*.

Sin embargo, el Tribunal de Justicia ha introducido una importante matización cuya finalidad es evitar que las infracciones del Derecho comunitario por parte de los tribunales nacionales queden impunes. La Sentencia de 16 de octubre de 2015, asunto Târsia (C-69/14), afirma que ante la vulneración de los derechos conferidos por el Derecho de la Unión por una resolución judicial firme que no puede ser objeto de reconsideración, «los particulares no pueden verse privados de la posibilidad de iniciar un procedimiento de responsabilidad patrimonial del Estado a fin de obtener por este medio una protección jurídica de sus derechos»[135].

Por tanto, los particulares que se hayan visto perjudicados por una interpretación errónea del Derecho europeo realizada por los tribunales nacionales, unida a la intangibilidad de la cosa juzgada, pueden acudir a un mecanismo compensatorio que les permita exigir responsabilidad patrimonial al Estado. Se respeta, pues, la cosa juzgada y la seguridad jurídica, pero al mismo tiempo se intenta garantizar la primacía y la efectividad del Derecho de la Unión. De esta forma, las infracciones de los derechos reconocidos a los ciudadanos de la Unión a consecuencia de las resoluciones de los tribunales nacionales no quedarán sin consecuencias.

La responsabilidad del Estado derivada de una resolución de un órgano jurisdiccional no pondrá en cuestión la cosa juzgada de esa resolución. A este respecto, el Tribunal de Justicia ha aclarado que «un procedimiento destinado a exigir la responsabilidad del Estado no tiene el mismo objeto ni necesariamente las mismas partes que el procedimiento que dio lugar a la resolución que haya adquirido fuerza de cosa juzgada. En efecto, la parte demandante en una acción de responsabilidad contra el Estado obtiene, si se estiman sus pretensiones, la condena del Estado a reparar el daño sufrido, pero no necesariamente la anulación de la fuerza de cosa juzgada de la resolución judicial que haya causado el daño. En todo caso, el principio de la responsabilidad del Estado inherente al ordenamiento jurídico comunitario exige tal reparación, pero no la revisión de la resolución judicial que haya causado el daño»[136].

---

[135]   Vid. Apartado 40 de la Sentencia Târsia. En el mismo sentido, cfr., las SSTJUE de 30 de septiembre de 2003, asunto Köbler (C-224/01), apartado 34, y de 13 de junio de 2006, asunto Traghetti del Mediterráneo (C-173/03), apartado 31.

[136]   Cfr., STJUE de 30 de septiembre de 2003, asunto Köbler (C-224/01), apartado 39.

2. LA RESPONSABILIDAD PATRIMONIAL DEL ESTADO EN LA JURISPRUDENCIA DEL TJUE

La responsabilidad patrimonial del Estado por los daños causados a los particulares por vulneraciones del Derecho de la Unión imputables a un órgano jurisdiccional nacional no es automática, sino que está condicionada a la concurrencia de una serie de requisitos que la jurisprudencia del Tribunal de Justicia ha ido delimitando[137].

El Tribunal de Luxemburgo comenzó aclarando en la Sentencia de 30 de septiembre de 2003, asunto Köbler (C-224/01), que el «principio de responsabilidad del Estado» por los daños causados a los particulares por las violaciones del Derecho comunitario que le sean imputables es inherente al sistema del Tratado de la Unión Europea y ese principio se aplica con independencia de cuál sea el órgano del Estado miembro a cuya acción u omisión le sea imputable la infracción.

Los tribunales nacionales desempeñan un papel fundamental en la protección de los derechos que las normas europeas confieren a los particulares y se mermaría la eficacia de tales normas si los ciudadanos no pudieran obtener una indemnización, en determinadas condiciones, cuando la infracción del Derecho comunitario fuera imputable «a una resolución de un órgano jurisdiccional de un Estado miembro que resuelva en última instancia». En la medida en que la violación de estos derechos por una resolución de un tribunal que resuelve en última instancia no puede ser normalmente rectificada, no se puede privar a los particulares de la posibilidad de exigir responsabilidad al Estado y lograr por esta vía la tutela de sus derechos[138].

---

[137] Cfr., las SSTJUE de 30 de septiembre de 2003, asunto Köbler (C-224/01); de 13 de junio de 2006, asunto Traghetti del Mediterráneo (C-173/03); de 6 de octubre de 2015, asunto Târsia (C-64/14) y de 28 de julio de 2016, asunto Tomášová (C-168/15).

[138] Cfr., STJUE de 30 de septiembre de 2003, asunto Köbler (C-224/01), apartados 30 a 36.

Con esta premisa, la jurisprudencia europea condiciona la responsabilidad del Estado a la concurrencia de tres requisitos. El primero es que la norma del Derecho de la Unión vulnerada tenga por objeto conferir derechos a los particulares. Este requisito, sin duda, se cumple en lo que respecta a los artículos 6 y 7 de la Directiva 93/13, que consagran el derecho de los consumidores a no resultar vinculados por cláusulas abusivas.

La segunda condición de la que depende la responsabilidad del Estado es que la violación de la norma esté «suficientemente caracterizada». Se trata del elemento más complejo de este puzle. Para determinar si existe una infracción «suficientemente caracterizada» deben tenerse en cuenta todos los elementos que concurran en la situación que se ha sometido al órgano jurisdiccional nacional. Así, entre esos elementos, la jurisprudencia del Tribunal de Justicia menciona «el grado de claridad y precisión de la norma vulnerada, la amplitud del margen de apreciación que la norma infringida deja a las autoridades nacionales, el carácter intencional o involuntario de la infracción cometida o del perjuicio causado, el carácter excusable o inexcusable de un eventual error de Derecho, el hecho de que las actitudes adoptadas por una institución de la Unión hayan podido contribuir a la adopción o al mantenimiento de medidas o prácticas nacionales contrarias al Derecho de la Unión, así como el incumplimiento por parte del órgano jurisdiccional de que se trate de su obligación de remisión prejudicial en virtud del artículo 267 TFUE, párrafo tercero». En todo caso, una violación del Derecho de la Unión está suficientemente caracterizada cuando se ha producido con un desconocimiento manifiesto de la jurisprudencia del Tribunal de Justicia en la materia. Se restringe, por tanto, la responsabilidad del Estado a los casos en que el órgano jurisdiccional haya infringido de ma-

---

Precisamente para evitar que los tribunales que resuelven en última instancia incurran en interpretaciones erróneas del Derecho de la Unión, el Artículo 267 del Tratado de Funcionamiento de la Unión Europea prevé que esos tribunales están obligado a solucionar las dudas mediante el planteamiento de una cuestión prejudicial al Tribunal de Justicia.

nera manifiesta el Derecho aplicable o su interpretación por la jurisprudencia del Tribunal de Luxemburgo[139].

En definitiva, para que un órgano jurisdiccional que haya actuado en última instancia haya incurrido en una violación «suficientemente caracterizada» del Derecho europeo de protección de los consumidores sería necesario que hubiera actuado con desconocimiento manifiesto de las disposiciones de la Directiva 93/13 o de la jurisprudencia del Tribunal de Justicia que la ha interpretado.

A este respecto, el propio Tribunal de Luxemburgo se ha mostrado bastante restrictivo. Buena prueba de ello es la Sentencia

---

[139] Cfr., STJUE de 28 de julio de 2016, asunto Tomášová (C-168/15), apartados 23 a 26. En el mismo sentido, las SSTJUE de 5 de marzo de 1996, asunto Brasserie du pêcheur y Factortame (C-46/93 y C-48/93), apartado 56; de 30 de septiembre de 2003, asunto Köbler (C-224/01), apartados 54 y 55, y de 12 de diciembre de 2006, asunto Test Claimants in the FII Group Litigation (C-446/04), apartado 213.

Sobre el deber de plantear la cuestión prejudicial, cfr. F. CORDÓN MORENO, «Derecho comunitario, Tribunal de Justicia de la Unión Europea y tribunales nacionales: algunas cuestiones problemáticas», en *Adaptación del Derecho procesal español a la normativa europea y a su interpretación por los tribunales, I Congreso Internacional de la Asociación de Profesores de Derecho Procesal de las Universidades Españolas,* dir. F. JIMÉNEZ CONDE, Ed. Tirant lo Blanch, Valencia, 2018, pp. 137 a 149; L. MARTÍN REBOLLO, «Sobre el papel del juez nacional en la aplicación del derecho europeo y su control», en *Revista de administración pública,* nº 200, 2016 (Ejemplar dedicado a: El Derecho administrativo a los 30 años de nuestro ingreso en la Unión Europea), pp. 173 a 192 y S. M. ÁLVAREZ CARREÑO, «El reto del juez nacional como juez europeo», en *20 años de la Ley de lo Contencioso-administrativo: actas del XIV Congreso de la Asociación Española de Profesores de Derecho Administrativo,* Murcia, 8-9 de febrero de 2019, coord. por F. LÓPEZ RAMÓN y J. VALERO TORRIJOS, pp. 247 a 287.

A este respecto resulta interesante la STJUE de 4 de octubre de 2018, asunto Comisión Europea c. República Francesa (C-416/17), pues representa la primera condena a un Estado por incumplimiento al no plantear su órgano jurisdiccional de última instancia la cuestión prejudicial cuando ésta era exigible.

de de 28 de julio de 2016, asunto Tomášová (C-168/15), en la que se planteaba si la falta de apreciación de una cláusula abusiva por el órgano jurisdiccional competente para la ejecución de un laudo arbitral podía considerarse una vulneración «suficientemente caracterizada» de la jurisprudencia europea. La respuesta que da el máximo intérprete del Derecho europeo es negativa porque entiende que no fue hasta la Sentencia de 4 de junio de 2009, asunto Pannon (C-243/08), cuando el Tribunal indicó con claridad que el papel que el Derecho de la Unión atribuye al juez nacional no se limita a una mera facultad de pronunciarse sobre el carácter abusivo de un cláusula contractual comprendida en el ámbito de la Directiva 93/13, sino que incluye la obligación de apreciar de oficio las cláusulas abusivas tan pronto como disponga de los elementos de hecho y de derecho para ello. Esta obligación se había mencionado ya en la Sentencia de 26 de octubre de 2006, asunto Mostaza Claro (C-168/05), como la forma de subsanar el desequilibrio existente entre el consumidor y el profesional, pero sin extraer todas las consecuencias de la misma. La conclusión a la que llega el Tribunal de Justicia en la Sentencia Tomášová es que no cabe apreciar una vulneración «suficientemente caracterizada» en la medida en que la resolución del órgano jurisdiccional es anterior a la Sentencia Pannon, aunque posterior a la Sentencia Mostaza Claro.

El último de los requisitos que condicionan la responsabilidad patrimonial del Estado es que exista una relación de causalidad directa entre la vulneración del Derecho de la Unión y el daño sufrido por los particulares. Con carácter general, el daño que sufre un particular como consecuencia de la aplicación de una cláusula abusiva tiene carácter económico y no resultará especialmente complejo acreditar la relación de causa efecto entre la cláusula que causa un desequilibrio importante en perjuicio del consumidor y, por tanto, es abusiva y el daño sufrido.

Las condiciones que se han mencionado son necesarias y suficientes para generar en favor de los particulares el derecho a obtener una reparación de los perjuicios. No obstante, las legislaciones nacionales pueden establecer requisitos menos estrictos para que los perjudicados puedan alcanzar con más facilidad la indemnización de los daños sufridos[140].

3. LA RESPONSABILIDAD PATRIMONIAL DEL ESTADO POR VULNERACIÓN DEL DERECHO EUROPEO SOBRE PROTECCIÓN DE LOS CONSUMIDORES FRENTE A CLÁUSULAS ABUSIVAS EN ESPAÑA

En el ordenamiento español, es la propia Constitución, en el artículo 121, la que reconoce el derecho a una indemnización a cargo del Estado por los daños causados por error judicial o por funcionamiento anormal de la administración de justicia. Con esta base jurídica, el procedimiento para exigir responsabilidad al Estado por error judicial se encuentra regulado en el artículo 293 de la LOPJ. Se trata de un mecanismo complejo que comprende dos etapas diferentes: la primera, en la que una resolución judicial deberá declarar expresamente el error y la segunda, en la que el interesado deberá dirigir su pretensión indemnizatoria al Ministerio de Justicia, tramitándose entonces un procedimiento administrativo.

La cuestión que ahora se plantea es si la normativa española y su aplicación por los tribunales nacionales cumplen las exigencias de la jurisprudencia europea que garantiza el respeto a la cosa juzgada de resoluciones judiciales no ajustadas al Derecho europeo a condición de habilitar el cauce de la responsabilidad patrimonial del Estado por la violación «suficientemente caracterizada» del Derecho de la Unión.

El concepto de «error judicial», fuente del derecho a obtener una indemnización, se interpreta de una manera muy restrictiva por los tribunales nacionales, que lo limita a aquellos casos en los

---

[140]   Cfr., STJUE de 5 de marzo de 1996, asunto Brasserie du pêcheur y Factortame (C-46/93 y C-48/93), apartado 66.

que no solo se constata el desacierto de la resolución judicial, sino también que ésta es manifiestamente contraria al ordenamiento jurídico o se ha dictado con evidente arbitrariedad. La jurisprudencia del Tribunal Supremo sobre lo que ha de considerarse error judicial se resume en el siguiente texto:

«el procedimiento de error judicial no permite, por consiguiente, reproducir el debate propio de la instancia [...], ni instar una revisión total del procedimiento de instancia ni discutir sobre el acierto o desacierto del tribunal de instancia en la interpretación de las normas aplicadas o en la valoración de la prueba [...] (a), solo un error craso, evidente e injustificado puede dar lugar a la declaración de error judicial; (b) el error judicial, considerado en el artículo 293 LOPJ como consecuencia del mandato contenido en el artículo 121 CE, no se configura como una tercera instancia ni como un claudicante recurso de casación, por lo que solo cabe su apreciación cuando el correspondiente tribunal haya actuado abiertamente fuera de los cauces legales, y no puede ampararse en el mismo el ataque a conclusiones que no resulten ilógicas o irracionales; (c) el error judicial es la equivocación manifiesta y palmaria en la fijación de los hechos o en la interpretación o aplicación de la Ley; (d) el error judicial es el que deriva de la aplicación del derecho basada en normas inexistentes o entendidas fuera de todo sentido y ha de dimanar de una resolución injusta o equivocada, viciada de un error craso, patente, indubitado e incontestable, que haya provocado conclusiones fácticas o jurídicas ilógicas, irracionales, esperpénticas o absurdas, que rompan la armonía del orden jurídico; (e) no existe error judicial cuando el tribunal mantiene un criterio racional y explicable dentro de las normas de la hermenéutica jurídica, ni cuando se trate de interpretaciones de la norma que, acertada o equivocadamente, obedezcan a un proceso lógico; (f) no toda posible equivocación es susceptible de calificarse como error judicial; esta calificación ha de reservarse a supuestos especiales cualificados en los que se advierta una desatención del juzgador, por contradecir lo evidente o por recurrir en una aplicación del derecho fundada en normas inexistentes, pues el error judicial ha de ser, en definitiva, patente, indubitado e incontestable e, incluso, flagrante; y, (g) no es el desacierto de una resolución judicial lo que se trata de corregir con la declaración de error de aquella, sino que, mediante la reclamación que se configura en el artículo 292 y se desarrolla en el siguiente artículo 293, ambos de la Ley Orgánica del Poder Judicial, se trata de obtener el resarcimiento de unos daños ocasionados por una resolución *judicial viciada por una evidente desatención del juzgador a datos de carácter indiscutible, que provocan una resolución absurda que rompe la armonía del orden jurídico»*[141].

Esta descripción del concepto de «error judicial» va más allá de lo que la jurisprudencia del Tribunal de Justicia considera una violación «suficientemente caracterizada» del Derecho europeo. No basta con que el tribunal haya ignorado el ordenamiento europeo o su interpretación por la jurisprudencia comunitaria, sino que la resolución debe estar viciada por una interpretación irracional, esperpéntica o absurda que ponga de manifiesto una falta absoluta de atención por parte del juzgador a la función jurisdiccional que ha de desempeñar.

Esta noción tan restrictiva del error judicial que permite obtener una indemnización a cargo del Estado constituye un obstáculo difícilmente salvable por cualquier particular que se considera perjudicado a causa de una resolución judicial con fuerza de cosa juzgada que ignora el ordenamiento de la Unión o su interpretación por el Tribunal de Justicia.

No resulta, por ello, extraño que el Tribunal Supremo haya inadmitido las demandas de error judicial interpuestas por los particulares perjudicados por la limitación de los efectos de la declaración de nulidad de la cláusula suelo, precisamente por no superar el estrecho filtro del «error judicial». La justificación de estas inadmisiones se resume con los siguientes términos:

«No se aprecia un posible error judicial en los términos determinados por la jurisprudencia de esta Sala, al no existir un error craso, patente, que o bien exceda de los hechos del pleito, o aplique normas derogadas o inexistentes o interpretadas fuera de toda lógica o razón, error que haya provocado conclusiones fácticas o jurídicas irracionales o ilógicas. La sentencia, que no fue siquiera recurrida en su momento por los demandantes, se limitó a aplicar la doctrina

---

[141]   Vid., SSTS, Sala de lo Civil, 658/2018, de 21 de noviembre; 11/2016, de 1 de febrero y ATS, Sala de lo Civil, de 15 de septiembre de 2022, (id Cendoj: 28079110012022205400).

jurisprudencial de esta Sala contenida en la sentencia 241/2013, de 9 de mayo, a lo que se aquietaron las partes. La verdadera razón de la demanda de error judicial es que posteriormente se dictó la sentencia del Tribunal de Justicia de la Unión Europea de fecha 21 de diciembre de 2016, de cuyo tenor deducen los demandantes que hubieran obtenido un pronunciamiento más favorable a sus intereses en caso de haberse acogido el mismo criterio por la sentencia dictada en octubre 2014»[142].

Es muy dudoso que un sistema de responsabilidad patrimonial que parte de un concepto tan limitado de error judicial sea compatible con la jurisprudencia del Tribunal de Luxemburgo, que garantiza a los particulares la vía de la compensación económica ante una infracción «suficientemente caracterizada» del Derecho de la Unión. En este sentido, la Sentencia del Tribunal de Justicia de 13 de junio de 2006, asunto Traghetti del Mediterraneo (C-173/03), se pronunció sobre la compatibilidad entre el Derecho comunitario y la normativa italiana que circunscribía la responsabilidad a los casos de dolo o culpa grave del juez. Tal y como se plantea en la cuestión prejudicial, estos conceptos se interpretan por los tribunales como una «violación del Derecho manifiesta, burda y a gran escala» o como una lectura de éste «en términos contrarios a cualquier criterio lógico», lo que en la práctica conduce a la desestimación casi sistemática de las reclamaciones formuladas contra el Estado italiano. Interpretación ésta que guarda bastante paralelismo con la que hace la jurisprudencia española sobre el concepto de error judicial.

Pues bien, el Tribunal Justicia afirmó en la Sentencia Traghetti del Mediterraneo que el Derecho comunitario se opone a una legislación nacional que «limita la exigencia de esta responsabilidad únicamente a los casos de dolo o de culpa grave del juez, si dicha limitación llevara a excluir la exigencia de la responsabilidad del

---

[142] Vid., ATS, Sala de lo Civil, de 24 de mayo de 2017 (Id Cendoj: 28079110012017201282). En sentido idéntico, AATS, Sala de lo Civil, de 7 de junio de 2017 (Id Cendoj: 28079110012017201466) y de 19 de julio de 2017 (Id Cendoj: 28079110012017201894).

Estado miembro afectado en otros casos en los que se haya cometido una infracción manifiesta del Derecho aplicable, tal como se precisa en los apartados 53 a 56 de la sentencia Köbler»[143].

Por tanto, el Derecho nacional puede precisar los criterios relativos a la naturaleza o al grado de una infracción para que pueda exigirse la responsabilidad del Estado por una violación del Derecho comunitario imputable a un órgano jurisdiccional nacional que resuelve en última instancia, pero estos criterios no pueden, en ningún caso, imponer exigencias más estrictas que las derivadas del requisito de una infracción «suficientemente caracterizada» del Derecho europeo.

Parece, pues, que condicionar la responsabilidad patrimonial del Estado a que la resolución judicial haya realizado una interpretación absurda, arbitraria o esperpéntica del Derecho europeo supone privar de efecto útil a la jurisprudencia del Tribunal de Justicia que exige que los particulares puedan ser compensados por las decisiones judiciales revestidas de eficacia de cosa juzgada que incurran en una violación «suficientemente caracterizada» del ordenamiento de la Unión.

---

[143]   En el asunto Traghetti del Mediterraneo también se cuestionó el hecho de que la legislación italiana excluía toda responsabilidad del Estado miembro por los daños causados a los particulares por una violación del Derecho comunitario cometida por un órgano jurisdiccional que resuelve en última instancia cuando dicha violación resulta de una interpretación de las normas jurídicas o de una apreciación de los hechos y de las pruebas. El Tribunal de Luxemburgo consideró contraria al Derecho de la Unión esta exclusión porque tanto la interpretación de las normas como la valoración de las pruebas y la fijación de los hechos pertenecen a la esencia misma de la actividad jurisdiccional. Sea cual sea el ámbito de la actividad considerado, el juez, ante posturas divergentes, deberá interpretar las normas y valorar las pruebas para resolver el litigio. Excluir cualquier responsabilidad en estos casos, equivaldría a privar de efecto útil a los principios establecidos en la Sentencia Köbler, por lo que respecta a las violaciones manifiestas del Derecho comunitario imputables a los órganos jurisdiccionales que resuelven en última instancia.

A la dificultad de superar el filtro del error judicial se le añaden, en el ordenamiento español, otras dos. La primera tiene que ver con la competencia para declarar el error judicial que, conforme al artículo 293.1,b) de la LOPJ, se atribuye a la Sala del Tribunal Supremo correspondiente al mismo orden jurisdiccional que el órgano a quien se imputa el error, y si éste se atribuyese a una Sala o Sección del Tribunal Supremo, la competencia corresponderá a la Sala que se establece en el artículo 61. Esta regla de competencia supone que, en un caso como el de la limitación de los efectos de la declaración de nulidad de la cláusula suelo, es el propio Tribunal Supremo, que sentó la doctrina contraria al Derecho de la Unión, el que debería declarar que sus magistrados han dictado una resolución esperpéntica o contraria a la razón con total ignorancia del ordenamiento europeo o de su interpretación por el Tribunal de Justicia. No resulta, por ello, extraño que algún autor haya puesto en tela de juicio que semejante regulación sea respetuosa con el principio de imparcialidad[144].

La última de esta larga lista de dificultades se centra en el requisito de haber agotado todos los recursos previstos en el ordenamiento jurídico conforme al artículo 293.1,b) de la LOPJ. Esto significa que al consumidor que ha visto rechazada su pretensión de obtener el reintegro íntegro de las cantidades abonadas indebidamente por la cláusula suelo abusiva, se le exige que interponga incluso recurso de casación. Recurso éste que obviamente se hubiera desestimado porque el tribunal de instancia se limitó a aplicar la doctrina fijada por el Tribunal Supremo en la Sentencia de 9 de mayo de 2013. Esto no haría sino acrecentar las dificultades económicas del con-

---

[144]   Cfr., LAFUENTE TORRALBA, A., «La posibilidad de soslayar la cosa juzgada de Sentencias nacionales que, con base en una resolución posterior del TJUE, resulten contrarias al Derecho de la Unión: reflexiones a la luz de la STJUE de 6 de octubre de 2015, asunto C-69/14 *Târsia*», en *Estudios sobre jurisprudencia europea*, Materiales del III Encuentro anual del Centro español del *European Law Institute*, Vol. I, Derecho Civil y Derecho procesal civil, dir. RUDA GONZÁLEZ, A. y JEREZ DELGADO, C., Sepin, Madrid, 2020, p. 504.

sumidor que con toda seguridad sería condenado en costas[145]. De hecho, la falta de encaje en el concepto de error judicial unida a la falta de agotamiento de los recursos previstos en el ordenamiento son los dos motivos esgrimidos por el Tribunal Supremo para cerrar el paso a las demandas de error judicial por la limitación de los efectos restitutivos de la cláusula suelo[146].

Se puede concluir, pues, que el régimen de responsabilidad patrimonial del Estado por error judicial no es compatible con el Derecho de la Unión, en la medida en que establece unas condiciones más estrictas que las delimitadas por la jurisprudencia del Tribunal de Luxemburgo. Este régimen de responsabilidad patrimonial impide en la práctica compensar a los consumidores por los perjuicios sufridos a consecuencia de una resolución judicial con eficacia de cosa juzgada que incurre en una interpretación errónea del ordenamiento comunitario[147].

La inadecuación del régimen de responsabilidad patrimonial del Estado a las exigencias impuestas desde Luxemburgo requiere una respuesta legislativa. No parece, sin embargo, que el legislador deba hacer una reforma integral del modelo de error judicial, que puede ser adecuado en otros ámbitos y cuya ampliación podría tener efectos nocivos.

Sería, por ello, más adecuado regular un cauce específico para reparar los daños causados a los particulares por vulneración del

---

[145] En el mismo sentido, A. LAFUENTE TORRALBA, «La posibilidad de soslayar la cosa juzgada...», cit., p. 504.

[146] Cfr., AATS, Sala de lo Civil, de 24 de mayo de 2017 (Id Cendoj: 28079110012017201282); de 7 de junio de 2017 (Id Cendoj: 28079110012017201466) y de 19 de julio de 2017 (Id Cendoj: 28079110012017201894).

[147] En estas circunstancias, LAFUENTE TORRALBA, A., «La posibilidad de soslayar la cosa juzgada...», cit., pp. 505 y 506, plantea la posibilidad de que los tribunales puedan hacer una excepción e inaplicar el artículo 222 de la LEC ante la inexistencia en nuestra legislación de alternativas reparadoras del perjuicio que puedan resultar mínimamente eficaces.

Derecho de la Unión Europea. Este nuevo régimen de reparación debería estar condicionado al cumplimiento de tres requisitos. El primero es que se haya producido una infracción de una norma de Derecho de la Unión cuya finalidad sea conferir derechos a los ciudadanos europeos. El segundo es que la violación de la norma pueda considerarse «suficientemente caracterizada», es decir, que se trate de una infracción manifiesta del Derecho aplicable o de su interpretación por la jurisprudencia del Tribunal de Luxemburgo. El último de los requisitos es que exista una relación de causalidad directa entre la vulneración del Derecho de la Unión y el daño sufrido por los particulares. Este perjuicio debe tener carácter definitivo en el sentido de que no haya ninguna otra vía para repararlo y no debe ser imputable a la pasividad del propio perjudicado. Cumplidas estas condiciones, debe entrar en juego la responsabilidad patrimonial del Estado sin necesidad de que la interpretación hecha por los tribunales nacionales deba considerarse esperpéntica, absurda o carente de toda lógica.

Capítulo VIII

La actuación de oficio del juez en el proceso monitorio

1. LA DUALIDAD DE PROCESOS MONITORIOS: NACIONAL Y EUROPEO

La finalidad de la técnica monitoria es ofrecer a los acreedores un instrumento para obtener con rapidez y con el mínimo coste un título ejecutivo que permita el acceso a la ejecución. Un proceso monitorio sigue, a grandes rasgos, el siguiente esquema: el acreedor formula una petición de requerimiento de pago ante el órgano jurisdiccional. Si concurren los requisitos necesarios, el órgano jurisdiccional dicta el requerimiento de pago y se lo notifica al deudor. A partir de ahí, la actitud del deudor determinará el devenir del procedimiento: puede pagar y se pondrá fin al proceso monitorio; puede mantenerse inactivo y se abrirán para el acreedor las puertas de la ejecución; o puede oponerse al requerimiento de pago y la controversia se habrá de resolver en el proceso declarativo ordinario que corresponda.

La técnica monitoria juega, por tanto, con la inversión de la iniciativa del contradictorio. Es el deudor quien debe dar el paso para que se abra un debate contradictorio en torno al crédito reclamado y su inactividad unida al requerimiento de pago se considera título ejecutivo suficiente para acceder a la ejecución. En consecuencia, la falta de actividad del demandado tendrá una drástica consecuencia: libera al demandante de la carga de probar los hechos en que se basa su reclamación más allá del principio de prueba que en el proceso monitorio documental ha de acompañar a la petición inicial y le permite el acceso a la ejecución forzosa.

En el Derecho procesal español, la reclamación de deudas dinerarias de naturaleza civil o mercantil a través de la técnica monitoria se regula en el proceso monitorio de los artículos 821 y siguientes de la LEC. Este proceso monitorio nacional convive con el proceso monitorio europeo para asuntos transfronterizos consagrado en el Reglamento (CE) 1896/2006, de 12 de diciembre de 2006 (en adelante, RPME)[148].

Tanto el proceso monitorio nacional como el europeo persiguen una misma finalidad: la protección rápida del crédito. Sin embargo, lo hacen sobre la base de modelos distintos. El proceso monitorio de la LEC sigue un modelo documental, en el que el acreedor tiene la carga de presentar un principio de prueba documental de su crédito junto con la petición inicial. El proceso monitorio europeo, por su parte, responde a un modelo no documental, en el que la mera alegación del crédito por parte del acreedor es suficiente para que se emita el requerimiento de pago[149].

2. LA INCIDENCIA DE LA JURISPRUDENCIA DEL TRIBUNAL DE JUSTICIA DE LA UNIÓN EUROPEA EN LA

---

[148]   Sobre el proceso monitorio europeo, cfr., I. ANTÓN JUÁREZ, «El proceso monitorio europeo: ¿Un proceso ágil y económico para la reclamación de créditos no impugnados transfronterizos?», en *Cuadernos de derecho transnacional*, Vol. 14, nº. 2/2022, pp. 92 a 165.

[149]   Son varios los autores que se han mostrado favorables a la armonización de la técnica monitoria a nivel europeo y acabar, por tanto, con la dualidad entre los procesos monitorios nacionales y el proceso monitorio europeo. En este sentido, F. ALBA CLADERA, «Armonización de la técnica monitoria en Europa. El proceso monitorio europeo como punto de partida», en *Cuadernos de Derecho Transnacional*, octubre/2020, vol. 12/2, pp. 1217 a 1242 y E. VALLINES GARCÍA, «La reforma necesaria del proceso monitorio en España: ¿hacia una generalización del proceso monitorio europeo», en *Estándares europeos y proceso civil, hacia un proceso civil convergente con Europa*, dir. F. GASCÓN INCHAUSTI Y P. PEITEADO MARISCAL, ed. Atelier, Barcelona, 2022, pp. 601 a 648.

CONFIGURACIÓN DEL PROCESO MONITORIO

La aceleración y simplificación del cobro de créditos mediante la inversión de la iniciativa del contradictorio y la necesidad de una actitud activa del demandado como condición para evitar la ejecución son objetivos, en gran medida, antagónicos con los perseguidos por la Directiva 93/13 sobre cláusulas abusivas. Conforme a una reiterada jurisprudencia del Tribunal de Justicia, la adecuada protección de los consumidores, prevista en los artículos 6 y 7 de la Directiva, exige a los jueces nacionales la adopción de un papel activo que permita compensar dentro del proceso la desigualdad entre empresarios y consumidores y garantice la no vinculación de los consumidores a cláusulas abusivas. Por tanto, la defensa frente a las cláusulas abusivas no se deja exclusivamente en manos del consumidor, sino que son los jueces nacionales los que han de asumir un papel directivo para evitar que los consumidores resulten vinculados por cláusulas no negociadas individualmente que causan un desequilibrio importante entre los derechos y obligaciones de las partes en perjuicio de la parte más débil.

El desarrollo jurisprudencial de un marco jurídico tuitivo de la parte débil en las relaciones de consumo no resulta fácilmente trasladable a un proceso cuya finalidad es la tutela rápida del crédito. Ni el proceso monitorio de la LEC, antes de la reforma operada por la Ley 42/2015, ni el Reglamento que regula el proceso monitorio europeo contenían disposición alguna para hacer frente a las particularidades que pueden plantearse cuando el demandado es un consumidor.

Una vez más, ha sido el Tribunal de Justicia de la Unión Europea el que, al resolver las cuestiones prejudiciales planteadas por los tribunales nacionales, ha tenido que decidir si la regulación de los procesos monitorios permitía dotar de efectividad al control de cláusulas abusivas. De momento, ninguna de las sentencias dictadas por el Tribunal de Luxemburgo ha considerado que la inversión de la iniciativa del contradictorio es incompatible con los derechos reconocidos en la Directiva sobre cláusulas abusivas. Puede, por tanto, haber procesos monitorios en los que el demandado sea un consumidor. Lo que sí ha hecho el Tribunal de Luxemburgo es valorar, en cada caso, si la concreta articulación del proceso monitorio resulta compatible con el principio de equivalencia y con el principio de efectividad como límites a la autonomía procesal de los Estados.

2.1. La incidencia de la jurisprudencia en el proceso monitorio nacional

El Tribunal de Luxemburgo ha sido decisivo en la reforma del proceso monitorio de la LEC, por el que se ofrece al acreedor un cauce para obtener un título ejecutivo con una inversión de tiempo y dinero menor que el alternativo proceso declarativo ordinario. La jurisprudencia ha incidido en diversos aspectos que tienen un nexo común: el papel directivo del juez nacional en el control de las cláusulas abusivas[150].

2.1.1. El control de abusividad por el juez nacional en las relaciones de consumo

La jurisprudencia del Tribunal de Justicia ha ido precisando qué exigencias de Derecho de la Unión debe satisfacer un procedimiento jurisdiccional nacional de reclamación de créditos pecuniarios, desde el punto de vista de su estructura, para que el consumidor esté protegido efectivamente frente a pretensiones basadas en cláusulas abusivas incluidas en contratos de crédito al consumo.

Este camino se inicia con la Sentencia de 14 de junio de 2012, asunto Banco Español de Crédito (C-618/10), que resuelve una cuestión prejudicial en la que se cuestionaba la compatibilidad entre la regulación española del proceso monitorio y la Directiva 93/13.

---

[150] Una visión general de la cuestión puede verse en M. J. SANDE MAYO, «La flexibilización del principio dispositivo y la reforma del proceso monitorio y ejecutivo», en *Práctica de tribunales: revista de derecho procesal civil y mercantil*, n°. 129/2017.

En el momento de la sustanciación del proceso monitorio que dio lugar a la cuestión prejudicial era el juez competente quien, a la vista de la petición inicial y de los documentos aportados, decidía si la deuda reclamada entraba dentro del ámbito del proceso monitorio y, en caso afirmativo, ordenaba el requerimiento de pago al deudor[151]. Tras el requerimiento, se invertía la iniciativa del contradictorio, pues solo si el deudor se oponía se resolvía la cuestión litigiosa en el proceso declarativo correspondiente, mientras que su inactividad abría las puertas de la ejecución forzosa. La Audiencia Provincial de Barcelona preguntó al Tribunal de Justicia si la falta de previsión del análisis de oficio de las cláusulas abusivas *in limine litis* o en cualquier fase del procedimiento resultaba compatible con la Directiva 93/13.

El máximo intérprete del Derecho europeo analiza la compatibilidad de la normativa española con el principio de equivalencia y con el principio de efectividad. Por lo que respecta al primero de ellos, no considera a la normativa nacional incompatible porque el sistema procesal español «no solo no permite al juez nacional que conoce de una demanda en un proceso monitorio examinar de oficio —*in limine litis* ni en ninguna fase del procedimiento— el carácter abusivo, con arreglo al artículo 6 de la Directiva 93/13, de una cláusula contenida en un contrato celebrado entre un profesional y un consumidor, cuando este último no haya formulado oposición, sino que tampoco le permite pronunciarse sobre si tal cláusula resulta contraria a las normas nacionales de orden público, lo cual incumbe verificar, no obstante, al tribunal nacional»[152].

---

[151] La Ley 13/2009, de 3 de noviembre, de reforma de la legislación procesal para la implantación de la Oficina Judicial, atribuyó al Secretario Judicial, actual Letrado de la Administración de Justicia, la competencia para realizar esa primera valoración de la petición inicial del proceso monitorio.

[152] Vid., apartados 47 y 48 de la Sentencia de 14 de junio de 2012, asunto Banco Español de Crédito (C-618/10).

Diferente es, sin embargo, la respuesta respecto del segundo de los principios. El Tribunal de Luxemburgo considera contrario al principio de efectividad un régimen procesal que no permite que el juez que conoce de un proceso monitorio, aun cuando ya disponga de todos los elementos de hecho y de derecho necesarios al efecto, examine de oficio el carácter abusivo de las cláusulas contenidas en un contrato celebrado entre un profesional y un consumidor, cuando este último no haya formulado oposición. Esta conclusión se refuerza porque existe un riesgo no desdeñable de que los consumidores afectados no formulen la oposición, «ya sea debido al plazo particularmente breve previsto para ello, ya sea porque los costes que implica la acción judicial en relación con la cuantía de la deuda litigiosa puedan disuadirlos de defenderse, ya sea porque ignoran sus derechos o no perciben cabalmente la amplitud de los mismos, o ya sea debido, por último, al contenido limitado de la demanda presentada por los profesionales en el proceso monitorio y, por ende, al carácter incompleto de la información de que disponen»[153].

En este contexto, los empresarios podrían acudir al proceso monitorio, en lugar de al proceso declarativo que corresponda por razón de la cuantía, con la única finalidad de privar a los consumidores de la protección que les brinda la Directiva 93/13, lo que resulta inconciliable con la jurisprudencia del Tribunal de Justicia conforme a la que las características de los procedimientos judiciales no pueden afectar a la protección jurídica de la que han de gozar los consumidores conforme a la mencionada Directiva. Por tanto, las características concretas del proceso monitorio nacional hacen imposible o excesivamente difícil llevar a la práctica la protección que la Directiva 93/13 confiere a los consumidores en los litigios iniciados frente a éstos por los profesionales[154].

---

[153] Vid., apartados 53 y 54 de la Sentencia de 14 de junio de 2012, asunto Banco Español de Crédito (C-618/10).

[154] Muy distinta fue la opinión manifestada por la Abogada General, Sra. Verica Trstenjak, en las Conclusiones presentadas el 14 de febrero de 2012. Según su postura, la respuesta a la cuestión prejudicial planteada debe preservar las garantías de los intervinientes en el proceso, pero

Es evidente, pues, que las exigencias derivadas de la normativa europea, en la interpretación del Tribunal de Justicia, imponen una ampliación del control que ha de realizar el tribunal en el momento de decidir sobre la admisión de la petición inicial del proceso monitorio, lo que, además, choca con un nuevo obstáculo a causa de la reforma legislativa, por obra de la Ley 13/2009, de 3 de noviembre, de reforma de la legislación procesal para la implantación de la nueva oficina judicial, que atribuyó al Letrado de la Administración de Justicia esta esencial tarea.

Unos años más tarde, el Tribunal de Luxemburgo tiene que volver a revisar el proceso monitorio español en la STJUE de 18 de febrero de 2016, asunto Finanmadrid (C-49/14). La cuestión controvertida no se plantea, en esta ocasión, en un proceso monitorio, sino en un proceso de ejecución derivado, eso sí, de un monitorio que había concluido con un decreto del Letrado de la Administración de Justicia con eficacia ejecutiva. Sobre la base de esta resolución, el acreedor instó el despacho de la ejecución, que se lleva a cabo conforme a lo previsto para las sentencias judiciales, sin que el acreedor o el deudor puedan pretender ulteriormente en proceso ordinario la cantidad reclamada en el monitorio o la devolución de lo que con la ejecución se obtuviere (artículo 816.2 de la LEC).

---

también la eficiencia del proceso monitorio como medio para el cobro rápido de créditos no impugnados. Por ello, concluye que «..la imposición de una obligación de examinar exhaustivamente en el proceso monitorio y de pronunciarse *ab limine litis* sobre la nulidad de una cláusula de intereses de demora incluida en un contrato de crédito al consumo conduciría a una transformación fundamental en el modo de funcionamiento de este procedimiento que eliminaría una ventaja esencial del proceso monitorio en términos de eficiencia, en concreto, la rápida satisfacción de créditos pecuniarios no impugnados». Y, añade, que «para garantizar la protección del consumidor frente a pretensiones basadas en cláusulas contractuales abusivas, parece suficiente con dar al consumidor contra el que se solicita la expedición de un requerimiento de pago (como ocurre en general en los procesos monitorios nacionales) la oportunidad de defenderse jurídicamente formulando su oposición. No se aprecia en ello vulneración alguna del principio de efectividad».

En estas circunstancias, el juez que conoce del proceso de ejecución plantea al Tribunal de Luxemburgo sus dudas sobre la compatibilidad de la normativa española con la Directiva 93/13, en la medida en que impide a este juez analizar de oficio la existencia de cláusulas abusivas, sin que haya habido ocasión tampoco antes de que se dictara el decreto del Letrado de la Administración de Justicia de llevar a cabo ese control.

El Tribunal de Justicia afirma que un régimen procesal como el descrito puede menoscabar la efectividad de la protección que pretende garantizar la Directiva 93/13. Esta conclusión se fundamenta en que, de un lado, el proceso monitorio se puede sustanciar sin la intervención del juez, pues ésta solo está prevista en caso de oposición del deudor o cuando la cantidad reclamada no es correcta a la vista de la documentación aportada, y, por tanto, sin que pueda controlar el carácter abusivo de alguna cláusula contractual. Y, de otro lado, en que el juez que conoce de la ejecución no puede tampoco examinar de oficio la existencia de cláusulas abusivas por impedirlo la fuerza de «cosa juzgada» del decreto del Letrado de la Administración de Justicia.

Unos meses antes de que el Tribunal de Luxemburgo resolviese el asunto Finanmadrid, el legislador español decidió reformar el proceso monitorio por medio de la Ley 42/2015, de 5 de octubre. A tal fin se añadió un cuarto apartado al artículo 815 LEC en el que detalla el régimen de control de oficio de las cláusulas abusivas.

Este régimen se sustenta sobre el traslado al juez por el letrado de la Administración de Justicia de toda reclamación fundada en un contrato entre un empresario y un consumidor o usuario para que sea el juez quien controle de oficio el eventual carácter abusivo de cualquier cláusula que sea fundamento de la petición o que determine la cantidad exigible[155].

---

[155]   Sobre la extensión del control de oficio, cfr., J. LÓPEZ SÁNCHEZ, *La regulación del proceso monitorio y su aplicación por los tribunales*, ed. La ley, Madrid, 2019, pp. 341 y ss.

La misma doctrina mantenida por el Tribunal de Justicia en las anteriores resoluciones se refleja de nuevo en la Sentencia de 13 de septiembre de 2018, asunto Profi Credit Polska (C-176/17), en la que se cuestiona la regulación del proceso monitorio por la legislación polaca. La decisión a la que llega el Tribunal de Luxemburgo es que «el artículo 7, apartado 1, de la Directiva 93/13 debe interpretarse en el sentido de que se opone a una normativa nacional como la controvertida en el litigio principal, que permite expedir un requerimiento de pago basado en un pagaré formalmente correcto, que garantiza un crédito nacido de un contrato de crédito al consumo, cuando el juez que conoce de una demanda de procedimiento monitorio no tiene la facultad de examinar el eventual carácter abusivo de las cláusulas de ese contrato, ya que los requisitos para ejercer el derecho a formular oposición a dicho requerimiento no permiten garantizar el respeto de los derechos del consumidor derivados de la citada Directiva»[156].

Y, aún con más claridad, la STJUE de 7 de noviembre de 2019, asuntos Profi Credit Polska y otros (C-419/17 y C-483/18), afirma que «Los artículos 6, apartado 1, y 7, apartado 1, de la Directiva 93/13 y el artículo 10, apartado 2, de la Directiva 2008/48 deben interpretarse en el sentido de que, cuando, en circunstancias como las de los litigios principales, un órgano jurisdiccional nacional alberga serias dudas sobre la procedencia de una demanda basada en un pagaré destinado a garantizar la deuda derivada de un contrato de crédito al consumo, pagaré que fue inicialmente emitido en blanco por el firmante y posteriormente completado por el beneficiario, dicho órgano jurisdiccional debe examinar de oficio si las estipulaciones acordadas entre las partes tienen carácter abusivo y,

---

[156]   Esta Sentencia, sin embargo, da a entender que si las condiciones de acceso a la oposición fueran adecuadas, sería suficiente para garantizar el principio de efectividad. No obstante, este criterio se corrige poco después en la Sentencia de 7 de noviembre de 2019, asuntos Profi Credit Polska y otros (C-419/17 y C-483/18), referida también a un proceso monitorio basado en un título cambiario, que tiene grandes similitudes con el juicio cambiario de la LEC.

a este respecto, puede exigir al profesional que presente el escrito en el que se recogen dichas estipulaciones, de modo que ese órgano jurisdiccional esté en condiciones de garantizar el respeto de los derechos que tales Directivas confieren a los consumidores»[157].

La conclusión que se puede extraer de la jurisprudencia europea es que no se considera suficiente garantía de protección del consumidor frente a pretensiones basadas en cláusulas abusivas la previsión, recogida en las legislaciones nacionales, de que los consumidores tengan la oportunidad de defenderse jurídicamente formulando oposición. La efectividad del Derecho de la Unión no puede hacerse depender, en este caso, de que el consumidor haga una manifestación de voluntad por medio de su oposición al requerimiento de pago. Es el juez nacional el que ha de apreciar de oficio la abusividad, sin perjuicio de que el consumidor pueda también poner de manifiesto el carácter abusivo de las cláusulas contractuales por medio de su oposición al requerimiento de pago.

2.1.2. La documentación necesaria para realizar el control de abusividad

El control del carácter abusivo de las cláusulas contractuales ha de hacerse por el juez nacional sobre la base de la documentación aportada por el acreedor junto con la petición inicial, lo cual plantea ciertos problemas dado que el artículo 815.1 LEC no exige preceptivamente la aportación del contrato entre el acreedor y el deudor, sino que basta con presentar un principio de prueba, como puede ser una factura o un albarán de entrega.

---

[157] Tanto la Sentencia de 13 de septiembre de 2018, asunto Profi Credit Polska (C-176/17) como la STJUE de 7 de noviembre de 2019, asuntos Profi Credit Polska y otros (C-419/17 y C-483/18) serán analizadas con mayor detalle al tratar sobre la protección de los consumidores en el juicio cambiario, dadas las similitudes entre la regulación del proceso monitorio basado en un título cambiario de la legislación polaca y el juicio cambiaria de la LEC.

De ahí que algunos tribunales exijan la aportación del contrato como condición para admitir la petición inicial, pues entienden que una factura o un albarán de entrega, aunque constituyen un principio de prueba del crédito, no permiten llevar a cabo el control de cláusulas abusivas[158].

Frente a este planteamiento, se ha afirmado que es preferible admitir que el proceso monitorio se pueda instar con un principio de prueba suficiente y tras un control de la abusividad que no alcance a la totalidad del contrato, sino solo a los elementos de hecho y de derecho que puedan valorarse y que fundamenten la exigibilidad del crédito y la cantidad exigible[159].

Esta última postura parece la más acorde con la legalidad vigente y resulta compatible con las exigencias de la Directiva 93/13, siempre que se valore en su justa medida cuál debe ser el alcance de ese principio de prueba. Si, por ejemplo, se reclaman intereses moratorios, habrá que aportar la cláusula contractual en la que consten esos intereses pactados y no simplemente la factura. Solo así se podrá llevar a cabo un control de oficio, aunque limitado a las cláusulas que constituyan el fundamento de la petición o que determinen la cantidad exigible y, por tanto, sin extenderlo a la totalidad del contrato.

2.1.3. El incidente contradictorio *a limine litis*

Otra cuestión que ha sido objeto de polémica es la introducción de un trámite de audiencia a las partes con carácter previo a la apreciación del carácter abusivo de una cláusula contractual. Conforme al artículo 815.4 LEC, el juez puede apreciar la inexistencia de abusividad sin oír a las partes. Ahora bien, si el juez considera que puede haber una cláusula abusiva que constituya el fundamento de la pretensión o que determine la cantidad exigi-

---

[158] Cfr., como botones de muestra, el AAP Barcelona, Secc. 19ª, 56/2019, de 1 de febrero y el AAP Málaga, Secc. 5ª, 88/2018, de 27 de febrero.
[159] Vid. J. LÓPEZ SÁNCHEZ, *La regulación del proceso monitorio...*, cit., pp. 348 y 349.

ble, necesariamente debe dar audiencia a las partes por cinco días y, a continuación, resolverá lo procedente mediante auto.

Esta previsión parece una consecuencia de la STJUE de 21 de febrero de 2013, asunto Banif Plus Bank (C-472/11), en la que se pone de manifiesto la necesidad de respetar el principio de contradicción y el derecho de defensa, de modo que si el juez aprecia de oficio la existencia de una cláusula abusiva ha de informar a las partes e instarles a un debate contradictorio en la forma prevista por las normas procesales nacionales. No basta, con carácter general, que el tribunal realice el necesario control de oficio de las cláusulas abusivas impuesto por la Directiva 93/13, sino que es necesario que brinde a las partes la oportunidad de llevar a cabo un debate contradictorio en torno a la existencia de la cláusula abusiva y las consecuencias que pueden derivarse de la apreciación de oficio de la abusividad.

En virtud de esta jurisprudencia, el legislador de la Ley 42/2015 ha previsto en el apartado cuarto del artículo 815 de la LEC que «el juez examinará de oficio si alguna de las cláusulas que constituye el fundamento de la petición o que hubiese determinado la cantidad exigible puede ser calificada como abusiva. Cuando apreciare que alguna cláusula puede ser calificada como tal, dará audiencia por cinco días a las partes. Oídas éstas, resolverá lo procedente mediante auto dentro de los cinco días siguientes. Para dicho trámite no será preceptiva la intervención de abogado ni de procurador». La resolución judicial podrá confirmar su inicial apreciación sobre el carácter abusivo de la cláusula o rectificar su parecer inicial a la vista de las alegaciones de las partes y teniendo en cuenta que el consumidor puede manifestar su consentimiento libre e informado por el que renuncia a la declaración de abusividad de la cláusula en cuestión[160].

Las críticas, sin embargo, se han basado en que resulta contrario a la esencia del proceso monitorio la introducción de ese trámite de audiencia, pues la finalidad perseguida por este cauce procesal es facilitar la rápida obtención de un título ejecutivo en

---

[160]   Cfr. STJUE de 4 de junio de 2009, asunto Pannon (C-243/08).

casos en que se prevé que el deudor ni siquiera va a comparecer y, por ello, se invierte la iniciativa del contradictorio, de modo que solo si el deudor decide oponerse se resolverá la cuestión litigiosa en el proceso declarativo correspondiente[161].

En efecto, el proceso monitorio, con independencia de las particularidades de los ordenamientos jurídicos de los Estados miembros, está diseñado para garantizar que la reclamación de los créditos pecuniarios no impugnados se haga de forma rápida, sencilla y eficaz. La rapidez del proceso monitorio juega un papel esencial a efectos de reducir el riesgo que para pequeñas o medianas empresas puede conllevar la demora en el pago. Se puede comprende, por ello, que esta reestructuración del proceso monitorio para incorporar un incidente contradictorio previo al requerimiento de pago, en el que se de audiencia a las dos partes, entraña el riesgo de convertirlo en una mera copia de un procedimiento contradictorio ordinario y, en consecuencia, que pierda las ventajas en términos de eficiencia[162].

Me sumo a quienes opinan que el Tribunal de Justicia no ha exigido, ni en la STJUE de 21 de febrero de 2013, asunto Banif Plus Bank (C-472/11), ni de momento en ninguna otra, que la

---

[161] Cfr., J. BANACLOCHE PALAO, «Algunas reflexiones sobre el Anteproyecto de reforma parcial de la Ley de Enjuiciamiento Civil en materia de procuradores, juicio verbal y monitorio», en Diario La Ley, n.º 8173, 30 de julio de 2012, pág. 10; B. SÁNCHEZ LÓPEZ, «Recorrido por las sucesivas reformas del procedimiento monitorio y el reto del control de oficio de las cláusulas abusivas en contratos de consumo», en *Derecho, Justicia, Universidad, Liber amicorum Andrés de la Oliva Santos II*, Editorial Universitaria Ramón Areces, Madrid, 2016, pp. 2835 y 2836; J. LÓPEZ SÁNCHEZ, *La regulación del proceso monitorio...*, cit., p. 353; L. GÓMEZ AMIGO, «Control de cláusulas abusivas y garantías procesales en los procesos con técnica monitoria, a la luz de la jurisprudencia reciente», en *Revista General de Derecho Procesal*, n°. 49, 2019, pp. 4 a 6; o F. ALBA CLADERA, «Armonización de la técnica monitoria...», cit., pp. 1226 y 1227.

[162] En este sentido se manifestó la Abogada General, Sra. Verica Trstenjak, en las Conclusiones presentadas el 14 de febrero de 2012, asunto Banco Español de Crédito (C-618/10).

apreciación de cláusulas abusivas en el proceso monitorio requiera necesariamente la celebración de una audienca previa al requerimiento de pago con todas las partes[163]. Esta Sentencia no se dicta en el marco de un proceso con técnica monitoria y lo que el Tribunal manifiesta es que, *con carácter general*, el juez nacional informará a las partes de la posible existencia de una cláusula abusiva y las instará a un debate contradictorio[164]. De esa regla general bien se podría excluir un proceso con técnica monitoria por resultar esta vista contraria a la esencia del proceso, que se caracteriza por la ausencia de un debate en cuanto al fondo, salvo que el deudor lo desencadene mediante su oposición. A este argumento se le debe sumar otro: la decisión del juez nacional sobre el carácter abusivo de alguna cláusula en el proceso monitorio no es equiparable a

---

[163]   Cfr., F. GASCÓN INCHAUSTI, *Derecho europeo y legislación procesal civil...*, cit., p. 130; F. ALBA CLADERA, «Armonización de la técnica monitoria...», cit., pp. 1226 y 1227; o J. LÓPEZ SÁNCHEZ, *La regulación del proceso monitorio...*, cit., p. 353.

[164]   El apartado 31 de la Sentencia afirma: «De ello se infiere que, en el supuesto de que el juez nacional, después de haber determinado —sobre la base de los elementos de hecho y de derecho de que disponga o que se le hayan comunicado a raíz de las diligencias de prueba que haya acordado de oficio a tal efecto— que una cláusula está comprendida en el ámbito de aplicación de la Directiva, compruebe, tras una apreciación efectuada de oficio, que dicha cláusula presenta un carácter abusivo, está obligado, por regla general, a informar de ello a las partes procesales y a instarles a que debatan de forma contradictoria según las formas previstas al respecto por las reglas procesales nacionales».
Esta misma doctrina se repite en decisiones posteriores. Entre ellas, tiene especial importancia la STJUE de 7 de noviembre de 2019, asuntos Profi Credit Polska y otros (C-419/17 y C-483/18), que trae causa de un proceso monitorio basado en un pagaré. En su apartado 70, el Tribunal de Justicia reproduce literalmente el mismo párrafo transcrito de la STJUE de 21 de febrero de 2013, asunto Banif Plus Bank (C-472/11). Sin embargo, el Tribunal de Luxemburgo se limita a recoger en este apartado la regla general, pero ni en la decisión final de la cuestión planteada ni en ningún momento de la fundamentación exige que ese debate contradictorio en el proceso monitorio se lleva a cabo *in limine litis*, es decir, antes del requerimiento de pago al deudor.

la que se adopta en el marco de un proceso declarativo con cognición plena. El juez realiza una labor meramente preventiva y se basa en una apariencia de derecho, pero su decisión no tendrá —o no debería tener— eficacia de cosa juzgada material[165]. Por tanto, ese control *a limine* no impedirá ni que el acreedor impugne el auto que deniegue el requerimiento de pago o acuda a un proceso declarativo en defensa de la validez de la cláusula, ni que el consumidor se oponga al requerimiento de pago para que se decida sobre la abusividad en el proceso declarativo que corresponda[166].

En definitiva, el Tribunal de Luxemburgo no ha manifestado, al menos de momento, que diferir el debate sobre el fondo y condicionarlo a que el demandado adopte una posición activa, que constituye la esencia de un proceso monitorio, es en sí mismo contrario a la protección de los consumidores. Por tanto, no parece razonable desnaturalizar esta técnica con la adición de una vista en la que se debata sobre las cláusulas abusivas con carácter previo al requerimiento de pago.

2.2. La incidencia de la jurisprudencia en el proceso monitorio europeo

El acceso de los acreedores al proceso monitorio europeo está condicionado a que el asunto tenga carácter transfronterizo, entendiendo por tal, conforme al artículo 3 del RPME, aquel en el que al menos una de las partes esté domiciliada o tenga su residencia habitual en un Estado miembro distinto de aquel al que pertenezca el órgano jurisdiccional ante el que se haya presentado la petición. Si se cumple esta condición, el acreedor podrá optar por acudir al proceso monitorio europeo o a cualquier otro proceso que sea procedente en virtud del Derecho nacional o del Derecho de la Unión Europea. Con carácter general, el dilema girará entre acudir al proceso monitorio nacional o al proceso

---

[165] Cfr., F. ALBA CLADERA, «Armonización de la técnica monitoria...», cit., p. 1226.

[166] En este sentido, B. SÁNCHEZ LÓPEZ, «Recorrido por las sucesivas reformas del procedimiento monitorio...», cit., p. 2837.

monitorio europeo, dada la ventaja en términos de eficacia que supone para el acreedor la técnica monitoria y la consiguiente inversión de la iniciativa del contradictorio.

Después de que el TJUE se manifestase en contra de una normativa nacional que no preveía el control de oficio de cláusulas abusivas en el proceso monitorio, no resultaba nada arriesgado aventurar que el mismo problema se podía suscitar respecto del proceso monitorio europeo. El RPME no contiene previsión alguna sobre el control, de oficio o a instancia de parte, de las cláusulas abusivas. Y, precisamente por ello, el Juzgado de Primera Instancia nº 11 de Vigo y el Juzgado de Primera Instancia nº 20 de Barcelona presentaron sendas cuestiones prejudiciales referidas a la actuación de los jueces nacionales ante la eventual existencia de cláusulas abusivas en el proceso monitorio europeo.

El momento en el que se suscitaron estas dudas por los tribunales españoles coincide con un aumento exponencial de los procesos monitorios europeos en España, que, según las estadísticas elaboradas por el Consejo General del Poder Judicial, se incrementaron en un 798,3% en 2018. Este incremento se explica, en gran medida, por la cesión de créditos de consumo a entidades financieras que están domiciliadas en otros Estados de la Unión. En estos casos, al cumplirse el requisito de que el crédito sea transfronterizo, las entidades cesionarias optaban por acudir al proceso monitorio europeo porque tenía una doble ventaja: no tenían que aportar medio de prueba alguno acreditativo de la deuda, sino solo una descripción de las pruebas de que dispongan, y no estaba previsto el control de cláusulas abusivas[167].

---

[167] En este sentido, la Memoria Anual del Consejo General del Poder Judicial, Panorámica de la Justicia 2018, p. 15, disponible en https://www.poderjudicial.es/cgpj/es/Temas/Estadistica-Judicial/Estudios-e-Informes/Panoramica-de-la-Justicia/, afirma lo siguiente: «En estos casos, y coexistiendo con los monitorios de la LEC (art. 812 a 818), las empresas financieras cesionarias de países pertenecientes a la Unión Europea pero no españolas, en el intento de evitar el examen judicial de posibles cláusulas abusivas del artículo 815.4, en ocasiones han optado por

La STJUE de 19 de diciembre de 2019, asunto Bondora (C-453/18 y C-494/18), da respuesta a las cuestiones prejudiciales planteadas por los juzgados españoles. El origen de ambas cuestiones se remonta a dos procesos monitorios europeos iniciados por la sociedad Bondora frente a dos consumidores por el incumplimiento de sendos contratos de préstamo. Como la deuda reclamada en ambos casos se fundaba en un contrato celebrado con consumidores, los juzgados competentes requirieron a la sociedad para que aportara documentación acreditativa de la deuda con el fin de poder controlar el eventual carácter abusivo de las cláusulas contractuales. La sociedad requerida se opuso aduciendo, por un lado, que, según la disposición final vigesimotercera, apartado 2, de la LEC, en el caso de una petición de requerimiento europeo de pago, no es necesario aportar documentación acreditativa de la deuda y, por otro lado, que los artículos 8 y 12 del Reglamento n.º 1896/2006 no hacen referencia alguna a la presentación de documentación para la expedición de un requerimiento europeo de pago.

En estas circunstancias, los juzgados nacionales plantean al Tribunal de Justicia las siguientes cuestiones: ¿debe un juez ante el que se ha presentado una petición de requerimiento europeo de pago con arreglo al RPME relativa a un contrato celebrado entre un profesional y un consumidor, controlar de oficio la eventual existencia de cláusulas abusivas, en el sentido de la Directiva

---

plantear un proceso monitorio europeo, de acuerdo con la normativa contenida en el Reglamento (CE) 1896/2006. De este modo, recibe el tratamiento de asunto trasfronterizo, porque una de las partes está domiciliada en un Estado miembro diferente a España (que es el estado al que pertenece el órgano ante el que se presenta la petición), aunque en este caso, coinciden el "Estado miembro de origen" y el "Estado miembro de ejecución", al ser ambos España. El juzgado de primera instancia, de acuerdo con el Reglamento citado, únicamente desestimará la petición si no se cumplen los requisitos del Reglamento, la pretensión es manifiestamente infundada o no se ha procedido a la subsanación o modificación requerida».

93/13? En este contexto, ¿está facultado dicho juez para requerir al demandante que aporte una copia del contrato que justifica su petición en virtud del artículo 7, apartado 2, del citado Reglamento? En caso negativo, ¿qué conclusiones cabría sacar en cuanto a la validez del RPME, a la luz, en particular, del artículo 38 de la Carta de los Derechos Fundamentales de la Unión Europea?

En la Sentencia Bondora se refleja un esfuerzo importante del Tribunal de Luxemburgo para no declarar incompatible con la Directiva 93/13 la propia normativa europea, en concreto, el RPME y reconducir el problema hacia la disposición final vigesimotercera, apartado 2, de la LEC, que dispone: «La petición de requerimiento europeo de pago se presentará a través del formulario A que figura en el anexo I del Reglamento (CE) n.º 1896/2006, sin necesidad de aportar documentación alguna, que en su caso será inadmitida».

El Tribunal de Justicia reconoce que el artículo 7, apartado 2, del RPME regula de manera exhaustiva los requisitos que debe cumplir la petición de requerimiento europeo de pago[168] y, entre ellos, no está la aportación de documentación acreditativa de la deuda. No obstante, el máximo intérprete del Derecho de la Unión estima que el tribunal nacional ante el que se haya presentado una petición de requerimiento europeo de pago debe poder pedir al acreedor información complementaria relativa a las cláusulas que éste invoca para acreditar la deuda, como la reproducción de todo el contrato o la presentación de una copia de este, con el fin de poder examinar el carácter eventualmente abusivo de tales cláusulas. Esta conclusión se fundamenta en la interpretación conjunta de los artículos 6 y 7 de la Directiva 93/13 y los artículos 7 y 9 del RPME.

Lo primero que ha de determinar el Tribunal de Luxemburgo es si el órgano jurisdiccional nacional ante el que se presenta un

---

[168]   En este sentido se pronunció la STJUE de 13 de diciembre de 2012, asunto Szyrocka (C-215/11), apartado 32.

requerimiento europeo de pago está vinculado por la Directiva 93/13, tal y como ha sido interpretada por su propia jurisprudencia. La respuesta es afirmativa pues el TJUE otorga a la protección de los consumidores frente a cláusulas abusivas una posición prevalente que sitúa a la Directiva 93/13 por encima de cualquier norma procesal nacional e, incluso, de cualquier norma procesal europea[169]. El artículo 38 de la CDFUE exige garantizar un nivel elevado de protección de los consumidores dentro de la Unión Europea y los artículos 6 y 7 de la Directiva 93/13 obligan a establecer medios eficaces para evitar que los consumidores queden vinculados por cláusulas abusivas. Estas exigencias son extensibles no solo al proceso monitorio nacional, sino también al proceso monitorio europeo[170].

Con esta premisa, la siguiente cuestión que se ha de determinar es si la normativa europea que regula el proceso monitorio europeo es permeable a la exigencia de protección del consumidor frente a cláusulas abusivas o, lo que es lo mismo, si una normativa propia de la Unión Europea, como es el RPME, es compatible con el acervo europeo de protección de los consumidores. El Tribunal

---

[169] Cfr., E. VALLINES GARCÍA, «La reforma necesaria del proceso monitorio en España…», cit., p. 637 y C. SANTALÓ GORIS, «Bondora: another brick in the proceduralization of the consumers`substantive rights», en *Cuadernos de Derecho Transnacional*, Octubre/2020, Vol. 12, nº 2, pp. 1187 a 1198.

[170] A este respecto, se ha afirmado que la Sentencia Bondora pone encima de la mesa la necesidad de replantear el derecho procesal cuando afecta a las relaciones de consumo. En este sentido, cfr., F. ESTEBAN DE LA ROSA, «El control de las cláusulas abusivas en los contratos de consumo en el régimen del proceso monitorio europeo: un comentario a la sentencia del Tribunal de Justicia dictada en el asunto Bondora», en *El derecho internacional privado entre la tradición y la innovación: libro homenaje al profesor doctor José María Espinar Vicente*, E. PÉREZ VERA, J. C. FERNÁNDEZ ROZAS, M. GUZMÁN ZAPATER, A. FERNÁNDEZ PÉREZ Y M. GUZMÁN PECES (editores), Iprolex, Madrid, 2020, pp. 247 a 267.

de Justicia se manifiesta a favor de esa compatibilidad y para ello lleva a cabo un auténtico encaje de bolillos.

El demandante debe utilizar el formulario A, que figura en el Anexo I del RPME, para presentar su petición inicial conforme al artículo 7.1 del mismo Reglamento y ese formulario exige que se deje constancia de la causa de pedir y prevé, en el campo 10, que el demandante haga una descripción de los medios de prueba de que dispone y, en el campo 11, que se puede añadir información complementaria. De ello se deduce, a juicio del Tribunal de Justicia, que el demandante puede aportar información adicional relativa a las cláusulas que se invocan para acreditar la deuda, así como reproducir el contrato.

Pero no solo el demandante puede presentar *motu proprio* la información y documentación complementaria, sino que también puede solicitarla el tribunal nacional[171]. Esta última conclusión se fundamenta por el Tribunal de Justicia en que el artículo 9, apartado 1, del RPME establece que el órgano jurisdiccional ante el que se haya presentado dicha petición está facultado, valiéndose del formulario B, que figura en el anexo II de este Reglamento, para pedir al acreedor que complete o rectifique la información facilitada sobre la base del artículo 7 de dicho Reglamento[172].

---

[171]   El Tribunal de Justicia refuerza esta conclusión al afirmar, en el apartado 52, que «el hecho de que un órgano jurisdiccional nacional requiera al demandante que aporte el contenido del documento o de los documentos en los que basa su petición se integra simplemente en la materia probatoria del proceso, ya que ese requerimiento tiene por único objeto determinar si la petición es fundada, de modo que no vulnera el principio dispositivo».

[172]   Esta misma opinión fue la manifestada por la Abogada General. Sra. Eleanor Sharpston, en sus Conclusiones presentadas el 31 de octubre de 2019 en las que también afirma que «la facultad de solicitar una copia del contrato no afecta fundamentalmente a los objetivos de celeridad, simplificación y reducción de costes consagrados en el artículo 1 del Reglamento n.º 1896/2006» y que «el control ejercido por el juez *se limita estrictamente* a la comprobación del carácter potencialmente abu-

Esta interpretación resulta un tanto forzada si se repara en que el artículo 9 del RPME se refiere a la posibilidad de completar o rectificar la petición inicial «en caso de que no se cumplan los requisitos establecidos en el artículo 7» y, entre esos requisitos, no está la aportación del contrato en el que se base la reclamación[173]. No obstante, el Tribunal de Justicia entiende que es la única interpretación que impedirá a los acreedores eludir las exigencias derivadas de la Directiva 93/13, así como del artículo 38 de la CDFUE.

Con esta exégesis del Tribunal de Luxemburgo se consigue que el RPME supere el filtro impuesto por la Directiva 93/13 en

---

sivo, a primera vista, de las cláusulas invocadas (al examinar la apariencia de buen derecho de la petición), esta solución no debería provocar retrasos significativos en la tramitación de dicha petición, sobre todo en el caso de un juez experimentado en litigios en el ámbito del Derecho en materia de protección de los consumidores» (apartados 128 a 131).

[173] A este respecto resulta muy ilustrativas las palabras de F. ALBA CLADERA, «Armonización de la técnica monitoria...», cit., p. 1217 y 1228, cuando afirma lo siguiente: «En el fondo, con esta resolución estamos pasando por el tamiz del TJUE y de la Directiva 93/13 y del artículo 38 de la CDFUE no una disposición nacional, sino una propiamente europea, el RPME; aunque se diga que la disposición final 23ª.2 LEC es contraria al Derecho europeo por declarar inadmisible la documentación complementaria. Por ello, queremos manifestar que la disposición final vigésima tercera de la LEC es totalmente escrupulosa con el RPME, el art. 7.1 requiere que la petición de requerimiento europeo de pago se presente a través del formulario A, sin acompañamiento de documentación alguna, cosa distinta es que luego el art. 9 RPME permita la posibilidad de completar o rectificar la petición si no se cumplen los requisitos establecidos en el artículo 7, cosa que obviamente no prohíbe la disposición española. Entendemos el proceder del TJUE y de que este intente forzar al máximo el texto del RPME para dar encaje a la jurisprudencia europea en materia de protección de derecho de consumidores; sin embargo, tal vez, lo honesto aunque más problemático y, tal vez, inviable sería haber respondido la cuestión prejudicial cuarta del asunto C-494/18, estableciendo que la redacción actual del RPME no permite el control de oficio de la existencia de cláusulas abusivas con carácter previo a expedir el requerimiento europeo de pago, por lo que no sería válido por ser contrario al art. 38 CDFUE y al art. 6.1 TUE».

lo que se refiere a la protección de los consumidores frente a cláusulas abusivas, pero no corre la misma suerte la disposición final vigesimotercera, apartado 2, de la LEC. Esta última se considera contraria al Derecho de la Unión al declarar inadmisible la documentación complementaria que se pueda aportar junto con la petición inicial.

En definitiva, cuando la reclamación se base en un contrato entre un empresario y un profesional, el proceso monitorio europeo deja de seguir un modelo puro —o híbrido— para convertirse en documental[174]: el acreedor tendrá que aportar la copia del contrato en que se basa su pretensión o, al menos, de aquellas cláusulas contractuales que sean fundamento de su petición o determinen la cantidad reclamada y si no lo hace, el tribunal nacional tendrá que solicitar esa documentación complementaria con el fin de controlar la eventual concurrencia de cláusulas abusivas que causen un desequilibrio entre los derechos y obligaciones de las partes en perjuicio del consumidor[175].

---

[174] Se produce, por tanto, una cierta desnaturalización de la esencia del proceso monitorio europeo. En este sentido, C. SANTALÓ GORIS, «Bondora: another brick...», cit., p. 1195, afirma: «...after *Bondora* the examination of the application of the standard form will no longer be a *prima facie* one. The documentation that the claimants might be requested to provide could lead to a thorough review of the contract on which the claim might be based».

[175] Lo que no dice en ningún momento la Sentencia Bondora es que si el órgano jurisdiccional nacional se plantea la concurrencia de alguna cláusula abusiva ha de convocar una vista antes de emitir o denegar el requerimiento de pago. Es cierto que esta pregunta no se planteó de manera expresa en las cuestiones prejudiciales y, por tanto, habrá que esperar a ver si en el futuro se pone en tela de juicio la necesidad de celebrar esa vista previa, como se hace en el proceso monitorio nacional. Sin embargo, la Abogada General. Sra. Eleanor Sharpston, en las Conclusiones presentadas el 31 de octubre de 2019, insiste en la idea de que la aportación de una copia del contrato, bien a instancia del propio demandante o bien a requerimiento del órgano jurisdiccional, no afectará a los objetivos de celeridad y eficacia en la tutela del crédito (apartados 128 a 131).

Capítulo IX
La protección del consumidor en el juicio cambiario

1. LA POLÉMICA SUSCRIPCIÓN DE TÍTULOS CAMBIARIOS POR LOS CONSUMIDORES EN GARANTÍA DE PAGOS FUTUROS

El recurso a ciertos títulos cambiaros —letras de cambio o pagarés— para garantizar un compromiso de pago por un consumidor se ha utilizado tanto en la práctica bancaria como en el sector inmobiliario.

En los últimos tiempos, las entidades bancarias han recurrido a la práctica de exigir al consumidor la emisión de un título cambiario —habitualmente un pagaré— en garantía del pago de un crédito —como regla, un crédito al consumo—. Esta exigencia se concreta al amparo de una condición general de la contratación inserta en el contrato de préstamo, recogido en un documento privado o en una póliza sin la intervención de notario, en el que, además, se prevé la liquidación unilateral de la deuda por el banco. Estos pagarés se emiten con frecuencia en blanco[176] y será la entidad financiera la que añada, si fuera necesario, el importe a pagar o, en otras ocasiones, se refleja la totalidad de la deuda, sin perjuicio de que después haya que descontar los pagos parciales.

---

[176] Sobre la problemática de los pagarés en blanco, vid. E. VALPUESTA GASTAMINZA, «Comentario de la Sentencia del Tribunal Supremo de 11 de septiembre de 2014 (3864/14). Pagaré cambiario: exigencia formal de la promesa pura y simple de pago», en *Comentarios a las sentencias de unificación de doctrina: civil y mercantil*, Dir. M. YZQUIERDO TOLSADA, vol. 6/2016, pp. 741 a 751.

Este tipo de pagarés se suelen emitir con la cláusula «no a la orden» para impedir que sean endosados y reclamados por terceros ajenos a la relación causal.

Del mismo modo, en el sector inmobiliario se ha extendido el recurso al título cambiario —generalmente la letra de cambio— para garantizar el pago de las cantidades mensuales que el comprador de una vivienda sobre plano ha de abonar al promotor en tanto se termina su construcción. La obligación de suscribir los títulos cambiarios se recoge también como una condición general en el contrato de compraventa en cuya perfección el consumidor no tiene capacidad de negociación, sino que se limita a aceptar o rechazar el negocio jurídico tal y como se lo presenta el profesional. Esta forma de actuar permite al promotor conseguir financiación, bien descontando los efectos en una entidad bancaria o bien endosándolos a otros acreedores. En el primer caso, el banco hace un anticipo y si el deudor-librado no satisface el importe de la letra a su presentación, la entidad bancaria reclamará al librador que restituya los fondos y éste puede reclamar al librado el pago no satisfecho. En el segundo caso, el acreedor endosatario —que puede ser también un banco— tendrá acción contra todos los firmantes de la letra, incluido el consumidor-librado y el librador[177].

El principal riesgo en el sector inmobiliario se produce en caso de quiebra de la promotora, que tiene como consecuencia la ruina del proyecto de construcción y la no entrega de la vivienda al consumidor. En ese caso, el consumidor ha abonado ya unas cantidades y tiene suscritas unas letras de cambio que, en principio, le obligarían a seguir pagando lo que quede pendiente.

La utilización de los títulos cambiarios como instrumentos para garantizar el pago por el consumidor de un crédito o asegu-

---

[177] Como simples botones de muestra de la utilización de las letras de cambio en el sector inmobiliario pueden verse la STS 2308/2022, Sala Primera, de 8 de junio de 2022 y la SAP Cádiz, de 22 de diciembre de 2022 (n.º 2629/2022).

rar cualquier obligación de pago futuro se ha puesto en tela de juicio ante los tribunales nacionales. Se cuestiona si la debida protección del consumidor es compatible con el recurso a los efectos cambiarios o si puede constituir una práctica abusiva y, por tanto, contraria a la Directiva 93/13.

No hay ninguna norma nacional que de manera expresa prohíba el uso del pagaré o de la letra de cambio para asegurar el pago de una deuda por un consumidor. Es más, de la legislación se puede deducir que da luz verde a la utilización de los efectos cambiarios en este ámbito, limitándose a establecer ciertas cautelas en casos particulares. Así, el artículo 24 de la Ley 16/2011, de 24 de junio, de contratos de crédito al consumo, bajo el título «obligaciones cambiarias», dispone que «cuando en la adquisición de bienes o servicios concurran las circunstancias previstas en el apartado 1 del artículo 29, si el consumidor y su garante se hubieran obligado cambiariamente mediante la firma en letras de cambio o pagarés, podrán oponer al tenedor al que afecten las mencionadas circunstancias las excepciones que se basen en sus relaciones con el proveedor de los bienes o servicios correspondientes».

Las Audiencias Provinciales han mantenido posturas dispares sobre la validez de esa condición general inserta en los contratos celebrados con consumidores y sobre si la eventual nulidad se extiende o no a la declaración cambiaria.

En este contexto, la STS 466/2014, Sala de lo Civil, de 12 de septiembre de 2014, se pronuncia sobre esta cuestión. Los hechos de los que esta Sentencia trae causa se concretan en un contrato de «préstamo formalizado con pagaré», en cuyas condiciones generales se recoge la siguiente cláusula: «*En interés de la parte prestataria y con la conformidad de "la Caixa" se conviene la incorporación de las obligaciones de devolución del capital y pago de intereses que, para la parte prestataria y los fiadores, se derivan de este contrato a un pagaré emitido por la parte prestataria con el aval de los fiadores de este préstamo*». Se consigna como importe del pagaré el mismo que consta como capital del préstamo en las condiciones particulares.

Ante el impago de los deudores, la entidad bancaria dio por vencido anticipadamente el contrato de préstamo formalizado en documento privado y formuló demanda de proceso especial cambiario, conjunta y solidariamente contra los prestatarios, con fundamento en el pagaré emitido y complementado por el propio banco. Los deudores formularon demanda de oposición en la que se aducía, entre otras razones, la falta de validez de la declaración cambiaria por la incorporación al contrato de cláusulas abusivas. En apoyo de este motivo, se afirmaba que la imposición por parte de la entidad bancaria a los consumidores de la obligación se suscribir un pagaré en las condiciones fijadas en el contrato de préstamo, que no fueron negociadas individualmente, es contraria a las exigencias de la buena fe y causa un grave desequilibrio en perjuicio de los prestatarios. Tanto en primera instancia como en apelación se desestimó la oposición. La Audiencia Provincial de Valencia estimó que no resultaba de aplicación la normativa de protección de los consumidores porque el pagaré es un «título o instrumento de pago» y no resulta relevante el contrato celebrado entre la entidad bancaria y el consumidor.

Presentado recurso de casación, el Tribunal Supremo comienza haciendo un repaso a la disparidad de criterios entre las Audiencias Provinciales sobre el carácter abusivo de este tipo de cláusulas. Unas defienden la validez y eficacia del pagaré en garantía de un crédito al consumo, en la medida en que está amparado en la Ley Cambiaria y del Cheque. Otras consideran una práctica abusiva la de imponer al consumidor la suscripción de un pagaré en garantía del crédito porque rompe el necesario equilibrio entre las posiciones de las partes. Y, por último, hay una postura ecléctica que hace depender la validez o no de esta cláusula de las circunstancias del caso concreto, de modo que solo se considerará abusiva cuando pretenda quebrar las garantías que la ley reconoce al consumidor[178].

---

[178]   En el fundamento jurídico tercero de la STS 466/2014, Sala de lo Civil, de 12 de septiembre de 2014, se hace un detallado recorrido por todas

Pues bien, la STS 466/2014, de 12 de septiembre de 2014, dictada por el Pleno, ha fijado como doctrina jurisprudencial la siguiente: «la condición general de los contratos de préstamo concertados por los consumidores, en la que se prevea la firma por el prestatario (y en su caso por el fiador), de un pagaré en garantía de aquel, en el que el importe por la que se presentará la demanda de juicio cambiario es complementado por el prestamista con base en la liquidación realizada unilateralmente por él, es abusiva y, por tanto, nula, no pudiendo ser tenida por incorporada al contrato de préstamo, y, por ende, conlleva la ineficacia de la declaración cambiaria».

En síntesis, la declaración de abusividad de la condición general que prevé el libramiento de un pagaré y la liquidación unilateral por parte del acreedor a efectos del juicio cambiario, la fundamenta el Tribunal Supremo en los siguientes argumentos: 1°) La entidad bancaria consigue una mejora sustancial de su posición jurídica sin ninguna contrapartida para el consumidor; 2°) En el contrato se hace constar que «en interés de la parte prestataria» se prescinde de la intervención de fedatario público y se emite el pagaré. Sin embargo, la excusa del abaratamiento de los costes sirve para sacrificar las funciones de información, asesoramiento previo, control de la legalidad, fehaciencia y seguridad jurídica, que llevan a cabo los notarios; 3°) Al acudir a un juicio cambiario «se impide al tribunal el control de oficio de las cláusulas abusivas que pudiera contener el contrato de préstamo (por ejemplo, vencimiento anticipado), al basarse la acción no en el contrato, sino en el pagaré emitido en garantía del cumplimiento del contrato, y no facilitarse todos los elementos utilizados para su liquidación y concreción de la suma adeudada»; 4°) El consumidor demandado cambiario encontrará serias dificultades para oponer la excepción de «complementación abusiva del pagaré» porque no sabrá en qué términos se ha hecho la liquidación de la deuda; y 5°) La cláusula que permite la utilización de este tipo de pagarés

---

estas posiciones jurisprudenciales.

en las operaciones con consumidores conlleva una inversión de la carga de la prueba, pues es el demandado cambiario quien ha de oponer la excepción de complementación abusiva del importe del pagaré y probar los hechos que la sustenten, en contra de lo dispuesto en los artículos 82.4 y 88.2 de la LGDCU.

Con estas premisas, el Tribunal Supremo concluye que «la utilización de esta condición general permite al profesional el acceso a un proceso privilegiado que comienza con un embargo cautelar sin necesidad de oír al demandado y sin que tenga que prestar caución ni justificar el *periculum in mora*, con base en un contrato que requiere una previa liquidación para determinar la cantidad adeudada en un momento concreto, sin que el acreedor deba justificar los elementos de hecho y de cálculo utilizados para fijar la cantidad reclamada y sin que la corrección de la liquidación haya sido controlada por un fedatario público. Por tanto se impide que el demandado tenga los elementos de hecho y de cálculo que le permitan enjuiciar la corrección de la cantidad que se le reclama y, en su caso, impugnarla, invirtiéndose además la carga de la prueba en perjuicio del consumidor».

La Sentencia, que cuenta con un voto particular, no ha estado exenta de críticas[179], pero su doctrina se ha repetido en resoluciones posteriores[180]. No es mi intención hacer un análisis exhaustivo

---

[179]   Sobre el tema, C. SENÉS MOTILLA, «Tratamiento de las cláusulas abusivas en el juicio cambiario», en *Revista General de Derecho Procesal*, n°42/2017, (en www.iustel.com); I. ESCUÍN IBÁNEZ, «Cláusulas abusivas en los contratos de préstamo celebrados con consumidores que prevén la firma de determinado pagaré. Comentario de la sentencia del Tribunal Supremo de 12 de septiembre de 2014 (3892/2014)», en *Comentarios a la sentencias de unificación de doctrina: civil y mercantil*, Dir. M. YZQUIERDO TOLSADA, vol. 6/2016, pp. 223 a 230; A. DÍAZ MORENO, «Pagarés cambiarios emitidos en garantía de la devolución de préstamos de consumidores», en *Revista Cesco de Derecho de Consumo*, n°. 12/2014, pp. 158 y 159.

[180]   Cfr., STS 645/2015, Sala de lo Civil, de 11 de noviembre de 2015 y STS 648/2016, Sala de lo Civil, de 2 de noviembre de 2016.

de las eventuales cláusulas abusivas que se pueden esconder tras los títulos cambiarios en los que el obligado es un consumidor. Solo quiero poner de manifiesto que la protección de los consumidores frente a las cláusulas abusivas no puede excluirse por el consabido carácter abstracto de los títulos cambiarios y así se ha puesto de manifiesto en la Sentencia a la que se ha hecho referencia y en otras posteriores.

2. LA PROTECCIÓN DE LOS CONSUMIDORES FRENTE A CLÁUSULAS ABUSIVAS EN EL JUICIO CAMBIARIO

El recurso a los títulos cambiarios para garantizar un pago futuro por un consumidor puede, en algunos casos, encubrir el uso de cláusulas abusivas que producen una situación de desequilibrio en perjuicio de la parte más débil. Es, por ello, necesario preguntarse sobre la protección que se brinda al consumidor en el juicio cambiario y, en especial, cuáles son los poderes de actuación de oficio del juez para garantizar que el consumidor no quede vinculado por las cláusulas abusivas.

A nivel europeo, existen ciertas reticencias a permitir el uso de efectos cambiarios por los que el librador se obliga a pagar una cantidad de dinero, como garantía de contratos de crédito al consumo. De hecho, esta práctica está expresamente prohibida en algunos Estados[181]. Sin embargo, el Derecho de la Unión no contiene ninguna norma al respecto, sino que deja a la discrecionalidad de los Estados decidir si pueden o no utilizarse los títulos cambiarios para garantizar un crédito al consumo o, en general, una obligación de pago futura por un consumidor[182].

---

[181] Así sucede en Bélgica, Bulgaria, Dinamarca, Alemania, Estonia, Finlandia, Francia, Letonia, Luxemburgo, los Países Bajos, Eslovaquia, Eslovenia, Suecia o la República Checa.

[182] Resulta muy significativo el cambio normativa que ha habido a este respecto. El artículo 10 de la Directiva 87/102/CEE del Consejo, de 22 de diciembre de 1986, relativa a la aproximación de las disposiciones lega-

En este sentido, la STJUE de 7 de noviembre de 2019, asuntos Profi Credit Polska y otros (C-419/17 y C-483/18) ha dado respuesta a una cuestión prejudicial planteada por un órgano jurisdiccional polaco en la que, entre otras cuestiones, preguntaba si los artículos 3.1, 6.1 y 7.1 de la Directiva 93/13, así como el artículo 10 de la Directiva 2008/48, se oponen a una normativa nacional que permite garantizar el pago de una deuda derivada de un contrato de crédito al consumo celebrado entre un profesional y un consumidor mediante la emisión de un pagaré en blanco.

En los procedimientos de los que trae causa esta cuestión prejudicial se habían emitido sendos pagarés en blanco y es el profesional quien asumía la función de completar esos pagarés con los importes adeudados por los consumidores de acuerdo con las condiciones fijadas en el acuerdo cambiario. En este contexto, el Tribunal de Luxemburgo aclara que en la medida en que esas cláusulas no se han negociado individualmente tanto las condiciones para la emisión del pagaré como el propio acuerdo cambiario quedan comprendidos en el ámbito de aplicación de la Directiva 93/13. Por tanto, los Estados miembros han de establecer mecanismos que garanticen que estas cláusulas pueden ser controladas para apreciar su eventual carácter abusivo.

Con el fin de valorar la validez de las cláusulas cuestionadas, el órgano jurisdiccional nacional ha de examinar si causan un desequilibrio importante entre los derechos y obligaciones de las partes en perjuicio del consumidor y si se ha cumplido o no la

---

les, reglamentarias y administrativas de los Estados miembros en materia de crédito al consumo imponía a los Estados miembros que permitían al consumidor conceder una garantía mediante letras de cambio, pagarés o cheques, el deber de asegurar la adecuada protección del consumidor cuando hiciera uso de dichos instrumentos. Sin embargo, la Directiva 2008/48/CE del Parlamento Europeo y del Consejo, de 23 de abril de 2008, relativa a los contratos de crédito al consumo por la que se deroga la anterior Directiva 87/102/CEE, no contiene ninguna disposición que establezca una obligación similar a cargo de los Estados miembros.

exigencia de transparencia que impone el deber de facilitar al consumidor toda la información que pueda influir en el alcance de sus obligaciones y que le permita valorar las consecuencias procesales de garantizar sus deudas derivadas de un contrato de crédito al consumo mediante la emisión de un pagaré en blanco.

En definitiva, el Tribunal de Justicia concluye que «los artículos 1, apartado 1, 3, apartado 1, 6, apartado 1, y 7, apartado 1, de la Directiva 93/13 deben interpretarse en el sentido de que no se oponen a una normativa nacional, como la controvertida en los litigios principales, que, para garantizar el pago de la deuda derivada de un contrato de crédito al consumo celebrado entre un profesional y un consumidor, permite estipular en dicho contrato la obligación de que el prestatario emita un pagaré en blanco y que supedita la licitud de la emisión de dicho pagaré a la celebración previa de un acuerdo cambiario que determine las condiciones en que el pagaré podrá ser completado, siempre que —extremo cuya verificación incumbe al órgano jurisdiccional remitente— esa estipulación y ese acuerdo se ajusten a lo dispuesto en los artículos 3 y 5 de dicha Directiva y en el artículo 10 de la Directiva 2008/48»[183].

Queda claro, pues, que el Tribunal de Luxemburgo no considera contrario al Derecho de la Unión la emisión de un título cambiario para garantizar el pago de un crédito al consumo, pero también que la protección de los consumidores impuesta por la normativa europea no se desvanece por el carácter abstracto del título cambiario.

Por tanto, en el ordenamiento español, igual que en el resto de los ordenamientos nacionales de los Estados miembros, la protec-

---

[183] Esta misma opinión manifestó la Abogada General, Sra. Juliane Kokott, en el punto 35 de las Conclusiones presentadas el 26 de abril de 2018, en el asunto asunto Profi Credit Polska (C-176/17), al afirmar que «la voluntad del legislador de la Unión es la de dejar a la discreción de los Estados miembros decidir si puede utilizarse un pagaré para garantizar un crédito al consumo».

ción de los consumidores impuesta por la Directiva 93/13 no puede excluirse cuando el pago se ha garantizado mediante un título cambiario y el acreedor insta un juicio cambiario para lograr el cobro. Este procedimiento, que sigue la técnica monitoria, ofrece al acreedor un cauce bastante más privilegiado que el alternativo proceso declarativo ordinario o que el proceso monitorio general. A grandes rasgos, el juicio cambiario comienza por demanda sucinta a la que se ha de acompañar el título cambiario. El Juzgado competente analiza la demanda y la corrección formal del título cambiario y si se cumplen los requisitos, dicta un auto en el que acuerda requerir al deudor para que pague en un plazo de diez días y ordena el inmediato embargo preventivo de los bienes del deudor por la cantidad que figure en el título cambiario, más intereses de demora, gastos y costas, por si no se atendiera al requerimiento. Ante ese requerimiento, el deudor puede adoptar tres actitudes: pagar, presentar demanda de oposición o mantenerse inactivo, en cuyo caso se despachará ejecución.

De momento, el control del TJUE para garantizar el respeto de los derechos de los consumidores no se ha extendido a la regulación del juicio cambiario en la LEC y el legislador español no ha introducido novedades similares a las que se han incorporado al proceso monitorio o a la ejecución de títulos ejecutivos extrajudiciales. No es, sin embargo, nada improbable que en un futuro próximo se plantee al Tribunal de Justicia la adecuación del juicio cambiario nacional a la normativa de protección de los consumidores. Mientras esto no suceda, podemos encontrar algunas pistas de cuál podría ser la postura del Tribunal de Luxemburgo en dos decisiones que, aunque próximas en el tiempo entre sí, muestran una importante evolución del máximo intérprete del Derecho de la Unión: la STJUE de 13 de septiembre de 2018, asunto Profi Credit Polska (C-176/17) y la STJUE de 7 de noviembre de 2019, asuntos Profi Credit Polska y otros (C-419/17 y C-483/18), que se pronuncian respecto del proceso monitorio basado en un título cambiario, previsto en la legislación polaca, cuya regulación presenta importantes similitudes con el juicio cambiario de la LEC.

2.1. El punto de partida: la STJUE de 13 de septiembre de 2018, asunto Profi Credit Polska (C-176/17)

El Tribunal de Justicia ha tenido ocasión de revisar por primera vez la protección de los consumidores que han garantizado un crédito al consumo mediante un título cambiario en el contexto de un proceso monitorio al amparo de la legislación polaca. La STJUE de 13 de septiembre de 2018, asunto Profi Credit Polska (C-176/17), que resuelve esta cuestión, reviste un indudable interés porque, ante las similitudes de ese proceso monitorio y el juicio cambiario de la LEC, permite extraer algunas consecuencias pertinentes para el Derecho español.

2.1.1. Los antecedentes de hecho y la cuestión prejudicial planteada

La sociedad Profi Credit Polska concedió un préstamo al consumo al Sr. Wawrzosek. En ese contrato-tipo, con clausulado preestablecido, se contenía una cláusula que imponía al prestatario la obligación de emitir un pagaré por un importe no especificado para garantizar el crédito. Ante el impago del prestatario, la entidad financiera completó el pagaré con la cantidad adeudada e interpuso demanda de proceso monitorio contra el consumidor. A esa demanda solo se le adjunta el pagaré, sin ningún otro documento que acredite la existencia de la obligación garantizada (como puede ser el contrato de crédito al consumo).

Conforme a la legislación polaca aplicable, a efectos de emitir el requerimiento de pago, el órgano jurisdiccional solo ha de examinar la regularidad formal del título cambiario, sin que pueda entrar a valorar *in limine litis* el contrato subyacente. Solo si el deudor formula oposición al requerimiento de pago podrá poner en tela de juicio no solo la obligación cambiaria, sino también la relación subyacente y, en consecuencia, el contrato de crédito al consumo. Por tanto, es el consumidor el que tiene la carga de oponerse para que pueda apreciarse el posible carácter abusivo de determinadas cláusulas o el incumplimiento de las obligaciones en materia de información.

En estas circunstancias, el tribunal polaco decidió suspender el procedimiento y plantear al Tribunal de Luxemburgo una cuestión prejudicial mediante la que preguntó si resulta compatible con los artículos 6 y 7 de la Directiva 93/13 y los artículos 17 y 22 de la Directiva 2008/48 una normativa nacional que, en un proceso monitorio incoado contra un consumidor con base en un pagaré formalmente regular, impone al órgano jurisdiccional limitar su examen al cumplimiento de los requisitos formales del título cambiario, sin que pueda examinar las circunstancias relevantes de la relación contractual subyacente mientras no haya una oposición expresa del propio consumidor.

2.1.2. La decisión del Tribunal de Justicia de la Unión Europea

La Sentencia Profi Credit Polska comienza descartando la aplicación al caso de la Directiva 2008/48 relativa a los contratos de crédito al consumo por dos razones: no hace referencia a los títulos cambiarios, a diferencia de la anterior Directiva 87/102 ya derogada, y si bien el artículo 17.1 se refiere a la cesión de los derechos del prestamista a un tercero, en el litigio principal ha quedado acreditado que el beneficiario del pagaré y el prestamista son la misma persona jurídica.

Con estas premisas, el Tribunal de Justicia centra su valoración sobre la normativa polaca en su conformidad con la Directiva 93/13. Y lo hace distinguiendo entre las dos fases que tiene el proceso monitorio en la legislación polaca: la primera fase, previa al requerimiento de pago, y la fase declarativa, que se inicia solo en el caso de oposición del deudor al requerimiento de pago. Si bien la cuestión prejudicial planteada se centraba en la primera de estas fases, el TJUE afirma que debe examinarse el proceso en su conjunto, pues «cada caso en el que se plantee la cuestión de si una disposición procesal nacional afecta a la tutela judicial efectiva debe analizarse teniendo en cuenta el lugar que ocupa dicha disposición en el conjunto del procedimiento ante las diversas instancias nacionales, así como el desarrollo y las peculiaridades de este»[184].

El Tribunal de Luxemburgo comienza recordando que, conforme a reiterada jurisprudencia, el interés público que fundamenta la protección de los consumidores obliga a los Estados de la Unión Europea a prever medios adecuados y eficaces para que cese el uso de cláusulas abusivas en los contratos celebrados entre profesionales y consumidores. Para alcanzar este objetivo resulta fundamental la labor de los jueces nacionales, que deberán apreciar de oficio el carácter abusivo de una cláusula contractual tan pronto como dispongan de los elementos de hecho y de derecho necesarios.

Sin embargo, como afirma el órgano jurisdiccional proponente de la cuestión prejudicial, en la primera fase del procedimiento el control se limita al título cambiario y no alcanza al contrato subyacente respecto del cual no dispone de los elementos de hecho y de derecho que le permitan valorarlo. No obstante, la legislación polaca permite de manera excepcional convocar a una vista si no existen «elementos suficientes para la adopción de un requerimiento de pago». Esta circunstancia, empero, no se da en un caso como el planteado porque el título cambiario cumple los requisitos formales y, por tanto, es suficiente para emitir el requerimiento de pago.

En conclusión, de conformidad con la legislación polaca, cuando la pretensión cambiaria se funde en un título cambiario formalmente regular, el juez que conoce del proceso monitorio solo tendrá a su disposición los elementos de hecho y de derecho necesarios para controlar la concurrencia de cláusulas abusivas si el sujeto requerido formula oposición al requerimiento de pago. No resulta posible, por tanto, examinar la validez de las cláusulas contractuales en el momento de valorar la solicitud inicial del

---

[184] Vid, apartado 55 de la Sentencia Profi Credit Polska. En el mismo sentido, STJUE de 21 de abril de 2016, asunto Radlinger y Radlingerová (C-377/14), apartado 50.

acreedor cambiario. Pese a ello, el Tribunal de Luxemburgo no considera que esta circunstancia por sí sola sea determinante para afirmar la incompatibilidad de la legislación polaca con la normativa europea en materia de protección de los consumidores. Por el contrario, el Tribunal de Justicia amplía su campo de visión al procedimiento en su conjunto, incluyendo la fase de oposición. Esta ampliación se base en la falta de armonización de los procedimientos para el examen de las posibles cláusulas abusivas y la consiguiente autonomía procesal de los Estados para establecer y desarrollar esos procedimientos a nivel interno. Eso sí, ese control ha de ser eficaz y respetuoso con el principio de equivalencia y con el derecho a la tutela judicial efectiva del artículo 47 de la CD-FUE. A falta de un control eficaz, no estará garantizado el respeto a los derechos reconocidos por la Directiva 93/13.

En ausencia de cualquier indicio de incompatibilidad con el principio de equivalencia, la cuestión se centra en el derecho a la tutela judicial efectiva. En relación con este último derecho, la controversia gira en torno a si las modalidades de procedimiento de oposición que establece el Derecho nacional generan un «riesgo no desdeñable» de que los consumidores afectados no formulen oposición. Entre los medios adecuados para garantizar el derecho a la tutela judicial efectiva de los consumidores ha de estar la posibilidad de presentar un recurso o de formular oposición con unos requisitos procesales razonables que no menoscaben las garantías exigidas por la Directiva 93/13. Serían, por tanto, inaceptables aquellas exigencias procesales que generen un riesgo no desdeñable de que el consumidor deje de hacer uso de un mecanismo previsto para la defensa de los derechos que le reconoce el ordenamiento de la Unión Europea.

Siguiendo las conclusiones de la Abogada General[185], el Tribunal de Justicia considera que el ejercicio del derecho de oposición por parte del consumidor está sujeto, en la legislación polaca, a

---

[185] Cfr. Conclusiones de la Abogada General, Sra. Juliane Kokott, presentadas el 26 de abril de 2018, apartado 82.

unos requisitos especialmente restrictivos. Por un lado, el plazo para presentar el escrito de oposición es de dos semanas y en él debe precisar los motivos de oposición y las excepciones que formula, así como delimitar los hechos y proponer las pruebas. Por otro lado, el demandado debe pagar las tres cuartas partes de las tasas judiciales al formular la oposición al requerimiento de pago, mientras que la reclamación inicial del acreedor cambiario solo está gravada con una cuarta parte de dichas tasas, lo que genera un desequilibrio en perjuicio del consumidor.

En definitiva, el TJUE considera que existe un riesgo no desdeñable de que los consumidores no insten la oposición al requerimiento de pago por varias razones: el plazo particularmente breve, los costes que implica, la ignorancia de sus derechos o la falta de percepción de la amplitud de los mismos o el contenido limitado de la petición inicial del proceso monitorio y, por tanto, el carácter incompleto de la información de la que dispone el consumidor.

Con estas premisas, la decisión del TJUE no puede ser otra que afirmar la incompatibilidad entre la normativa nacional y el artículo 7.1 de la Directiva 93/13, en la medida en que «permite expedir un requerimiento de pago basado en un pagaré formalmente correcto, que garantiza un crédito nacido de un contrato de crédito al consumo, cuando el juez que conoce de una demanda de procedimiento monitorio no tiene la facultad de examinar el eventual carácter abusivo de las cláusulas de ese contrato, ya que los requisitos para ejercer el derecho a formular oposición a dicho requerimiento no permiten garantizar el respeto de los derechos del consumidor derivados de la citada Directiva».

Esta misma doctrina se reiteró en el Auto del Tribunal de Justicia de 28 de noviembre de 2018, asunto PKO Bank Polski (C-632/17). En esta ocasión, se trataba de un proceso monitorio en el que el requerimiento de pago se había emitido sobre la base de un extracto de los libros de contabilidad de un banco como elemento que acredita la existencia de un derecho de crédito nacido de un contrato de crédito al consumo. El Tribunal de Luxemburgo consideró de nuevo incompatible la legislación polaca con la Directiva 93/13 porque el juez no tiene la posibilidad examinar el carácter abusivo de las cláusulas, ni el cumplimiento del deber de informar de manera clara y suficiente al consumidor ya que «las modalidades para ejercer el derecho a formular oposición a dicho requerimiento no permiten garantizar el respeto de los derechos del consumidor».

2.2. Una nueva visión más garantista: la STJUE de 7 de noviembre de 2019, asuntos Profi Credit Polska y otros (C-419/17 y C-483/18)

Un año después de la anterior decisión, el Tribunal de Luxemburgo vuelve a pronunciarse sobre la misma cuestión en relación precisamente con la misma entidad cuyo objeto social es la concesión de créditos. Se trata de STJUE de 7 de noviembre de 2019, asuntos Profi Credit Polska y otros (C-419/17 y C-483/18).

2.2.1. Los antecedentes de hecho y las cuestiones jurídicas planteadas

Los hechos de los que trae causa esta decisión se refieren a varios asuntos acumulados que tienen un nexo común: la empresa Profi Credit Polska había suscrito contratos de crédito al consumo con cada uno de los deudores, en los que el pago de la deuda se garantizaba con la emisión de un pagaré en blanco que, una vez producido el incumplimiento por los prestatarios, fue completado por la acreedora.

Ante el incumplimiento de los deudores, la empresa prestataria presentó demanda para lograr el cobro de las deudas con base exclusivamente en el pagaré y, por tanto, sin que el órgano jurisdiccional nacional tuviera a su disposición el contrato subyacente y pudiera valorar si contiene o no cláusulas abusivas, salvo en uno de los casos por la oposición de un deudor. Incluso en otro de los asuntos acumulados, el tribunal nacional requirió a Profi Credit Polska para que aportara el acuerdo cambiario y el contrato de préstamo y ésta rechazó el requerimiento con base en que, conforme a la legislación vigente, solo estaba obligada a presentar el pagaré debidamente completado y firmado. Este requerimiento se basó en que, pese a que el demandado había adoptado una actitud pasiva, el tribunal tenía conocimiento de otros contratos tipo celebrados por la misma empresa en los que había una diferencia significativa entre el importe del préstamo y la cantidad a reembolsar y, por tanto, tenía sospechas sobre el carácter abusivo de algunas cláusulas.

En este contexto, las cuestiones que se someten a la consideración del Tribunal de Luxemburgo son dos. La primera es si se oponen los artículos 3, apartado 1, 6, apartado 1, y 7, apartado 1, de la Directiva 93/13 y la Directiva 2008/48, en particular sus artículos 10, 14, 17, apartado 1, y 19, a una normativa nacional que permite que el crédito de un prestamista profesional frente a un prestatario que es un consumidor esté garantizado mediante un pagaré en blanco. La segunda si las disposiciones de la Directiva 93/13, especialmente los artículos 6.1 y 7.1, se oponen a una normativa nacional que impida al órgano jurisdiccional actuar de oficio cuando la demandante reclama un derecho de crédito resultante de un pagaré en blanco y el demandado no se opone y adopta una actitud pasiva, aunque dicho órgano jurisdiccional tenga una convicción firme y fundada, basada en materia probatoria no procedente de las partes procesales, de que el contrato que da origen a la relación causal es, al menos parcialmente, nulo.

2.2.2. La decisión del Tribunal de Justicia

El Tribunal de Luxemburgo comienza aclarando que el Derecho de la Unión no se opone a una normativa nacional que permite garantiza el pago de una deuda derivada de un contrato de crédito al consumo celebrado ente un profesional y un consumidor mediante un pagaré en blanco. Ahora bien, el órgano jurisdiccional nacional ha de controlar, en cada caso, si esa cláusula, no negociada individualmente, es abusiva en la medida en que causa un desequilibrio importante en perjuicio de la parte más débil y también si se han cumplido las exigencias de transparencia e información clara y suficiente de manera que el consumidor pueda comprender el alcance de las obligaciones que asume.

Dicho esto, el TJUE se centra en la cuestión fundamental: los poderes que tiene el órgano jurisdiccional nacional a la hora de controlar las eventuales cláusulas abusivas de un contrato cuando la demanda se ha basado exclusivamente en un título cambiario y no se ha aportado el contrato subyacente, ni el demandado se ha opuesto a la pretensión cambiaria. Se plantea, en definitiva, si pese a la actitud pasiva del demandado, el tribunal nacional debe examinar de oficio si las estipulaciones acordadas entre las partes tienen carácter abusivo y, a este respecto, si puede exigir al profesional que presente el escrito en el que se recogen dichas estipulaciones, de modo que ese órgano jurisdiccional esté en condiciones de garantizar el respeto de los derechos de los consumidores reconocidos en Derecho de la Unión Europea.

El TJUE comienza haciendo una distinción entre los distintos asuntos acumulados. En uno de ellos, el juez nacional disponía del contrato de crédito al consumo, mientras que en los demás no lo tenía a su disposición. En el primer caso, la jurisprudencia europea es clara en el sentido de que el juez debe examinar de oficio las cláusulas que puedan ser abusivas tan pronto como disponga de los elementos de hecho y de derecho necesario y a ello no puede oponerse la circunstancia de que la demanda se haya basado exclusivamente en el título cambiario y no en el contrato de préstamo.

El problema, por tanto, se centra en el caso más complejo y frecuente que se da cuando el juez nacional no dispone del contrato subyacente en el que se ha basado la suscripción del título cambiario y el consumidor demandado no lo introduce en el debate procesal por medio de la oposición a la reclamación cambiaria. En tales circunstancia, el Tribunal de Justicia afirma que «incumbe al juez nacional acordar de oficio diligencias de prueba para determinar si una cláusula que figura en el contrato objeto del litigio que debe resolver, celebrado entre un profesional y un consumidor, está comprendida en el ámbito de aplicación de la

Directiva y, en caso afirmativo, apreciar el carácter eventualmente abusivo de dicha cláusula». Solo así se podrá garantizar un control eficaz de las cláusulas potencialmente abusivas y el respeto de los derechos conferidos por la Directiva 93/13 a los consumidores.

El juez nacional, por tanto, ha de tener el poder de exigir la presentación de los documentos necesarios, incluido el acuerdo cambiario, para tener a su disposición los elementos de hecho y de derecho que le permitan fiscalizar el eventual carácter abusivos de las cláusulas contractuales. Esta exigencia no afecta al principio de congruencia, sino que constituye simplemente «una parte de la etapa probatoria del proceso» cuyo único objeto es determinar si la demanda está o no fundada.

Una vez que el juez nacional disponga de los datos de hecho y de derecho tendrá que analizar si la cláusula en cuestión está comprendida en el ámbito de aplicación de la Directiva 93/13 y si presenta un carácter abusivo, en cuyo caso deberá, como regla general, abrir un debate contradictorio entre las partes en la forma prevista por las normas procesales nacionales. A este respecto, el máximo intérprete del Derecho de la Unión afirma que es una norma imperativa, prevista en el artículo 288 del TFUE, la que obliga a los Estados y a las autoridades estatales, entre ellas las judiciales, a adoptar las medidas necesarias para garantizar los objetivos previstos en la Directiva. Por ello, los jueces nacionales han de interpretar el Derecho interno, en la medida de lo posible, a la luz de la normativa europea y cuando no puedan llevar a cabo una interpretación conforme con las exigencias de la Directiva 93/13, deberán inaplicar cualquier disposición o jurisprudencia nacional contrarias a su obligación de fiscalizar de oficio las cláusulas abusivas en perjuicio del consumidor.

Con estos argumentos, la decisión final del Tribunal de Luxemburgo no podía ser otra que cuando «un órgano jurisdiccional nacional alberga serias dudas sobre la procedencia de una demanda basada en un pagaré destinado a garantizar la deuda derivada de un contrato de crédito al consumo, pagaré que fue inicialmente emitido en blanco por el firmante y posteriormente completado por el beneficiario, dicho órgano jurisdiccional debe examinar de oficio si las estipulaciones acordadas entre las partes tienen carácter abusivo y, a este respecto, puede exigir al profesional que presente el escrito en el que se recogen dichas estipulaciones, de modo que ese órgano jurisdiccional esté en condiciones de garantizar el respeto de los derechos que tales Directivas —Directiva 93/13 y Directiva 2008/48— confieren a los consumidores».

2.3. *La evolución jurisprudencial y sus repercusiones sobre el juicio cambiario de la LEC*

La STJUE de 13 de septiembre de 2018, asunto Profi Credit Polska (C-176/17) y STJUE de 7 de noviembre de 2019, asuntos Profi Credit Polska y otros (C-419/17 y C-483/18), pese a la similitud de los hechos y de las cuestiones jurídicas planteadas en ambas y la proximidad en el tiempo entre sí, muestran una clara evolución del Tribunal de Justicia de una postura menos tuitiva a otra mucho más protectora del consumidor como parte débil de la relación contractual.

De esta jurisprudencia se puede extraer con claridad la conclusión de que el Derecho de la Unión no se opone a que el crédito concedido al consumidor o, en general, cualquier obligación de pago futura asumida por éste se garantice mediante la emisión de un título cambiario. Ahora bien, cuando ese título cambiario pretenda hacerse efectivo frente al consumidor, el procedimiento debe articularse de manera que permita en algún momento el control judicial del clausulado del contrato subyacente para evitar que el consumidor quede vinculado por cláusulas abusivas.

Dicho esto, la cuestión que se plantea es si existe algún impedimento para que ese control judicial se ejerza solo con ocasión de un incidente de oposición instado por el consumidor o si los jueces nacionales han de tener la potestad de recabar los elementos de hecho y de derecho necesarios para fiscalizar el eventual carácter abusivo de las cláusulas del contrato del que trae causa el título cambiario, pese a que el consumidor se haya mantenido inactivo. Este es el aspecto más controvertido y en el que se puede apreciar el giro dado por la jurisprudencia europea.

En un primer momento, el Tribunal de Justicia considera que no es necesario que el control judicial se ejerza *in limine litis,* sino que si el juez nacional no tiene a su disposición los elementos de hecho y de derecho para llevar a cabo un control directo por iniciativa propia, el consumidor demandado ha de tener la posibilidad de proporcionarle la ocasión de efectuarlo mediante un procedimiento de oposición eficaz que permita al juzgador acceder a esos elementos fácticos y jurídicos[186]. Una vez que el juez nacional tome conocimiento del contrato subyacente, no tendrá que limitar su control a las alegaciones que hubiera hecho el consumidor, sino que se podrá extender a otras cláusulas contractuales, sometiéndolo a debate para respetar el principio de contradicción[187].

---

[186] Esta misma opinión mantuvo la Abogada General, Sra. Juliane Kokott, en las conclusiones presentadas el 26 de abril de 2018, en el asunto (C-176/17). En apoyo de la misma, se afirma que el Derecho procesal polaco establece más requisitos para la expedición de un requerimiento de pago en la primera fase del procedimiento que los que prescribe el Reglamento n.º 1896/2006 por el que se establece un proceso monitorio europeo para la expedición de un requerimiento europeo de pago que pueda ser utilizado a efectos de la ejecución de deudas frente a los consumidores. En efecto, en la legislación polaca el demandante debe presentar el efecto cambiario, mientras que en el proceso monitorio europeo solo debía facilitarse al tribunal una descripción de los medios de prueba que acrediten el crédito reclamado, pero no se exigía su presentación. Debe, sin embargo, advertirse que estas Conclusiones y la propia Sentencia son anteriores a la Sentencia de 19 de diciembre de 2019, en el asunto Bondora (C-453/18 y C-494/18), en la que el Tribunal de Justicia ha afirmado que el juez nacional competente para conocer de un proceso monitorio europeo puede pedir información complementaria relativa a las cláusulas contractuales con el fin de controlar el carácter eventualmente abusivo de las mismas. Tras la Sentencia Bondora decae el argumento utilizado por la Abogada General.

[187] A. MARTÍNEZ SANTOS, «Protección efectiva del consumidor, acceso a la justicia y control judicial de las cláusulas abusivas en el juicio cambiario», en *Revista Española de Derecho Europeo,* núm. 71/2019, pp. 115 y 116.

En este caso, el control de oficio es muy relativo porque está condicionado a que el consumidor adopte una actitud activa mediante la oposición al requerimiento de pago.

En la misma línea argumental, el Tribunal de Justicia reconoció, en su posición inicial, que los ordenamientos nacionales pueden imponer requisitos o condiciones para admitir el trámite a través del cual el deudor haga valer los derechos que le reconoce el ordenamiento de la Unión, siempre que esos requisitos no sean más gravosos que los exigidos a nivel interno para pretensiones análogas —principio de equivalencia— y que no obstaculicen el acceso del consumidor a la justicia para garantizar la adecuada protección de sus derechos —derecho a la tutela judicial efectiva—[188]. Es, por ello, que la valoración del Tribunal de Justicia en la STJUE de 13 de septiembre de 2018, asunto Profi Credit Polska (C-176/17) giró en torno al concepto de «riesgo no desdeñable» de que el consumidor no haga valer los derechos reconocidos por el ordenamiento europeo.

La constatación de si existe o no ese «riesgo no desdeñable» se hace atendiendo al conjunto del procedimiento, a su desarrollo y a sus peculiaridades. La brevedad del plazo de oposición, el coste económico y la información disponible para el consumidor en el momento de plantearse la oposición constituyen un conjunto de factores que permiten al Tribunal de Luxemburgo concluir que existe un «riesgo no desdeñable» de que el consumidor se vea privado de la posibilidad de hacer valer sus derechos en el proceso monitorio basado en un título cambiario, previsto en la legislación polaca.

A la vista de la STJUE de 13 de septiembre de 2018, asunto Profi Credit Polska (C-176/17), la cuestión que surge de modo inmediato es si la regulación del juicio cambiario en la LEC superaría el tamiz del «riesgo no desdeñable». No parece muy arriesgado aventurar que la respuesta del Tribunal de Justicia sería seguramente negativa. El juicio cambiario de los artículos 819 a 827 de

---

[188] A. MARTÍNEZ SANTOS, «Protección efectiva del consumidor...», cit., pp. 116 y 117.

la LEC presenta bastantes similitudes con el proceso monitorio basado en un título cambiario de la legislación polaca. En este procedimiento se produce también una inversión de la iniciativa del contradictorio y las condiciones de acceso a la oposición por parte del consumidor demandado no son mejores que las previstas en la legislación polaca: el plazo de oposición es aún más breve que en Polonia —diez días en lugar de quince—, la información de que dispondrá el consumidor para articular su oposición será bastante limitada, teniendo en cuenta que el juicio cambiario comienza por demanda sucinta a la que solo se le ha de acompañar el título cambiario y a esto se le debe sumar el carácter tasado de los motivos de oposición y el automatismo con el que se adopta el embargo preventivo, sin oír al demandado y sin sujeción a los requisitos generales de la medidas cautelares —no se exige caución, ni acreditación del *periculum in mora*, ni del *fumus boni iuris* más allá de la firma del requerido en el título cambiario—.

No parece, por tanto, temerario suponer que la regulación del juicio cambiario español correría la misma suerte que el proceso monitorio basado en un título cambiario de la legislación polaca. Ambos entrañan un «riesgo no desdeñable» de que el consumidor deje pasar la oportunidad de defender sus derechos en el proceso y, en consecuencia, suponen un obstáculo para que los jueces nacionales puedan ejercer sus deberes de control de oficio de las cláusulas abusivas tan pronto como tengan a su disposición los elementos fácticos y jurídicos para ello.

Ahora bien, atendiendo solo al criterio del «riesgo no desdeñable», tanto una como otra regulación, la polaca y la española, serían salvables, simplemente mejorando las condiciones del consumidor para el acceso a la oposición. Bastaría con ampliar el plazo para presentar la oposición, mitigar el déficit de información de que dispone el consumidor o reducir los costes. En definitiva, el legislador podría limitarse a corregir las deficiencias apreciadas por el Tribunal de Luxemburgo, sin necesidad de incorporar un verdadero control de oficio de las cláusulas abusivas porque conforme al criterio del «riesgo no desdeñable» no existe obstáculo alguno para que ese control se supedite a la previa oposición del deudor siempre que ésta pueda considerarse un medio eficaz de defensa de los derechos de los consumidores[189].

Sin embargo, la STJUE de 7 de noviembre de 2019, asuntos Profi Credit Polska y otros (C-419/17 y C-483/18) supone un giro copernicano en la perspectiva desde la que se ha de valorar la adecuación de la normativa reguladora del proceso monitorio basado en un título cambiario o del juicio cambiario de la legislación española a la Directiva 93/13. No es suficiente ya con que las condiciones de acceso a la oposición por el deudor no sean muy gravosas y, por tanto, pueda descartarse el «riesgo no desdeñable» de que el consumidor no utilice el cauce previsto para la defensa de sus derechos. No es admisible tampoco que el juez nacional se quede esperando a que el consumidor decida oponerse para darle acceso a los fundamentos fácticos y jurídicos que el permitan realizar el control de las eventuales cláusulas abusivas del contrato subyacente. Antes al contrario, el juez nacional tiene que tener la posibilidad de procurarse el acceso a los elementos necesario para llevar a cabo un auténtico control de oficio, con independencia de la actitud que adopte el consumidor requerido. A estos efectos, si la pretensión cambiaria se ha acompañado exclusivamente del título cambiario, el juez nacional puede requerir al acreedor para que aporte el contrato del que trae causa la emisión del pagaré o de la letra de cambio o, al menos, aquellas cláusulas contractuales en las que se fundamenta su reclamación o que determinen la cantidad exigible. Una vez que el juez nacional tenga a su disposición los elementos de hecho y de derecho ha de fiscalizar cualquier cláusula abusiva que sea fundamento de la pretensión cambiaria o que determine la cantidad reclamada, respetando, eso sí, la necesaria contradicción entre las partes[190].

---

[189]   En el mismo sentido, A. MARTÍNEZ SANTOS, «Protección efectiva del consumidor...», cit., p. 117.

[190]   El respeto al principio de contradicción no implica necesariamente la celebración de una vista previa al requerimiento de pago en los procesos

En lo que atañe a la regulación española, esta nueva posición jurisprudencial supone que también en el juicio cambiario de los artículos 819 a 827 de la LEC, los jueces nacionales han de asumir un papel directivo cuando el obligado por el título cambiario sea un consumidor, con el fin de evitar que los consumidores resulten vinculados por cláusulas no negociadas individualmente que causan un desequilibrio importante entre los derechos y obligaciones de las partes en perjuicio de la parte más débil. El carácter abstracto del título cambiario no puede servir de excusa para burlar el control de oficio de cláusulas abusivas y, como ha reiterado el Tribunal de Justicia en muchas ocasiones, las características específicas del procedimiento judicial que se ventila entre el profesional y el consumidor, en el marco del Derecho nacional, no pueden constituir un elemento que pueda afectar a la protección jurídica de la que debe disfrutar el consumidor[191]. Por tanto, cuando el demandado en el juicio cambiario sea un consumidor, debería aportarse, junto con el título cambiario, el contrato subyacente o, al menos, las cláusulas en las que se basa la pretensión cambiaria, de manera que el juez esté en condiciones de excluir aquellas cláusulas que puedan calificarse como abusivas.

---

que siguen la técnica monitoria. Al respecto, vid lo dicho en el apartado 2.1.3. el incidente contradictorio *a limine litis*, del Capítulo VIII.

[191] Cfr, entre otras, la Sentencia del Tribunal de Justicia de 4 de junio de 2009, asunto Pannon (C-243/08).

Capítulo X

Los poderes de actuación de oficio del juez en los procesos de reclamación de derechos de procuradores y honorarios de abogados

1. INTRODUCCIÓN: LA SUJECIÓN DE LOS SERVICIOS CONCERTADOS ENTRE ABOGADOS Y CLIENTES A LA DIRECTIVA 93/13 SOBRE CLÁUSULAS ABUSIVAS

Los artículos 34 y 35 de la LEC regulan los procesos de exacción de derechos económicos de procuradores y abogados, conocidos tradicionalmente como «jura de cuentas», mediante los que estos profesionales pueden reclamar el cobro de los derechos u honorarios devengados en el curso de un proceso[192].

La cuestión que ahora se plantea es si en los procesos de exacción de derechos económicos de procuradores y abogados han de respetarse también las garantías legales específicas que la normativa de la Unión prevé con el fin de proteger a los consumidores y, en particular, la defensa frente a cláusulas abusivas proclamada en la Directiva 93/13.

La premisa sobre la que hay que pronunciarse como punto de partida es si la contratación de los servicios del representante técnico o del abogado con el cliente está sometida a las garantías que el Derecho de la Unión dispone para la protección de los consumidores frente a cláusulas abusivas.

---

[192] Un estudio más detallado sobre estos procedimientos puede verse en M. CEDEÑO HERNÁN, *Los procesos de exacción de derechos económicos de procuradores y abogados*, Valencia, 2019, ed. Tirant Lo Blanch.

El Tribunal de Luxemburgo ha dado respuesta a este interrogante en la STJUE de 15 de enero de 2015, asunto Šiba c. Devėnas (C-537/13), que resuelve una cuestión prejudicial planteada por el Tribunal Supremo de Lituania en el marco de un litigio entablado entre un abogado y su cliente en reclamación del pago de honorarios[193].

A grandes rasgos los hechos de los que esta Sentencia trae causa son los que se resumen a continuación. El abogado celebró con su cliente tres contratos tipo de prestación de servicios jurídicos a título oneroso: un contrato para la defensa de sus intereses en un procedimiento de divorcio, de partición de bienes y de fijación del lugar de residencia de un menor; un contrato para la defensa de sus intereses en el procedimiento de anulación de una operación promovido por el Sra. Šiba, y un contrato por el que la Sra. Šiba encargó al Sr. Devėnas la interposición de un recurso de apelación ante el Klaipėdos apygardos teismas (tribunal regional de Klaipėda, Lituania) y la defensa de sus intereses en el procedimiento ante ese tribunal. Las modalidades de pago de los honorarios y los plazos en los que debían pagarse no se especificaron en esos contratos, que tampoco determinaron con precisión los diferentes servicios jurídicos por los que era exigible ese pago ni el coste de las prestaciones que correspondían a ellos.

Ante el impago de los honorarios por la Sra. Šiba, el abogado presentó demanda ante los tribunales lituanos que, en primera y segunda instancia, estimaron la pretensión del demandante. La demandada interpuso recurso de casación con base en que los tribunales inferiores no tuvieron en cuenta su calidad de consumidora, de modo que no interpretaron a su favor los contratos discutidos, en contra de lo que exige la legislación aplicable.

---

[193] Un comentario sobre esta Sentencia puede verse en J. M. AYALA MUÑOZ, «La sujeción de los servicios concertados entre abogados y clientes a la directiva de cláusulas abusivas. Comentario a la STJUE de 15 de enero de 2015», en *Diario La Ley*, núm. 8511, 31 de mayo de 2015.

En estas circunstancias, el Tribunal Supremo de Lituania decide presentar la cuestión prejudicial en la que pregunta en esencia si un abogado que ejerce una profesión liberal puede ser calificado como «profesional» y si un contrato de servicios jurídicos concluido por un abogado con una persona física es un contrato de consumo, con las garantías inherentes a la protección de los consumidores.

El TJUE comienza recordando que la Directiva 93/13 se aplica a las cláusulas de los contratos celebrados entre profesionales y consumidores que no se hayan negociado individualmente. La idea sobre la que se sustenta el sistema de protección de esta Directiva es que el consumidor se halla en una situación de inferioridad respecto del profesional, tanto en su capacidad de negociación como en su nivel de información, por lo que suele adherirse a las condiciones redactadas de antemano por el profesional sin poder influir en su contenido.

El Tribunal de Luxemburgo estima que en los contratos de servicios jurídicos existe una cierta desigualdad entre los «clientes-consumidores» y los abogados, por cuanto los abogados tienen un alto nivel de competencias técnicas que los consumidores no poseen necesariamente. En consecuencia, un abogado que, en ejercicio de su actividad profesional, presta un servicio a título oneroso a una persona física que actúa con fines privados es un «profesional» en el sentido del artículo 2, letra c), de la Directiva 93/13.

Si el abogado decide utilizar en las relaciones contractuales con los clientes las cláusulas tipo previamente redactadas por él mismo o por los órganos de su corporación profesional, esas cláusulas se integran directamente en los contratos por la sola voluntad de abogado y, no siendo objeto de negociación individual, han de respetar las garantías establecidas por la Directiva 93/13[194].

---

[194] La STJUE *Šiba c. Devėnas* pone de manifiesto (apartados 29 y 30) que a esta conclusión no se opone que quienes ejercen estas profesiones

La conclusión final a la que llega el Tribunal de Luxemburgo es que «la Directiva 93/13/CEE del Consejo, de 5 de abril de 1993, sobre las cláusulas abusivas en los contratos celebrados con consumidores, debe interpretarse en el sentido de que se aplica a los contratos tipo de servicios jurídicos, como los que son objeto del asunto principal, concluidos por un abogado con una persona física que actúa con un propósito ajeno a su actividad profesional».

2. ¿QUIÉN HA DE CONTROLAR LA CONCURRENCIA DE CLÁUSULAS ABUSIVAS Y EN QUÉ MOMENTO HA DE LLEVARSE A CABO ESE CONTROL?

Si la concertación de los servicios jurídicos entre un profesional y un cliente-consumidor está sometida a las garantías de la Directiva 93/13, es obvio que en el proceso de reclamación de derechos económicos u honorarios se debe poder verificar si concurren o no cláusulas abusivas. Esta es la consecuencia lógica de la anterior premisa y está fuera de toda discusión. Pero ¿cómo se ha de llevar a cabo ese control?; ¿a quién corresponde controlar la concurrencia de cláusulas abusivas? y ¿en qué momento ha de controlarse si concurren o no estas cláusulas?

La ingente jurisprudencia del TJUE que, en los últimos años, se ha pronunciado sobre la protección del consumidor frente a cláusulas abusivas ha puesto de manifiesto con meridiana claridad que las cláusulas abusivas no han de vincular al consumidor. Este objetivo solo se podrá garantizar si la concurrencia de estas cláusulas puede ser apreciada de oficio por el juzgador y si, además, el consumidor tiene algún cauce para poner de manifiesto su concurrencia en el proceso. Se plantea, pues, cómo se ha de encauzar la tutela del consumidor garantizada por la normativa europea en el proceso de reclamación de honorarios del abogados o derechos del procurador.

---

liberales estén sujetos a exigencias deontológicas o deban respetar el secreto profesional.

2.1. La Sentencia del TJUE de 16 de febrero de 2017, asunto Margarit Panicello c. Hernández Martínez (C-503/15)

La incidencia que la jurisprudencia sobre protección del consumidor frente a cláusulas abusivas pueda tener sobre el proceso de exacción de derechos económicos de procuradores y abogados se planteó por primera vez ante el Tribunal de Luxemburgo en la STJUE de 16 de febrero de 2017, asunto *Margarit Panicello c. Hernández Martínez* (C-503/15), que dejó sin resolver la principal cuestión sometida a su consideración.

En su condición de abogado, el Sr. Panicello instó un proceso *ex* artículo 35 de la LEC reclamando a la Sra. Hernández Martínez los honorarios devengados en el marco de un proceso relativo a la guardia y custodia de sus hijos menores. El secretario judicial —actual letrado de la Administración de Justicia[195]— del Juzgado de Violencia sobre la Mujer Único de Tarrasa planteó ciertas dudas de compatibilidad entre el procedimiento privilegiado y el Derecho de la Unión por la falta de constancia sobre si el abogado había informado a su cliente del importe de los honorarios con carácter previo a contratar sus servicios profesionales. En concreto, el secretario judicial pregunta al Tribunal de Luxemburgo sobre las siguientes cuestiones:

(1) Si los procesos de exacción de derechos económicos de procuradores y abogados de los artículos 34 y 35 de la LEC son compatibles con el artículo 47 de la Carta de Derechos Fundamentales de la Unión Europea, en tanto vedan toda posibilidad de control judicial.

(2) Si los artículos 34 y 35 de la LEC se oponen a las Directivas 93/13 y 2005/29 al vedar el control de oficio de las even-

---

[195] Como es sabido, la Ley Orgánica 7/2015, de 21 de julio, sustituyó la tradicional denominación de secretario judicial por la de letrado de la Administración de Justicia. No obstante, muchas normas siguen usando la denominación tradicional y así se hace también en la Sentencia a la que nos estamos refiriendo. Por eso, empleamos indistintamente las dos terminologías.

tuales cláusulas abusivas o prácticas comerciales desleales que contengan los contratos celebrados entre abogados y personas físicas que actúen con propósito ajeno a su actividad profesional.

(3) Si los artículos 34 y 35 de la LEC se oponen a la Directiva 93/13 al limitar las posibilidades del consumidor-demandado de aportar pruebas.

Todos estos interrogantes iban precedidos de otro que ha de resolverse con carácter previo: si, a los efectos del artículo 267 del TFUE, puede considerarse al secretario judicial un «órgano jurisdiccional» o, lo que es lo mismo, si está facultado para plantear cuestiones prejudiciales al TJUE.

2.1.1. La cuestión previa: ¿son los letrados de la Administración de Justicia «órganos jurisdiccionales» a efectos del planteamiento de cuestiones prejudiciales?

Desde una perspectiva interna parece que la respuesta ha de ser claramente negativa. Los letrados de la Administración de Justicia son funcionarios públicos al servicio de la Administración de Justicia que no forman parte del Poder Judicial y que depende del Ministerio de Justicia (artículo 440 de la LOPJ). A esto se debe añadir que la Ley Orgánica 7/2015, de 21 de julio, dio una nueva redacción al artículo 4 bis de la LOPJ para aclarar que el planteamiento de una cuestión prejudicial ante el TJUE debe realizarse por medio de auto y, por tanto, es una atribución exclusiva de jueces y magistrados.

Sin embargo, desde la perspectiva del Derecho de la Unión no se puede ignorar que el concepto de «órgano jurisdiccional» es una noción autónoma y, por tanto, no resulta decisivo que reciba una u otra consideración en el Derecho nacional, sino que trasciende a la organización judicial de cada uno de los Estados miembros individualmente considerados. De hecho, la jurisprudencia del TJUE ha negado legitimación para plantear cuestiones prejudiciales a órganos jurisdiccionales porque, a la vista de las circunstancias concretas, no se encontraban ejerciendo funciones jurisdiccionales[196].

Por este motivo para determinar si un órgano nacional debe ser calificado de «órgano jurisdiccional», a efectos del artículo 276 del TFUE, es preciso verificar cuál es la naturaleza de las funciones que ejerce en el contexto en el que plantea la cuestión prejudicial y, con independencia de lo anterior, deben analizarse el conjunto de requisitos que integran la noción comunitaria de órgano jurisdiccional nacional que ha ido introduciendo el Tribunal de Justicia a través de décadas de jurisprudencia. En concreto, es preciso examinar si estamos en presencia de un órgano de jurisdicción obligatoria, independiente, permanente y creado por la ley, que actúe aplicando normas de Derecho en el marco de un procedimiento contradictorio que desemboque en resoluciones de obligado cumplimiento. Se trata, en todo caso, de un concepto no cerrado respecto del que el Tribunal de Justicia ha primado unos factores u otros o ha hecho una interpretación flexible de algunos de ellos en determinados casos[197].

Las conclusiones de la Abogada General, Sra. Juliane Kokott, sobre si el secretario judicial merece la consideración de «órgano jurisdiccional» difieren de la decisión que finalmente adop-

---

[196] Vid. al respecto la STJUE de 27 de abril de 2006, (asunto Familiensache: Standesemt Stadt Niebüll, C-96/04), FJ 17. En sentido contrario, la STJUE de 11 de junio de 1987, (asunto Sentencia del TJ de 11 de junio de 1987, Pretore di Saló, as. 14/86, FJ 7) donde el Tribunal de Luxemburgo admitió que el Juez de Instrucción que actuaba a su vez como Ministerio Fiscal en procedimientos penales debía ser considerado órgano jurisdiccional nacional incluso si alguna de las funciones que corresponden a dicho órgano jurisdiccional en el procedimiento que ha suscitado la cuestión prejudicial no tienen carácter estrictamente jurisdiccional.

[197] Cfr. CARRERA HERNÁNDEZ, F. J., «Los secretarios judiciales no son órganos jurisdiccionales a los efectos del planteamiento de cuestiones prejudiciales ante el Tribunal de Justicia», en *Revista General de Derecho Europeo*, núm. 42, 2017, p. 132.

tó el Tribunal de Luxemburgo[198]. A su juicio, la respuesta debe ser afirmativa porque concurren todos los factores estructurales y funcionariales a los que se condiciona esta noción autónoma del Derecho de la Unión. No se discute el origen legal o la permanencia de los secretarios judiciales, ni tampoco que en los procesos de «jura de cuentas» aplican normas jurídicas. La controversia se centra, pues, en la independencia del órgano y en si la «jura de cuentas» es un procedimiento obligatorio y contradictorio en que se resuelva un litigio mediante una resolución de carácter jurisdiccional.

El estatuto jurídico y las funciones que desempeñan los letrados de la Administración de Justicia en el proceso de «jura de cuentas» permiten, según la Abogada General, apreciar su independencia, tanto en el aspecto interno como externo. En el primero, porque los letrados de la Administración de Justicia en la «jura de cuentas» son terceros imparciales con respecto al abogado y su cliente. En el segundo, porque la circunstancia de que los secretarios judiciales estén sujetos a las indicaciones de sus superiores no es óbice para reconocer que, en el ámbito concreto de la «jura de cuentas», aquellos actúan sin estar sujetos a indicaciones o injerencias externas.

---

[198] Cfr., Conclusiones, presentadas el 15 de septiembre de 2016, apartados 63 y siguientes.

Un interesante estudio previo a la STJUE y basado en las conclusiones de la Abogado General puede verse en M. AGUILERA MORALES, «¿Quo vadis "jura de cuentas"? ¿Quo vadis Europa? (El estatus y la función de los Secretarios Judiciales a examen por el TJUE», en *Revista General de Derecho Procesal*, núm. 41, 2017. También, L. DOMÍNGUEZ RUIZ, «Cláusulas abusivas y procedimiento para reclamar los honorarios de los abogados: ¿es posible el control de oficio por el letrado de la Administración de Justicia», en *Diario La Ley*, núm. 8860, 10 de noviembre de 2016 y M. LÓPEZ JARA, «De nuevo sobre la naturaleza de las resoluciones del letrado de la Administración de Justicia. A propósito de las conclusiones de la Abogada General en el asunto C-503/15 ante el Tribunal de Justicia de la Unión Europea», en *Diario La Ley*, núm. 8886, 21 de diciembre de 2016.

La obligatoriedad del procedimiento de «jura de cuentas» se deriva de que no depende de un acuerdo entre las partes, sino de que el abogado —o el procurador— opten por este cauce privilegiado y no por el proceso declarativo ordinario o el monitorio y de que la resolución que pone fin al procedimiento de reclamación de honorarios es vinculante para las partes. A esto se le debe añadir que los rasgos de este procedimiento apuntan también a su carácter contradictorio en la medida en que se prevé la posible oposición de la parte requerida.

Por último, la Abogada General estima que la función que ejercen los letrados de la Administración de Justicia en la «jura de cuentas» ha de considerarse jurisdiccional porque el procedimiento privilegiado sirve para resolver una auténtica controversia en la que los secretarios judiciales han de valorar la fundamentación de la reclamación a la vista de la documentación y apreciar las pruebas o las causas de oposición del cliente. La resolución que dicta el letrado de la Administración de Justicia, aunque sin fuerza de cosa juzgada material, vincula a las partes, tiene fuerza de cosa juzgada formal y, sobre todo, lleva aparejada ejecución de la misma manera que las resoluciones judiciales.

Ninguno de estos argumentos fue acogido por el TJUE que en su Sentencia descartó todos y cada uno de los factores de los que depende la consideración de «órgano jurisdiccional» a efectos del planteamiento de cuestiones prejudiciales.

El Tribunal de Justicia sustenta su negativa a considerar al letrado de la Administración de Justicia «órgano jurisdiccional» en tres aspectos: el carácter obligatorio de la «jurisdicción» de los secretarios judiciales en el proceso de «jura de cuentas», la naturaleza de la intervención de los secretarios judiciales en este procedimiento y su independencia.

El Tribunal de Luxemburgo refuta la obligatoriedad de la «jurisdicción», «puesto que la competencia del Secretario Judicial para tramitar el expediente de "jura de cuentas", en virtud de los artículos 34 y 35 de la LEC, es de carácter puramente incidental y facultativo». El abogado o el procurador no están obligados a utilizar el cauce de la «jura de cuentas», sino que pueden «…optar libremente entre este procedimiento y el proceso declarativo ordinario o el procedimiento monitorio».

Esta conclusión contrasta con otras decisiones del Tribunal de Justicia en las que se ha reconocido el carácter de «órgano jurisdiccional» respecto de procedimientos que eran facultativos para el reclamante pero no para la otra parte porque no se requería un acuerdo entre las partes para acudir a esa vía[199]. Esto es precisamente lo que sucede en la «jura de cuentas». Es cierto que el abogado o el procurador pueden elegir entre acudir a la «jura de cuentas» o a un proceso declarativo ordinario o a un proceso monitorio, pero para el cliente o poderdante no es un cauce facultativo, sino obligatorio siempre que así lo decida la parte demandante. A mayor abundamiento, se puede afirmar que si la negación de la condición de «órgano jurisdiccional» del remitente se fundamenta en la falta de obligatoriedad de su «jurisdicción» en la medida en que el demandante puede optar entre diversas vías a la hora de presentar su reclamación, habría que llegar a idéntica conclusión respecto de las otras vías alternativas, incluso aunque la competencia para decidir sobre ellas corresponda a un juez o magistrado.

Precisamente porque este dato no pasa desapercibido al Tribunal de Justicia intenta justificar la diferencia de trato sobre la base de que «…consta que tales órganos remitentes, calificados por el Tribunal de Justicia de «órganos jurisdiccionales» a efectos del artículo 267 TFUE, ejercían sus funciones, (…), en el marco de procedimientos que tenían carácter plenamente jurisdiccional».

Parece, por tanto, que el problema no era tanto la consideración o no del letrado de la Administración de Justicia como

---

[199] Cfr. ATJUE de 13 de febrero de 2014, Merck Canada, C-555/13, apartado 18 y jurisprudencia citada; STJUE de 12 de junio de 2014, Ascendi Beiras Litoral e Alta, Auto Estradas das Beiras Litoral e Alta, C-377/13, apartado 28, y STJUE de 6 de octubre de 2015, Consorci Sanitari del Maresme, C-203/14, apartado 23.

«órgano jurisdiccional», sino la naturaleza de las funciones que ejerce en el proceso de «jura de cuentas». Es precisamente en este punto donde las conclusiones del Tribunal de Justicia resultan más llamativas.

El Tribunal de Luxemburgo afirma que la «jura de cuentas» «... se sitúa al margen del sistema jurisdiccional nacional». Esta consideración se sustenta en que «...la incoación del procedimiento de jura de cuentas no da lugar a que, por causa de litispendencia, pueda impedirse que un tribunal ordinario sustancie autónomamente un proceso declarativo o un procedimiento monitorio» y en que «...el decreto por el que se pone fin al expediente de jura de cuentas es similar a una resolución de carácter administrativo, puesto que tal decreto, aun siendo firme e inmediatamente ejecutivo, sin que se admita contra él ningún recurso, no goza de los atributos de una resolución judicial, especialmente de la fuerza de cosa juzgada material». A mayor abundamiento, se alude a la Sentencia del Tribunal Constitucional español 58/2016, de 17 de marzo, que, según el Tribunal de Luxemburgo, declara que la «jura de cuentas» «... constituye un procedimiento de carácter administrativo, en el marco del cual no puede considerarse que el Secretario Judicial ejerza una función jurisdiccional».

Este razonamiento del Tribunal de Justicia merece dos consideraciones. La primera es que se opone a la Sentencia que el propio Tribunal pronunció en el asunto Finanmadrid, STJUE de 18 de febrero de 2016 (C-49/14), en la que, con relación a las funciones que desempeñan los secretarios judiciales en el proceso monitorio, afirmó que las resoluciones que dictan en ese proceso tienen «efectos análogos a los de una resolución judicial». La segunda es que la STC 58/2016 a la que se refiere el Tribunal de Luxemburgo para refrendar su planteamiento no alude en ningún momento a la naturaleza del procedimiento de «jura de cuentas».

El tercero de los argumentos sobre los que se sustenta la decisión del Tribunal de Justicia en el asunto *Panicello* es que el letrado de la Administración de Justicia no cumple con la exigencia de independencia, en su aspecto externo. El secretario judicial en el proceso de «jura de cuentas» sí cumple con la exigencia de independencia en su aspecto interno «...en la medida en que desarrolla su cometido con plena observancia de la imparcialidad y de la objetividad en relación con las partes y con los respectivos intereses de éstas en el litigio». Sin embargo, no es independiente en la vertiente externa «...que requiere que no exista ningún vínculo jerárquico o de subordinación respecto de toda entidad que pudiera darle órdenes o instrucciones»[200].

2.1.2. La incertidumbre sobre el tratamiento de las cláusulas abusivas en el proceso de reclamación de derechos u honorarios

Con la premisa de que el letrado de la Administración de Justicia no es un «órgano jurisdiccional» a efectos del artículo 267 del TFUE, el Tribunal de Justicia en la Sentencia Panicello dejó sin respuesta las dudas planteadas sobre la compatibilidad entre el proceso de «jura de cuentas» con el artículo 47 de la Carta de Derechos Fundamentales de la Unión Europea y con la Directiva 93/13 sobre cláusulas abusivas.

La valoración de la decisión del TJUE ha de hacerse a la vista de una importante novedad que se produjo en el intervalo entre el envío de la cuestión prejudicial y la decisión del Tribunal de Luxemburgo. Nos referimos a la STC 58/2016, de 17 de marzo, en la que el Pleno del Tribunal Constitucional declaró inconstitucional el párrafo primero del artículo 102 de la LJCA, redactado conforme a la Ley 13/2009, por entender que la proscripción que en él se hacía de la posibilidad de recurrir judicialmente los decretos de los secretarios judiciales resolutorios del recurso de reposición lesionaban el derecho a la tutela judicial efectiva y el principio

---

[200]　En este aspecto, el Tribunal de Justicia acoge el criterio defendido por el Gobierno español en cuya virtud el único ámbito en el que los secretarios judiciales actúan con independencia es en el ejercicio de la fe pública judicial y en sus competencias de ordenación y dirección del procedimiento, mientras que en el resto de sus funciones está sometidos a principios de unidad de actuación y dependencia jerárquica.

de reserva de jurisdicción. Los términos de la Sentencia son muy ilustrativos:

> «*El derecho fundamental garantizado por el art. 24.1 CE comporta que la tutela de los derechos e intereses legítimos de los justiciables sea dispensada por los Jueces y Tribunales, a quienes está constitucionalmente reservada en exclusividad el ejercicio de la potestad jurisdiccional (art. 117.3 CE). Este axioma veda que el legislador excluya de manera absoluta e incondicionada la posibilidad de recurso judicial contra los decretos de los Letrados de la Administración de Justicia resolutorios de la reposición, como acontece en el cuestionado párrafo primero del art. 102 bis.2 LJCA.*
>
> *Entenderlo de otro modo supondría admitir la existencia de un sector de inmunidad jurisdiccional, lo que no se compadece con el derecho a la tutela judicial efectiva (así, STC 149/2000, de 1 de junio, FJ 3, para otro supuesto de exclusión de recurso judicial) y conduce a privar al justiciable de su derecho a que la decisión procesal del Letrado de la Administración de Justicia sea examinada y revisada por quien está investido de jurisdicción (esto es, por el Juez o Tribunal), lo que constituiría una patente violación del derecho a la tutela judicial efectiva (SSTC 115/1999, de 14 de junio, FJ 4, y 208/2015, de 5 de octubre, FJ 5).*
>
> *En suma, el párrafo primero del art. 102 bis.2 LJCA, redactado por la Ley 13/2009 ("Contra el decreto resolutivo de la reposición no se dará recurso alguno, sin perjuicio de reproducir la cuestión al recurrir, si fuere procedente, la resolución definitiva"), incurre en insalvable inconstitucionalidad al crear un espacio de inmunidad jurisdiccional incompatible con el derecho fundamental a la tutela judicial efectiva y la reserva de jurisdicción a los Jueces y Tribunales integrantes del poder judicial. El precepto cuestionado, en cuanto excluye del recurso judicial a determinados decretos definitivos del Letrado de la Administración de Justicia (aquellos que resuelven la reposición), cercena, como señala el ATC 163/2013, FJ 2, el derecho del justiciable a someter a la decisión última del Juez o Tribunal, a quien compete de modo exclusivo la potestad jurisdiccional, la resolución de una cuestión que atañe a sus derechos e intereses y legítimos, pudiendo afectar incluso a otro derecho fundamental: a un proceso sin dilaciones indebidas. Ello implica que tal exclusión deba reputarse lesiva del derecho a la tutela judicial efectiva que a todos garantiza el art. 24.1 CE y del principio de exclusividad de la potestad jurisdiccional (art. 117.3 CE).*
>
> *Nuestro fallo ha de declarar, por tanto, la inconstitucionalidad y nulidad del primer párrafo del art. 102 bis.2 LJCA, debiendo pre-*

> *cisarse que, en tanto el legislador no se pronuncie al respecto, el recurso judicial procedente frente al decreto del Letrado de la Administración de Justicia resolutivo de la reposición ha de ser el directo de revisión al que se refiere el propio art. 102 bis.2 LJCA».*

La misma doctrina aplica el Tribunal Constitucional en la STC 72/2018, de 21 de junio, respecto el art. 188.1, párrafo primero, de la Ley 36/2011, de 10 de octubre, reguladora de la jurisdicción social y en la STC 34/2019, de 14 de marzo, respecto del art. 34.2 y del art. 35.2 de la LEC. En este último caso, se trató de una cuestión interna de inconstitucionalidad que afecta al régimen de recursos contra los decretos de los letrados de la Administración de Justicia en las reclamaciones de honorarios de abogados y derechos de los procuradores reguladas en la LEC, en la medida en que su aplicación pueda eventualmente impedir que las decisiones de aquellos letrados sean revisadas por los jueces y tribunales, titulares en exclusiva de la potestad jurisdiccional (art. 117.3 CE), vedándose que los jueces y magistrados dispensen la tutela judicial.

En la STC 34/2019, el Tribunal Constitucional afirma que con la regulación de los artículos 34 y 35 de la LEC se crea «un procedimiento en el que se dirimen derechos y obligaciones entre las partes que quedan totalmente al margen de la actividad propiamente jurisdiccional y que, además, al no caber recurso alguno, no puede ser objeto de revisión, para tutelar los derechos e intereses en presencia, por ningún órgano propiamente jurisdiccional». De esta forma se «impide la posibilidad de una tutela de derechos e intereses legítimos que la Constitución quiere que sea siempre dispensada por los jueces y tribunales, creando un sector de inmunidad que no se compadece con el art. 24.1 CE».

En el trasfondo de estas Sentencias se puede ver un cierto reproche al legislador nacional por haber transferido a los letrados de la Administración de Justicia más funciones de las que se podían esperar a la luz de los objetivos que el Preámbulo de la propia Ley 13/2009 había anunciado. En definitiva, los secretarios judiciales han pasado a desempeñar funciones que realmente son jurisdiccionales y, como sucedía en la «jura de cuentas», al margen de cualquier control por parte del titular de la potestad jurisdiccional.

El TJUE no ha visto esta realidad y, como señala CARRERA HERNÁNDEZ, "...en el asunto Margarit Panicello, al TJ le ha pesado más la articulación orgánico-funcional de la figura del secretario judicial tal y como se regula en la Ley española, sobre todo en su dimensión más general, que las propias circunstancias y características presentes en el procedimiento de jura de cuentas, ofreciéndonos una sentencia un tanto sorprendente"[201].

No menos curioso resulta que la propia STJUE en el asunto *Margarit Panicello* ha dejado marcado el camino para lograr que el Tribunal de Luxemburgo se pronuncie en el futuro sobre las cuestiones que ha dejado en el tintero. Así se pone manifiesto en el apartado 42 de la Sentencia cuando se afirma «...es al juez de ejecución competente para acordar el apremio sobre la cantidad debida, que debe examinar —de oficio si es necesario— el eventual carácter abusivo de una cláusula contractual que figure en el contrato celebrado entre un procurador o un abogado y un cliente suyo (...), a quien corresponderá, en su caso, plantear al Tribunal de Justicia la petición de decisión prejudicial».

Parece, pues, que la única posibilidad de que se valore la conformidad del proceso de «jura de cuentas» con la Carta de Derechos Fundamentales de la Unión Europea y con la Directiva 93/13 sobre cláusulas abusivas será que el poderdante o cliente no atiendan al pago y esperen a que el juez despache ejecución para que éste pueda plantear tales cuestiones al Tribunal de Justicia de la Unión Europea. Desde luego, no parece ésta la solución más adecuada para garantizar la protección que los consumidores merecen conforme a la normativa de la Unión.

---

[201] CARRERA HERNÁNDEZ, F. J., «Los secretarios judiciales no son órganos jurisdiccionales...», cit., p. 140.

2.2. El ATJUE de 25 de octubre de 2018, asunto Barba Giménez (C-426/27): se mantiene la incertidumbre

Pocos meses después de la Sentencia *Panicello*, el 14 de julio de 2017, se presentó una petición de decisión prejudicial por el Juzgado de lo Social número 2 de Terrassa, asunto Barba Giménez (C-426/17), mediante la que se vuelve a plantear la incompatibilidad entre la normativa nacional y el artículo 47 de la Carta de Derechos Fundamentales de la Unión Europea, así como las Directivas 93/13 y 2005/29[202]. En concreto, la duda se centra en que «…los órganos encargados de instruir los procedimientos mediante los que se resuelve sobre las reclamaciones de honorarios (expedientes de jura de cuentas) no pueden comprobar de oficio, antes de dictar el título ejecutivo, si en el contrato celebrado entre un abogado y un consumidor existen cláusulas abusivas o si se han dado prácticas comerciales desleales».

El Tribunal de Justicia mediante Auto de 25 de octubre de 2018 consideró manifiestamente insostenible la petición de decisión prejudicial. La razón es que el Juzgado de lo Social plantea

---

[202] Con carácter previo al planteamiento de esta cuestión, el 20 de abril de 2016, la Sra. Barba Giménez inició ante el letrado de la Administración de Justicia del Juzgado de lo Social n.º 2 de Terrassa un procedimiento de jura de cuentas, solicitando a la Sra. Carrión Lozano el pago de honorarios derivados de un procedimiento de reconocimiento de incapacidad permanente.

El 13 de mayo de 2016, el letrado de la Administración de Justicia del Juzgado de lo Social n.º 2 de Terrassa planteó una petición de decisión prejudicial al Tribunal de Justicia al considerar que la normativa nacional podía infringir el Derecho de la Unión.

A raíz de la Sentencia Panicello se retiró la petición de decisión prejudicial y se ordenó el archivo del asunto mediante Auto del Presidente del Tribunal de Justicia de 24 de marzo de 2017, Barba Giménez (C-269/16, no publicado, EU:C:2017:263).

Después de esto, es el Juzgado de lo Social n.º 2 de Terrassa el que plantea la misma cuestión prejudicial al Tribunal de Justicia, estando todavía pendiente la decisión del letrado de la Administración de Justicia sobre la petición planteada por la Sra. Barba Giménez.

un problema de naturaleza hipotética y la respuesta a la cuestión prejudicial no le resulta necesaria para resolver el litigio en relación con el cual se ha planteado. El órgano jurisdiccional remitente no se encontraba en el momento de decidir sobre el despacho de la ejecución en el proceso de «jura de cuentas», sino en un procedimiento, del que se desconocen muchos datos, dirigido a decidir si había cláusulas abusivas en el contrato entre el abogado y su cliente[203].

Por tanto, se dejó de nuevo sin resolver la duda suscitada. No obstante, en el apartado 42 del Auto, se reitera lo afirmado en la Sentencia Panicello en el sentido de que «en el marco de los procedimientos que son competencia del letrado de la Administración de Justicia, como el procedimiento principal, incumbe al juez de la ejecución competente para acordar el apremio sobre la cantidad debida examinar —de oficio si es necesario— el eventual carácter abusivo de una cláusula contractual que figura en el contrato celebrado entre un procurador o un abogado y un cliente suyo».

---

[203]   En concreto, los apartados 45 y 46 del Auto Barba Giménez disponen: «A este respecto, de la documentación remitida al Tribunal de Justicia resulta que el procedimiento ante el letrado de la Administración de Justicia del Juzgado de lo Social n.º 2 de Terrassa (Barcelona) sigue pendiente y que dicho procedimiento tiene por objeto determinar el importe de los honorarios debidos a un abogado, cuya fijación depende de si existen o no cláusulas abusivas y prácticas desleales en la relación jurídica de las partes del litigio principal, de forma que las respuestas a las cuestiones prejudiciales podrían ser útiles para poner fin a tal procedimiento.

En cambio, el procedimiento ante el juzgado remitente no versa sobre el importe de los honorarios debidos a un abogado sino, tal como admite el propio juzgado remitente, sobre la existencia de cláusulas abusivas y de prácticas desleales en las relaciones jurídicas entre las partes. Dado que el juzgado remitente no ha de pronunciarse sobre el importe de los honorarios, la respuesta a las cuestiones prejudiciales no le resulta necesaria para resolver el litigio en relación con el cual estas han sido planteadas».

2.3. La STJUE de 27 de septiembre de 2022, asunto Vicente y Delia (C-335/21): la confirmación de lo evidente

Un tercer intento de conocer la postura del Tribunal de Justicia respecto de la regulación del proceso de «jura de cuentas» y el tratamiento de las cláusulas abusivas ha tenido lugar mediante el planteamiento de una nueva cuestión prejudicial por el Juzgado de Primera Instancia número 10 bis de Sevilla, asunto Vicente c. Delia (C-335/21), que se ha resuelto mediante la Sentencia de 27 de septiembre de 2022.

Los hechos de los que esta cuestión prejudicial trae causa son, a grandes rasgos, los que a continuación se exponen. El abogado Vicente y su clienta Delia suscribieron una hoja de encargo que tenía por objeto el estudio, la reclamación extrajudicial y la interposición, en su caso, de reclamación judicial y redacción e interposición de demanda de nulidad de cláusulas abusivas incorporadas a un contrato de préstamo que había suscrito la clienta con una entidad bancaria.

La hoja de encargo contenía una cláusula por la que se prohíbe a la clienta desistir del procedimiento sin conocimiento o en contra del consejo del abogado y estipula una penalización económica para el caso de incumplimiento de esta prohibición. La clienta afirmó que contactó con el despacho de abogados a través de un anuncio en una red social en el que no se hacía mención a la cláusula de desistimiento y solo se le informaba del precio de los servicios jurídicos.

Con carácter previo a la presentación de la demanda de nulidad, el abogado presentó una reclamación extrajudicial ante la entidad bancaria por la cual esta realizó una oferta a la clienta que fue aceptada. Sin embargo, no hubo constancia de la fecha exacta en la que comunicó a su abogado la recepción de la respuesta del banco, ni si éste le aconsejó en ese momento que no aceptara la oferta.

El abogado presentó la demanda de nulidad de la cláusula suelo y mediante burofax, manifestó a su clienta su disconformidad con la oferta de la entidad bancaria. Meses después, la procuradora comunicó al órgano jurisdiccional el desistimiento por satisfacción extraprocesal, indicando que el desistimiento obedecía a que, en contra del criterio del abogado y con la demanda ya presentada, su clienta había aceptado esa transacción.

Tras ello, el abogado instó un proceso de reclamación de honorarios. Esta reclamación fue impugnada por la clienta que consideraba indebidos los honorarios, alegando que, en efecto, no había sido informada de la existencia de la cláusula de desistimiento, por lo que únicamente estaba obligada a abonar, en concepto de honorarios, el diez por ciento de la cantidad recibida del banco, que ya había ingresado al letrado. Además, la clienta invocó asimismo en ese momento el carácter abusivo de la cláusula de desistimiento.

El letrado de la Administración de Justicia desestimó la impugnación realizada por la clienta y, mediante decreto, le concedió un plazo de cinco días para el pago, bajo apercibimiento de apremio. En este decreto no resolvió sobre el carácter abusivo de la cláusula de desistimiento, sino que se limitó a remitir a un proceso declarativo al ser una cuestión que trascendía del objeto del proceso de «jura de cuentas».

Al no recibir respuesta sobre el carácter abusivo de la cláusula de desistimiento, la clienta interpone un recurso de revisión contra el decreto dictado por el letrado de la Administración de Justicia. En ese contexto, la jueza encargada de resolver la impugnación decide suspender el procedimiento y plantear al Tribunal de Justicia la cuestión prejudicial.

Una vez más, se pone en duda la compatibilidad del proceso de «jura de cuentas» con la Directiva 93/13, con el principio de efectividad y con el derecho a la tutela judicial efectiva consagrado en el artículo 47 de la CDFUE ante la falta de previsión del control de oficio o a instancia de parte de las cláusulas abusivas. Con el fin de argumentar adecuadamente las cuestiones planteadas, el juzgado hace una serie de precisiones. La primera es que el objeto del recurso de revisión se limita a confirmar o revocar el decreto del letrado de la Administración de Justicia y, por tanto, no da cobertura al control de cláusulas abusivas. La segunda es que el proceso declarativo ordinario, al que puede acudir el consumidor con el fin de hacer valer los derechos que le reconoce la Directiva 93/13, no suspende la eficacia del decreto del letrado de Administración de Justicia que fije los honorarios debidos. Y la última aclaración es que la oposición que puede formular el consumidor ante la ejecución de las resoluciones del letrado de Administración de Justicia se limita a las causas recogidas en el artículo 556 de la LEC, entre las que no se encuentra el eventual carácter abusivo de las cláusulas contenidas en el contrato.

El Juzgado de Primera Instancia número 10 bis de Sevilla, proponente de la cuestión prejudicial, pregunta al Tribunal de Luxemburgo por la adecuación del proceso de «jura de cuentas» a la normativa de la Unión Europea en materia de protección de consumidores frente a cláusulas abusivas y de manera más concreta, y seguramente para evitar que se eluda la respuesta alegando el carácter hipotético del problema planteado, pide una aclaración sobre la adecuación del recurso de revisión como cauce para controlar las cláusulas abusivas. Adicionalmente, el Juzgado consulta si la cláusula de desistimiento con sanción pecuniaria debe considerarse una cláusula principal referida al precio y, por tanto, excluida del control de abusividad conforme al artículo 4.2 de la Directiva 93/13. Por último, se cuestiona también si la incorporación al contrato suscrito entre el abogado y el cliente de una cláusula como la controvertida puede considerarse una práctica comercial desleal en los términos de la Directiva 2005/29.

El Tribunal de Luxemburgo asume todos los argumentos esgrimidos por el Juzgado proponente de la cuestión prejudicial y por lo que respecta al asunto esencial suscitado afirma que la Directiva 93/13 a la luz del principio de efectividad y del derecho a la tutela judicial efectiva debe interpretarse en el sentido de que «se opone a una normativa nacional relativa a un procedimiento sumario de pago de honorarios de abogado en virtud de la cual la demanda presentada contra el cliente consumidor es objeto de una resolución dictada por una autoridad no jurisdiccional y solamente se prevé la intervención de un órgano jurisdiccional en la fase del eventual recurso contra dicha resolución, sin que el órgano jurisdiccional ante el que este se interpone pueda controlar —de oficio si es necesario— si las cláusulas contenidas en el contrato del que traen causa los honorarios reclamados tienen carácter abusivo y sin admitir que las partes aporten pruebas distintas de las documentales ya presentadas ante la autoridad no jurisdiccional».

La anterior conclusión se sustenta también sobre la base de que el letrado de la Administración de Justicia es una autoridad no jurisdiccional que carece de competencia para apreciar si una cláusula contractual tiene carácter abusivo conforme a la Directiva 93/13 y en que si el consumidor decide interponer recurso frente al decreto del letrado ha de hacerlo en un breve plazo de cinco días y sin efectos suspensivos.

En suma, la LEC no permite el examen de oficio de las cláusulas abusivas por el juez encargado del despacho de la ejecución derivado de un proceso de «jura de cuentas» y tampoco prevé el control de oficio de esas cláusulas con carácter previo al despacho de la ejecución. La única consecuencia que de ello se puede extraer es la incompatibilidad entre la regulación actual del proceso de «cuenta y minuta jurada» y la Directiva 93/13.

Con respecto a las restantes cuestiones planteadas, el Tribunal de Luxemburgo afirma que no está incluida en la excepción que se contempla en el artículo 4.2 de la Directiva 93/13 «una cláusula de un contrato celebrado entre un abogado y su cliente a tenor de la cual el cliente se compromete a seguir las instrucciones del abogado, a no actuar sin conocimiento o contra el consejo de este y a no desistir por sí mismo del procedimiento judicial que le ha encomendado, y que estipula una penalidad económica para el caso de incumplimiento de estos compromisos».

Por último, la Sentencia concluye que la Directiva 2005/29/CE del Parlamento Europeo y del Consejo, de 11 de mayo de

2005, relativa a las prácticas comerciales desleales de las empresas en sus relaciones con los consumidores en el mercado interior, «debe interpretarse en el sentido de que la incorporación, a un contrato celebrado entre un abogado y su cliente, de una cláusula que estipula la imposición a este de una penalidad económica para el caso de que desista por sí mismo del procedimiento judicial que ha encomendado a aquel, cláusula que se remite al baremo de un colegio profesional y que no fue mencionada en la oferta comercial ni en la información previa a la celebración del contrato, debe calificarse de práctica comercial «engañosa», en el sentido del artículo 7 de esta Directiva, siempre que haga o pueda hacer que el consumidor medio tome una decisión sobre una transacción que de otro modo no hubiera tomado, extremo que corresponde comprobar al juez nacional».

2.4. Las alternativas en el control de oficio de las cláusulas abusivas y el necesario retorno a la «judicialización» del proceso de «jura de cuentas»

La dudosa constitucionalidad de la regulación actual de los procesos de exacción de derechos económicos de procuradores y abogados se suma a su incompatibilidad con la Directiva 93/13 sobre cláusulas abusivas en tanto esa regulación no prevé el control de oficio —ni a instancia de parte— de esas cláusulas. Hasta que el legislador prevea un cauce específico para el control de las cláusulas abusivas en el proceso de «jura de cuentas», procede analizar las distintas opciones que pueden plantearse.

2.4.1. ¿Control de las cláusulas abusivas a través del recurso de revisión?

Tras la Ley 13/2009 corresponde al letrado de la Administración de Justicia adoptar la mayoría de las decisiones en el proceso de «jura de cuentas» y no será prácticamente hasta el momento de decidir sobre el despacho de la ejecución cuando se hace necesaria la intervención del juez. No obstante, cabe la posibilidad de que el juez entre en contacto antes con el objeto litigioso en el caso de que se interponga un recurso de revisión frente al decreto del letrado de la Administración de Justicia resolviendo la impugnación de los honorarios por indebidos o por excesivos o la impugnación de la cuenta del procurador[204]. Se puede plantear, pues, si el juez, al decidir sobre el recurso de revisión, podría controlar de oficio la concurrencia de cláusulas abusivas.

El objeto del recurso de revisión solo puede ser la impugnación de la decisión adoptada por el letrado de la Administración de Justicia en el decreto que resuelve la impugnación del deudor. Esa impugnación está limitada *ex lege*. Los derechos del procurador y los honorarios del abogado se pueden impugnar por indebidos y, además, en el caso de la reclamación de los honorarios de abogado, cabe también la posibilidad de impugnarlos por excesivos. Y, en coherencia con ello, la decisión del recurso de revisión por el juez se limita a constatar si la resolución del letrado sobre el carácter indebido o excesivo de los honorarios es correcta y, en su caso, fijar la cantidad que se estime debida. Es evidente que encajar ahí una impugnación del consumidor basada en el carácter abusivo de las cláusulas contractuales y una posterior decisión del juez sobre la misma cuestión en el marco de un recurso de revisión resulta más que forzado. No obstante, teniendo en cuenta que el TJUE ha manifestado en reiteradas ocasiones que el juez debe apreciar la existencia de cláusulas abusivas tan pronto disponga de los elementos de hecho y de derecho para ello, podría ocurrir que, en el momento de decidir sobre el recurso de revisión, el juez se encuentre por primera vez en esa situación y aprecie la existencia de alguna cláusula abusiva que sea fundamento de la reclamación o que determine la cantidad exigida.

En todo caso, no es el estrecho cauce del recurso de revisión en absoluto idóneo para lograr un adecuado control de oficio de las

---

[204]   La STC 34/2019, de 14 de marzo, declaró la inconstitucionalidad de la exclusión del recurso frente al decreto del letrado de la Administración de Justicia.

cláusulas abusivas en el proceso de reclamación de honorarios de abogado y derechos del procurador. El juez solo puede actuar si el consumidor presenta el recurso de revisión y, por tanto, no hay un verdadero control *ex officio*. Además, al tener un objeto legalmente limitado, el juez difícilmente va a disponer de los elementos necesarios para poder analizar si en el contrato hay cláusulas abusivas en perjuicio del consumidor.

2.4.2. ¿Control de las cláusulas abusivas en el proceso declarativo ordinario?

Otro posible camino sería acudir al proceso declarativo ordinario que puede instar el consumidor tras la «jura de cuentas». Los artículos 34.2 y 35.2 de la LEC disponen, en su párrafo final, que el decreto resolutorio de la oposición del deudor «no prejuzgará, ni siquiera parcialmente, la sentencia que pudiera recaer en el juicio ordinario ulterior». Es evidente que la decisión del letrado de la Administración de Justicia no tiene o, más exactamente, no puede tener eficacia de cosa juzgada material. No es una resolución judicial y su contenido no puede vincular a un juez en un proceso posterior. Se puede plantear, pues, si la posibilidad de acudir a un proceso declarativo posterior satisface la necesidad de proteger al consumidor frente a cláusulas abusivas.

La respuesta debe ser, sin duda, negativa. Abocar al consumidor a un proceso declarativo como único cauce para protegerse frente a cláusulas abusivas supone hacerle soportar un previo requerimiento de pago y una ejecución posterior sin posibilidad alguna de defenderse. En ese proceso declarativo, el consumidor podría solicitar la condena a devolver las cantidades percibidas por el abogado o el procurador si considera que se han sustentado en cláusulas abusivas. Sin embargo, la inversión económica y temporal que ello conlleva ejercerá en muchos casos un efecto disuasorio sobre el consumidor y, en consecuencia, las cláusulas abusivas habrán desplegado toda su eficacia en contra de lo dispuesto en el Directiva 93/13. Esto, en definitiva, supone una clara infracción del principio de efectividad que se opone a una regulación nacional que haga imposible en la práctica o excesivamente difícil el ejercicio de los derechos reconocidos por el ordenamiento jurídico de la Unión[205].

2.4.3. ¿Control de cláusulas abusivas al decidir sobre el despacho de la ejecución?

Otra posible vía de solución a la que apuntó la STJUE en el asunto *Margarit Panicello* sería que el juez competente para despachar la ejecución derivada de la «jura de cuentas» sea quien examine de oficio el eventual carácter abusivo de las cláusulas contractuales incluidas en el contrato de prestación de servicios jurídicos.

El Tribunal de Luxemburgo se hizo eco en la citada Sentencia de la postura mantenida por el Gobierno español que defendía la naturaleza de títulos no judiciales ni arbitrales de los que se integran en el proceso de «jura de cuentas». De esta premisa se deriva la conclusión de que el juez que decide sobre el despacho de la ejecución podrá comprobar *ex officio* el carácter abusivo de una cláusula contractual, a diferencia de lo que sucede en la ejecución de títulos judiciales o asimilados respecto de los que no se prevé esa posibilidad.

Esta postura, sin embargo, no es acorde con la regulación de la LEC y así lo puso de manifiesto con meridiana claridad la Abogada General, Sra. Juliane Kokott, en sus Conclusiones en el asunto *Margarit Panicello*. Las resoluciones de los letrados de la Administración de Justicia se consideran «resoluciones procesales» cuya ejecución se equipara a la de los títulos judiciales. En los apartados 56 y 60 de sus conclusiones señala:

> «*...los decretos dictados por los secretarios judiciales en la jura de cuentas de acuerdo con los artículos 34 LEC y 35 LEC no están entre*

---

[205] Cfr., entre otras, STJUE de 14 de junio de 2012, asunto Banco Español de Crédito (C-618/10), apartado 56.

los «documentos con fuerza ejecutiva» a que se refiere el artículo
517 LEC, apartado 2, número 9.°, sino entre las «resoluciones procesales» a que se refiere la misma disposición, puesto que, de conformidad con el artículo 206 LEC, apartado 2, dichos decretos quedan
subsumidos en el concepto de «resoluciones» del mismo órgano.
Por tanto, a efectos del artículo 556 LEC, los decretos dictados por
los secretarios judiciales en la jura de cuentas son, sin género de
dudas, resoluciones «procesales», por lo que, a la hora de proceder
a su ejecución, se han de asimilar a las resoluciones judiciales.

Por lo tanto, en el presente procedimiento prejudicial se ha de considerar que las resoluciones dictadas en la jura de cuentas por los
secretarios judiciales están equiparadas, a efectos de su ejecución,
a las resoluciones judiciales. Ello supone que en esa ejecución no
están previstas ni la obligación de comprobar de oficio si existen
cláusulas abusivas ni la posibilidad de formular una oposición que
se base en la existencia de dichas cláusulas y suspenda el curso de
la ejecución».

El propio TJUE descartó esta solución en la STJUE de 22 de
septiembre de 2022, asunto Vicente c. Delia, en la que, asumien-
do el planteamiento del órgano jurisdiccional remitente de la
cuestión prejudicial, afirma que los decretos «deben calificarse
de «resoluciones procesales», de modo que, en la fase de su ejecución conforme al régimen del artículo 556 de la LEC, el consumidor no puede alegar el carácter eventualmente abusivo de determinadas cláusulas contenidas en el título ejecutivo». Por lo que
el Tribunal de Luxemburgo concluye que «ni el procedimiento
ordinario ni el procedimiento de ejecución parecen permitir que
se conjure el riesgo de que el consumidor no pueda hacer valer
los derechos que le otorga la Directiva 93/13 en el marco de un
recurso de revisión»[206].

En estas circunstancias, se podría plantear si la solución podría consistir en reformar la LEC para dar cabida al control de
las cláusulas abusivas insertas en el contrato de prestación de servicios jurídicos por el juez encargado de despachar la ejecución.
Sin embargo, esta solución no me parece en absoluto acertada,

---

[206]   Vid. Apartados 67 a 69 de la Sentencia Vicente c. Delia.

pues relegar el control de las cláusulas abusivas al momento del despacho de la ejecución no resulta respetuoso con la efectiva protección de los consumidores que impone la Directiva 93/13. El consumidor se puede ver abocado a realizar el pago sin haber obtenido una adecuada protección frente a las cláusulas abusivas.

En este sentido, el TJUE ha puesto de manifiesto, en diversas ocasiones, la necesidad de que el juez nacional pueda llevar a cabo un control eficaz de la abusividad de las cláusulas contractuales con carácter previo a la expedición del requerimiento de pago que puede dar paso a la ejecución[207]. En todo caso, si no se

---

[207] Son muchas las decisiones del Tribunal de Justicia que consagran esta doctrina. Entre ellas, puede destacarse, como simple botón de muestra, la STJUE de 20 de septiembre de 2018, asunto EOS KSI Slovensko (C-448/17), en cuyos apartados 45 y 46 puede leerse lo siguiente:

«A este respecto, procede recordar que la protección efectiva de los derechos que se derivan de la Directiva 93/13 solo podría garantizarse en caso de que el sistema procesal nacional permita, en el marco del proceso monitorio o en el del procedimiento de ejecución del requerimiento de pago, un control de oficio del carácter potencialmente abusivo de las cláusulas contenidas en el contrato de que se trate (véase, en este sentido, la sentencia de 18 de febrero de 2016, Finanmadrid EFC, C-49/14, EU:C:2016:98, apartados 45 y 46).

En consecuencia, en el supuesto de que no se prevea ningún control de oficio, por un juez, de la naturaleza potencialmente abusiva de las cláusulas contenidas en el contrato de que se trate en la fase de la ejecución del requerimiento de pago, deberá considerarse que una legislación nacional puede menoscabar la efectividad de la protección que pretende garantizar la Directiva 93/13 si dicha legislación no prevé tal control en la fase en que se dicte el requerimiento o, cuando tal control se prevé únicamente en la fase de la oposición contra el requerimiento dictado, si existe un riesgo no desdeñable de que el consumidor afectado no formule la oposición requerida, ya sea debido al plazo particularmente breve previsto para ello, ya sea por los costes que implicaría la acción judicial en relación con la cuantía de la deuda litigiosa, ya sea porque la legislación nacional no establece la obligación de que se le dé toda la información necesaria para permitirle determinar el alcance de sus derechos (véanse, por analogía, las sentencias de 14 de junio de 2012, Banco Español de Crédito, C-618/10, EU:C:2012:349, apartado 54, y

ha realizado el control de las cláusulas abusivas antes del requerimiento de pago, es necesario que ese control se realice en el momento de la ejecución.

Por tanto, si en los procesos de exacción de derechos económicos de procuradores y abogados no hay una fase de enjuiciamiento previa y ni siquiera hay algún tipo de control judicial antes de la perfección del título ejecutivo, será en el momento de decidir sobre el despacho de la ejecución cuando el juez competente tenga que ejercer sus poderes de control para garantizar la exclusión de las cláusulas contractuales abusivas en perjuicio del consumidor.

2.4.4. El control de oficio de las cláusulas abusivas previo al requerimiento de pago

Otra posible solución de cara al futuro podría ser tomar como modelo la reforma operada por la Ley 42/2015 respecto del proceso monitorio (artículo 815.4 de la LEC). Así, si la reclamación de la deuda se fundara en un contrato entre un empresario o profesional y un consumidor, el letrado de la Administración de Justicia, previamente a efectuar el requerimiento de pago, dará cuenta al juez para que pueda apreciar el carácter abusivo de cualquier cláusula que constituya el fundamento de la petición o que hubiera determinado la cantidad exigible.

---

de 18 de febrero de 2016, Finanmadrid EFC, C-49/14, EU:C:2016:98, apartado 52)».

Las decisiones del Tribunal de Justicia que se manifiestan en ese sentido se refieren al proceso monitorio, pero el mismo razonamiento resulta aplicable a los procesos de exacción de derechos económicos de procuradores y abogados. Cfr., entre otras, SSTJUE de 13 de septiembre de 2018, asunto Credit Polska (C-176/17), apartados 44, 61 a 64 y 71; de 18 de febrero de 2016, asunto Finanmadrid (C-49/14), apartados 45 y 46; y de 14 de junio de 2012, asunto Banco Español de Crédito (C-680/10), apartado 53. También los AATJUE de 28 de noviembre de 2018, asunto Powszechna Kasa Oszczędności (PKO) (C-632/17), apartado 49; de 21 de junio de 2016, asunto Aktiv Kapital Portfolio (C-122/14), apartado 30.

Esta opción podría colmar las exigencias de la Directiva 93/13, pero mantendría la duda de constitucionalidad del proceso de «jura de cuentas» y de su compatibilidad con el artículo 47 de la Carta de Derechos Fundamentales de la Unión por mantener en manos del letrado de la Administración de Justicia sin posibilidades de control judicial —más allá del eventual recurso de revisión en algún caso— el resto de las decisiones que se adoptan en el proceso de jura de cuentas y que afectan a los derechos de los litigantes[208].

---

[208]   En este sentido, I. DÍEZ-PICAZO GIMÉNEZ, «Jurisdicción y resoluciones de los secretarios judiciales. Breves reflexiones a propósito de la sentencia del Tribunal de Conflictos de Jurisdicción de 28 de septiembre de 2011», en *El Derecho procesal español del siglo XX a golpe de tango, Liber Amicorum*, en homenaje y para celebrar su LXX cumpleaños de MONTERO AROCA, J., Tirant lo Blanch, 2012, pp. 314 y ss., se pregunta si existe algún límite en la «administrativización» de los asuntos, es decir, si puede admitirse que cualquier materia que hoy es competencia de un juez mañana pueda atribuirse a un letrado de la Administración de Justicia o a cualquier otro funcionario u órgano no jurisdiccional. La respuesta a esta cuestión ha de ser negativa porque «...el ámbito de actuación de la jurisdicción se extiende en nuestro ordenamiento, de acuerdo con el artículo 24.1 de la Constitución, a la tutela de los derechos e intereses legítimos de las personas». No es admisible, pues, «administrativizar» la decisión sobre esta materia que forma parte del núcleo necesario de ejercicio de la potestad jurisdiccional.

En la misma línea, E. SÁNCHEZ ÁLVAREZ, «El final reconocimiento de la toma gubernativa del Derecho Procesal. Comentario a la Sentencia del Tribunal de Conflictos de Jurisdicción de 28 de septiembre de 2011», en *Diario La Ley*, núm. 7928, 21 de septiembre de 2012, pp. 14 y 15, afirma: «... la idea que deseamos que sirva de cierre a estas reflexiones estriba en sugerir un parón, un replanteamiento de todo este enloquecido proceso de reformas tan mal enfocadas. Se trata de evitar perjuicios mayores y, sobre todo, de extirpar de raíz la posibilidad cada vez más confirmada de que el derecho fundamental a la tutela judicial efectiva siga debilitándose y desnaturalizándose en caída libre por el barranco de la inespecificidad. Como siempre es conveniente recordar, va con ello el Estado de Derecho mismo...».

Creo, por todo lo anterior, que la mejor de las opciones posibles de *lege ferenda* sería volver a «judicializar» el proceso de «jura de cuentas», es decir, devolver nuevamente los procesos de exacción de derechos económicos de procuradores y abogados al juez, tal y como sucedía antes de la reforma llevada a cabo por la Ley 13/2009[209]. De este modo, se acabaría definitivamente con las dudas de constitucionalidad de estos procesos.

A esto se debería sumar la previsión expresa de que el juez controle de oficio la eventual existencia de cláusulas abusivas con carácter previo al requerimiento de pago y que el cliente-consumidor pueda oponerse al requerimiento alegando la existencia de cláusulas abusivas. Todo ello sin olvidar la posibilidad de que el juez pueda acordar de oficio las diligencias de prueba necesarias para determinar si una cláusula incluida en el contrato entre el abogado o procurador y su cliente o poderdante está comprendida en el ámbito de aplicación de la Directiva 93/13 y, en caso afirmativo, si es abusiva[210].

Con estas previsiones se garantizaría la adecuada protección del consumidor frente a cláusulas abusivas en el marco de los contratos de prestación de servicios jurídicos y se lograría el efecto disuasoria pretendido por la Directiva 93/13.

---

[209] De la misma opinión es J. BONET NAVARRO, «La necesaria reforma de la mal llamada "jura de cuentas"», en *Revista de Derecho UNED*, núm. 21, 2017, pp. 103 y ss.

[210] Así se puede deducir de la Sentencia del Tribunal de Justicia de 9 de noviembre de 2010, asunto Pénzügyi Lízing Zrt. (C-137/08). En este sentido, la propia STJUE de 27 de septiembre de 2022, asunto Vicente y Delia (C-335/21), valora negativamente que en el proceso de «jura de cuentas» no se puedan aportar más pruebas que las documentales aportadas ante la autoridad no jurisdiccional.

Capítulo XI

Los poderes de actuación de oficio del juez en el proceso de ejecución hipotecaria

1. INTRODUCCIÓN

El proceso de ejecución hipotecaria está regulado en el Capítulo V del Título IV del Libro III de la Ley de Enjuiciamiento Civil. El artículo 681 de la LEC abre el mencionado Capítulo disponiendo que «la acción para exigir el pago de deudas garantizadas con prenda o hipoteca podrá ejercitarse directamente contra los bienes pignorados o hipotecados, sujetando su ejercicio a lo dispuesto en este Título, con las especialidades que se establecen en el presente Capítulo».

El proceso de ejecución hipotecaria intenta ofrecer al acreedor una tutela rápida y eficaz de su crédito. Con este fin, se limitan, en gran medida, las posibilidades del ejecutado de oponerse o entorpecer de algún modo el avance del proceso ejecutivo y se remite a éste al proceso declarativo para lograr una contradicción plena.

El ejecutado dispone con normalidad de los mecanismos de impugnación de actividades ejecutivas concretas y puede oponerse a la ejecución por motivos procesales para asegurar que el proceso se desarrolle conforme a lo previsto en la Ley. En esto no hay regulación especial. Sin embargo, no sucede lo mismo con la impugnación por motivos de fondo a la que se refiere el artículo 695 de la LEC. Esta norma especial limita las posibilidades del ejecutado de oponerse a la ejecución por motivos de fondo dentro del proceso de ejecución hipotecaria y el artículo de la 698 LEC remite al proceso declarativo que corresponda para otro tipo de cuestiones de fondo no expresamente previstas. No son aplicables, por tanto, los motivos de oposición generales previstos para títulos ejecutivos extrajudiciales en el artículo 557 de la LEC.

Un simple vistazo a ambas normas, el 695 y el 557 de la LEC, permite concluir que son mucho más restringidas las posibilidades del ejecutado de oponerse en una ejecución hipotecaria que en una ejecución ordinaria de título extrajudicial. Incluso se puede afirmar que el ejecutado en el proceso de ejecución hipotecaria tiene menos opciones de oponerse por motivos de fondo que el ejecutado en un proceso de ejecución de un título ejecutivo judicial (artículo 556 de la LEC). Se ha calificado, por ello, al título hipotecario como un título «superprivilegiado». En este sentido, MONTERO AROCA ha afirmado que «el afán de proteger los derechos del acreedor hipotecario (que en la actualidad es casi siempre un banco o una antigua caja) ha llegado hasta el extremo de destruir la coherencia del sistema jurídico. A la hipoteca se le concede más fuerza ejecutiva que a la sentencia firme, y para ello no puede encontrarse razón alguna que objetivamente lo justifique. A estas alturas de los tiempos difícilmente puede seguir sosteniéndose que "la difusión del crédito territorial" justifique un privilegio tan exorbitante»[211].

Esta limitación en las posibilidades de defensa del ejecutado explica que la constitucionalidad del proceso de ejecución hipotecaria se halla puesto en tela de juicio. Sin embargo, el Tribunal Constitucional ha afirmado en varias ocasiones que el sistema es compatible con el derecho de defensa consagrado en el artículo 24.1 CE. Así lo reconoce la STC 41/1981, de 18 de diciembre, que ha servido de guía a otras resoluciones posteriores que han incidido sobre la misma cuestión[212]. El argumento principal en el que se basa la compatibilidad de la ejecución hipotecaria con los derechos fundamentales reconocidos en la Constitución es que la

---

[211] J. MONTERO AROCA, *Ejecución de la hipoteca inmobiliaria*, Tirant lo Blanch, Valencia, 2012, p. 1227.

[212] Así, las SSTC 64/1985, de 17 de mayo; 72/1998, de 30 de marzo o 20/1997, de 10 de febrero, entre otras.

limitación en la cognición dentro del proceso ejecutivo se compensa con la posibilidad de acudir a un proceso declarativo con una contradicción plena.

Sin embargo, en los últimos tiempos las decisiones del Tribunal de Justicia de la Unión Europea sobre cuestiones prejudiciales han puesto de manifiesto ciertas deficiencias de la legislación española en la regulación del proceso de ejecución hipotecaria, en especial por su incompatibilidad con la normativa europea sobre protección de los consumidores frente a cláusulas abusivas.

El legislador español, lejos de abordar una reforma en profundidad de la ejecución hipotecaria para garantizar una adecuada protección de los derechos del ejecutado, ha preferido hacer reformas parciales, y con demasiada frecuencia poco meditadas, cada vez que una sentencia del Tribunal de Luxemburgo señalaba una disconformidad entre la ley española y el Derecho de la Unión Europea. Seguramente estas reformas precipitadas han estado motivadas no solo por las decisiones del TJUE, sino también por la presión social en una situación de crisis económica en la que se ha multiplicado el número de ejecuciones hipotecarias sobre la vivienda habitual con el consiguiente desahucio del ejecutado y de su familia.

2. EL CONTROL DE CLÁUSULAS ABUSIVAS EN EL PROCESO DE EJECUCIÓN HIPOTECARIA

Hasta la reforma llevada a cabo por la Ley 1/2013, de 14 de marzo, el juez no podía apreciar de oficio el carácter abusivo de una cláusula contractual que sirva de fundamento al título ejecutivo o que determine la cantidad exigida, ni tampoco el ejecutado podía plantear esta cuestión dentro del proceso de ejecución hipotecaria. El ejecutado solo podía hacerlo en un proceso declarativo sin que, por ello, se suspendiera la ejecución hipotecaria (artículos 695 y 698 de la LEC). Por tanto, lo único que, en su caso, podía obtener el ejecutado es una compensación económica, muchas veces insuficiente para reparar los perjuicios que le ocasiona la pérdida del bien hipotecado, en especial cuando éste sea su vivienda habitual.

2.1. El punto de partida: la STJUE de 14 de marzo de 2012, asunto Aziz (C-415/2011) y la reforma de la LEC por la Ley 1/2013, de 14 de mayo, de medidas para reforzar la protección de los deudores hipotecarios, reestructuración de deuda y alquiler social

En un contexto de crisis económica que multiplicó las ejecuciones hipotecarias sobre la vivienda habitual del ejecutado, el Juzgado de lo Mercantil núm. 3 de Barcelona planteó ante el TJUE una cuestión prejudicial, que fue resuelta por medio de la STJUE de 14 de marzo de 2013, asunto Aziz, (C-415/2011), que se pronuncia sobre las cláusulas abusivas contra el consumidor en los contratos de préstamo con garantía hipotecaria y sus consecuencias en el seno del proceso de ejecución sobre bienes hipotecados. Esta cuestión prejudicial no se plantea en el marco de un proceso de ejecución hipotecaria, sino de un proceso declarativo en el que se solicitaba la declaración de nulidad de una cláusula por considerarla abusiva y la declaración de nulidad del propio proceso de ejecución hipotecaria que se estaba sustanciando.

El Juzgado de lo Mercantil núm. 3 de Barcelona manifestó dudas en cuanto a la conformidad del Derecho español con el marco jurídico establecido por la Directiva 93/13 y planteó si se vulneraba la tutela judicial efectiva del consumidor ante la limitación de causas de oposición en el proceso hipotecario español.

El TJUE comienza haciendo un repaso por la legislación española y constata que el carácter abusivo de una cláusula contractual no se encontraba previsto como causa de oposición y no podía hacerse valer dentro de la ejecución hipotecaria. Conforme al artículo 698 LEC, esa reclamación habría que hacerla valer en el proceso declarativo que corresponda y no podía tener nunca el efecto de entorpecer o suspender el proceso de ejecución hipotecaria. Por ello, lo habitual era que el proceso de ejecución hipotecaria se llevase a cabo hasta la adjudicación definitiva del bien en la subasta y la única protección que podía obtener el ejecutado sería a *posteriori* y tendría carácter indemnizatorio.

Así las cosas, el TJUE, tomando como premisa la inferioridad del consumidor frente al profesional tanto en su información previa como en su capacidad de negociación y en aras a su protección, reconoce —como dispone el artículo 6 de la Directiva 93/13— que las cláusulas abusivas no han de vincular al consumidor de forma que el juez nacional debe —o debería— poder apreciar de oficio el eventual carácter abusivo, subsanando, en su caso, el desequilibrio provocado y, en todo caso, el consumidor debería tener un cauce efectivo para poder alegar el carácter abusivo de una cláusula contractual. Por todo ello, el TJUE llega a la siguiente conclusión:

> «*La Directiva 93/13/CEE del Consejo, de 5 de abril de 1993, sobre las cláusulas abusivas en los contratos celebrados con consumidores, debe interpretarse en el sentido de que se opone a una normativa de un Estado miembro, como la controvertida en el litigio principal, que, al mismo tiempo que no prevé, en el marco del procedimiento de ejecución hipotecaria, la posibilidad de formular motivos de oposición basados en el carácter abusivo de una cláusula contractual que constituye el fundamento del título ejecutivo, no permite que el juez que conozca del proceso declarativo, competente para apreciar el carácter abusivo de esa cláusula, adopte medidas cautelares, entre ellas, en particular, la suspensión del procedimiento de ejecución hipotecaria, cuando acordar tales medidas sea necesario para garantizar la plena eficacia de su decisión final*»[213].

---

[213]   En idéntico sentido se pronuncia el Auto del TJUE de 14 de noviembre de 2013, asuntos acumulados Banco Popular Español (C-537/12) y Banco de Valencia (C-116/13), en los que el Juzgado de Primera Instancia e Instrucción número 1 de Catarroja y el Juzgado de Primera Instancia número 17 de Palma de Mallorca, respectivamente, plantean al Tribunal de Luxemburgo idénticas cuestiones a las que se habían suscitado en el asunto Aziz, ante el temor de que el TJUE dejara sin respuestas las mismas al haberse planteado en un proceso declarativo y no en el proceso de ejecución hipotecaria al que directamente se refieren.

La STJUE de 14 de marzo de 2013, asunto Aziz, provocó una situación que se puede calificar sin exageración como caótica. La incompatibilidad entre la regulación de la ejecución hipotecaria y la Directiva 93/13 sobre cláusulas abusivas en contratos con consumidores tuvo como consecuencia inmediata que los juzgados encargados de las ejecuciones hipotecarias o las juntas de jueces buscarán distintas soluciones, todas ellas con un ámbito territorial limitado y de carácter provisional, en tanto se diera una respuesta legislativa que permitiese ofrecer seguridad jurídica al justiciable. Estos intentos de buscar una salida iban desde ordenar la suspensión de los procesos de ejecución hipotecaria hasta permitir dentro del proceso de ejecución hipotecaria la apreciación de oficio o la denuncia a instancia de parte del carácter abusivo de una cláusula contractual, pese al silencio legal[214].

La misma doctrina se ha reiterado por el máximo intérprete del Derecho de la Unión en la STJUE de 26 de junio de 2019, asunto Kuhar (C-407/18), en la que considera contraria a la Directiva 93/13, interpretada a la luz del principio de efectividad, la normativa eslovena en la medida en que «el tribunal nacional que conoce de una demanda de ejecución forzosa de un contrato de crédito hipotecario, celebrado entre un profesional y un consumidor mediante un documento notarial directamente ejecutivo, no dispone de la posibilidad de examinar, ni a instancia del consumidor ni de oficio, si las cláusulas contenidas en ese documento presentan un carácter abusivo, en el sentido de dicha Directiva, ni de suspender sobre esta base la ejecución forzosa solicitada».

[214] Sobre el tema, M. CEDEÑO HERNÁN, «Las especialidades de la ejecución sobre bienes inmuebles hipotecados», en *El proceso de ejecución forzosa. Problemas actuales y soluciones jurisprudenciales*, A. GUTIÉRREZ BERLINCHES (coord.), La Ley, Madrid, 2015, pp. 825 a 917 y «La defensa del ejecutado frente a cláusulas abusivas en el proceso de ejecución hipotecaria. Crónica de cómo legislar al compás del Tribunal de Justicia de la Unión Europea», en *Derecho, Justicia, Universidad. Liber amicorum de Andrés de la Oliva Santos*, vol. II, Editorial Universitaria Ramón Areces, Madrid, 2016, pp. 737 a 762; J. BANACLOCHE PALAO, «Cláusulas abusivas y suspensión de la ejecución hipotecaria», en *Diario La Ley*, nº 8312, Sección Doctrina, 16 de Mayo de 2014; M. N. PINA BARRAJÓN «Guía de estudio para comprender la evolución de la jurisprudencia y la legislación respecto de las cláusulas abusivas de los contratos de

Ante la insostenibilidad de esta situación, el Gobierno presentó, el 16 de abril de 2013, una Proposición de Ley de medidas para reforzar la protección de los deudores hipotecarios, reestructuración de deuda y alquiler social. Esta propuesta se concretó en la Ley 1/2013, de 14 de mayo, de medidas para reforzar la protección de los deudores hipotecarios, reestructuración de deuda y alquiler social, en la que de una forma bastante precipitada se modificó la regulación del proceso de ejecución hipotecaria[215].

---

préstamo hipotecario», en *Diario La Ley*, nº 9701, Sección Doctrina, 22 de Septiembre de 2020; A. M. GÓMEZ AGUILERA «El control judicial de la existencia de cláusulas abusivas en el proceso de ejecución del contrato de préstamos hipotecarios concertados con consumidores. Análisis del estado actual de la cuestión», en *Revista de Derecho bancario y bursátil*, nº 161, 2021, pp. 181 a 204; y M. D. BLÁZQUEZ PEINADO, «El procedimiento de ejecución hipotecaria y su adecuación a la normativa europea en materia de protección de los consumidores por cláusulas abusivas. Jurisprudencia reciente del Tribunal de Justicia», en *Revista General de Derecho Europeo*, nº. 39/2016.

[215] La Exposición de Motivos de la Ley 1/2013 afirma que incorpora «la modificación del procedimiento ejecutivo a efectos de que, de oficio o a instancia de parte, el órgano judicial competente pueda apreciar la existencia de cláusulas abusivas en el título ejecutivo y, como consecuencia, decretar la improcedencia de la ejecución o, en su caso, su continuación sin aplicación de aquéllas consideradas abusivas. Dicha modificación se adopta como consecuencia de la Sentencia del Tribunal de Justicia de la Unión Europea de 14 de marzo de 2013, dictada en el asunto por el que se resuelve la cuestión prejudicial planteada por el Juzgado de lo Mercantil n.º 3 de Barcelona respecto a la interpretación de la Directiva 93/13/CEE del Consejo, de 5 de abril de 1993»

Tras la reforma de la Ley 1/2013 no se han zanjado, ni mucho menos, las dudas de los tribunales nacionales, sino que han sido muchas las cuestiones prejudiciales planteadas sobre aspectos concretos de la misma a las que el TJUE ha tenido que dar respuesta. Así, entre las más importantes, pueden destacarse la STJUE de 21 de enero de 2015, asuntos acumulados Unicaja y Caixabank (C-482/13, C-484/13, C-485/13 y C-487/13), en relación con la cláusula de intereses moratorios, y los Autos TJUE de 11 de junio de 2015, asunto BBVA (C-602/13), de 8 de julio de 2015, asunto Banco Grupo Cajatres (C-90/14) y de 17 de marzo de 2016, asunto Ibercaja (C-613/15), referidos también a la cláusula de

Entre las novedades que la Ley 1/2013 ha introducido en la LEC, la más relevante sin duda es el diseño de un tratamiento específico para las cláusulas abusivas contenidas en el título ejecutivo. Con este fin, la Ley 1/2013 regula cauces concretos para fiscalizar la existencia de cláusulas abusivas que implican un doble control: de oficio por el órgano jurisdiccional y a instancia del ejecutado mediante la adición de una nueva causa de oposición. Dos reformas posteriores completaron la regulación. La primera llevada a cabo por el Real Decreto Ley 11/2014, de 5 de septiembre, de medidas urgentes en materia concursal, que permitió al ejecutado interponer recurso de apelación frente al auto que de-

---

intereses moratorios y a la Disposición Transitoria Segunda de la Ley 1/2013, en cuya virtud la limitación en los intereses de demora previstos en la Ley sería aplicable también a las hipotecas constituidas con anterioridad a la entrada en vigor de la misma que estuvieran siendo objeto de un proceso de ejecución hipotecaria a cuyo fin se daría un plazo de 10 días para recalcular los intereses. También la STJUE de 29 de octubre de 2015, asunto BBVA (C-8/14), centrada en la Disposición Transitoria Cuarta de la Ley 1/2013 que concedía al ejecutado consumidor un plazo de 1 mes desde la publicación en el BOE para plantear un incidente extraordinario de oposición a la ejecución alegando la existencia de cláusulas abusivas. Es también relevante la STJUE de 17 de julio de 2014, asunto Sánchez Morcillo (C-169/14), que consideró la falta de previsión en la Ley 1/2013 de la posibilidad de recurrir el auto que consideraba una cláusula contractual no abusiva, mientras que sí era recurrible el auto que consideraba la cláusula abusiva, implicaba un desequilibrio entre el consumidor y el profesional, que resulta contrario al principio de igualdad de armas y a la tutela judicial efectiva. La STJUE de 26 de enero de 2017, asunto Banco Primus (C-421/14), que se pronuncia sobre la Disposición Transitoria Cuarta de la Ley 1/2013 y el plazo para alegar la existencia de cláusulas abusivas, sobre la cosa juzgada y sobre los criterios para apreciar la abusividad de la cláusula de intereses remuneratorios y de vencimiento anticipado. O, para culminar, esta breve recapitulación, la STJUE de 26 de marzo de 2019, asuntos acumulados Abanca Corporación Bancaria (C-70/17) y Bankia (C-179/17), que se pronuncia sobre las consecuencias del carácter abusivo de una cláusula de vencimiento anticipado.

clare una cláusula no abusiva (artículo 695.4° de la LEC)[216]. La segunda por la Ley 42/2015, de 5 de octubre, que vino a clarificar que el juez nacional competente para conocer del proceso de ejecución hipotecaria tiene la obligación de analizar de oficio la existencia de cláusulas abusivas y no se trata, por tanto, de una mera facultad.

El control judicial de oficio de la adecuación de las cláusulas contractuales a las exigencias de la Directiva 93/13, tal y como ha sido interpretada por la jurisprudencia del Tribunal de Luxemburgo, entra en juego siempre que la relación jurídica subyacente al proceso de ejecución hipotecaria se establezca entre una entidad de crédito y un consumidor[217]. Y ese control se proyecta sobre

---

[216] Esta modificación es consecuencia directa de la STJUE de 17 de julio de 2014, asunto Sánchez Morcillo (C-169/14), que consideró contraria al principio de igualdad de armas y al derecho a la tutela judicial efectiva la exclusión del recurso de apelación frente al auto que desestima la oposición por cláusulas abusivas, mientras sí era apelable el auto que estimaba la oposición por el mismo motivo.

[217] La Ley 5/2019, de 15 de marzo, reguladora de los contratos de crédito inmobiliario ha añadido incertidumbre en lo que se refiere al ámbito subjetivo del control de oficio. Esta Ley tiene por objeto la trasposición de la Directiva 2014/17/UE del Parlamento Europeo y del Consejo, de 4 de febrero de 2014, sobre los contratos de crédito celebrados por los consumidores para bienes inmuebles de uso residencial. La Ley establece un régimen especial de protección de los consumidores que tengan la condición de prestatarios, garantes o titulares de garantías en préstamos o créditos garantizados mediante hipoteca sobre bienes inmuebles de uso residencial o cuya finalidad sea la adquisición de esos bienes. El ámbito de tutela de esta Ley no se limita a los consumidores en el sentido de la Directiva 93/13, sino que se extiende también a profesionales que sean personas físicas, como lo autónomos. Con respecto a todos ellos se diseña un nuevo régimen de validez de las cláusulas de vencimiento anticipado y de intereses de demora integradas en los contratos de préstamo hipotecarios, que tiene carácter imperativo (artículos 24 y 25 de la Ley 5/2019).
La cuestión que se plantea es si esta Ley está ampliando el ámbito subjetivo del control de oficio de cláusulas abusivas en la ejecución

aquellas cláusulas que sean relevantes para la ejecución, bien por servir de fundamento al despacho de la ejecución o bien por determinar la cantidad exigible[218].

2.2. El momento del control de oficio de las cláusulas abusivas

De acuerdo con la nueva redacción del artículo 552.1 II LEC, el tribunal es el que, en primer término, ha de controlar la posible existencia de cláusulas abusivas. Se trata de una norma ubicada en sede de ejecución ordinaria, pero que resulta aplicable tanto a la ejecución hipotecaria, en virtud de la remisión contenida en el artículo 681.1 de la LEC, como, en general, a la ejecución de títulos ejecutivos extrajudiciales.

---

hipotecaria. Nos sumamos a la opinión de J. GONZÁLEZ GARCÍA, *El procedimiento hipotecario. Las ejecuciones de condenas no pecuniarias,* ed. La Ley, Madrid, 2019, pp. 175 a 178, en el sentido de que estas normas no pueden considerarse una redefinición del ámbito subjetivo del control de oficio en la ejecución hipotecaria al amparo del artículo 552.1, II de la LEC. Este último precepto no fue modificado por la Ley 5/2019, ni tampoco los artículos 557.1,7ª y 695.1, 4° de la LEC. El control de oficio de las cláusulas abusivas, incluidas las de vencimiento anticipado y de intereses de demora, impuesto por el artículo 552.1, II de la LEC, se deberá seguir restringiendo a los casos en que el prestatario, fiador o garante sea un consumidor en el sentido de la Directiva 93/13.

Esto, como señala el mencionado autor, no impedirá el control de oficio del cumplimiento de las normas imperativas de la Ley 5/2019 cuando el prestatario no sea un consumidor, pero no al amparo del artículo 552.1, II de la LEC, sino del artículo 551 de la LEC en relación con el artículo 24 de la Ley 5/2019.

En relación con la incidencia de la Ley 5/2019 en el control de oficio de cláusulas abusivas puede también verse M. J. RIVAS VELASCO, «Cosa juzgada y control de oficio en consumo», en *Diario La Ley,* n° 9621, Sección Tribuna, 27 de Abril de 2020.

[218]   Sobre el ámbito del control de abusividad, cfr., C. SENÉS MOTILLA, «Cláusulas abusivas y ejecución hipotecaria», en *Práctica de Tribunales,* n°. 20, mayo/junio, 2016, pp. 1 a 23.

En principio, el artículo 552.1 II LEC sitúa el control de oficio por parte del juez en el momento inicial de la ejecución, cuando ha de decidir sobre despachar o denegar el despacho de la ejecución. No parece, empero, que haya óbice para apreciar la abusividad en un momento posterior cuando ésta se detecta después del despacho de la ejecución, en especial respecto de aquellas cláusulas que afectan de tal manera al título ejecutivo que podrían determinar la denegación del despacho de la ejecución[219]. Esta posibilidad ha sido confirmada por el propio Tribunal de Luxemburgo en la STJUE de 26 de enero de 2017, asunto Banco Primus (C-421/14), en la que se afirma:

> *«La Directiva 93/13 debe interpretarse en el sentido de que no se opone a una norma nacional, como la que resulta del artículo 207 de la Ley 1/2000 (…) que impide al juez nacional realizar de oficio un nuevo examen del carácter abusivo de las cláusulas de un contrato cuando ya existe un pronunciamiento sobre la legalidad del conjunto de las cláusulas de ese contrato a la luz de la citada Directiva mediante una resolución con fuerza de cosa juzgada.*
>
> *Por el contrario, en caso de que existan una o varias cláusulas contractuales cuyo eventual carácter abusivo no ha sido aún examinado en un anterior control judicial del contrato controvertido concluido con la adopción de una resolución con fuerza de cosa juzgada, la Directiva 93/13 debe interpretarse en el sentido de que el juez nacional, ante el cual el consumidor ha formulado, cumpliendo lo exigido por la norma, un incidente de oposición, está obligado a apreciar, a instancia de las partes o de oficio, cuando*

---

[219]   Se muestran favorables a la posibilidad de apreciación tardía A. LAFUENTE TORRALBA, «El control judicial de las cláusulas abusivas en la ejecución hipotecaria: luces y sombras de su regulación legal», en *Vivienda y crisis económica*, Aranzadi, 2014, pp. 218 y 219; CARRASCO PERERA, «La Ley 1/2013, de 14 de mayo, de reforma hipotecaria y la articulación procesal del control sobre cláusulas abusivas en la ejecución hipotecaria», en *Revista CESCO de Derecho de Consumo*, núm. 6/2013, p. 64; DE LUCCHI LÓPEZ-TAPIA y RUIZ-RICO RUIZ, «Aspectos procesales y civiles de la Ley 1/2013, de 14 de mayo, de medidas para reforzar la protección de los deudores hipotecarios», en *Revista General de Derecho Procesal*, núm. 31, 2013, pp. 8 y 9.

disponga de los elementos de hecho y de Derecho necesarios para ello, el eventual carácter abusivo de esas cláusulas».

El Tribunal de Justicia ha dado una respuesta más precisa a la cuestión planteada en la Sentencia de 17 de mayo de 2022, asunto Ibercaja Banco (C-600/19). En el marco de un proceso de ejecución hipotecaria instado por una entidad bancaria frente a dos consumidores, el tribunal nacional suscita la duda de si es conforme con el art. 6.1 de la Directiva 93/13, según la interpretación de la misma hecha por el TJUE, una normativa interna de la que se deduce que si una determinada cláusula abusiva superó el control judicial de oficio inicial al despachar ejecución, tal control impide que con posterioridad el mismo tribunal pueda apreciar de oficio la abusividad, cuando ya desde el primer momento existían los elementos de hecho y de derecho, aunque ese control inicial no se haya exteriorizado ni en la parte dispositiva ni en la fundamentación de la resolución judicial.

La cuestión planteada tiene que ver con la práctica habitual de los órganos jurisdiccionales encargados de la ejecución hipotecaria consistente en que si no se aprecia en el control inicial la existencia de cláusulas abusivas, se limitan a despachar ejecución sin motivar, siquiera someramente, el examen de abusividad que se ha llevado a cabo.

Pues bien, el Tribunal de Justicia se muestra claramente favorable a un control del carácter abusivo de las cláusulas con posterioridad al despacho de la ejecución, bien de oficio o bien a instancia de parte. Y así lo expresa en la Sentencia Ibercaja Banco:

«…los artículos 6, apartado 1, y 7, apartado 1, de la Directiva 93/13 deben interpretarse en el sentido de que se oponen a una legislación nacional que, debido al efecto de cosa juzgada y a la preclusión, no permite al juez examinar de oficio el carácter abusivo de cláusulas contractuales en el marco de un procedimiento de ejecución hipotecaria ni al consumidor, transcurrido el plazo para formular oposición, invocar el carácter abusivo de tales cláusulas en ese procedimiento o en un procedimiento declarativo posterior cuando el juez, al inicio del procedimiento de ejecución hipotecaria, ya ha examinado de oficio el eventual carácter abusivo de dichas cláusulas pero

> la resolución judicial en que se despacha ejecución hipotecaria no contiene ningún motivo, siquiera sucinto, que acredite la existencia de tal examen ni indica que la apreciación efectuada por dicho juez al término de ese examen no podrá ya cuestionarse si no se formula oposición dentro del referido plazo».

Por tanto, la jurisprudencia del Tribunal de Justicia abona la apreciación de la abusividad después del despacho de la ejecución respecto de aquellas cláusulas contractuales que no hubieran sido ya valoradas de forma expresa por el juez nacional. El control de abusividad queda garantizado al exigir que se exteriorice en la resolución judicial y, por tanto, si, como sucedió en el asunto Ibercaja Banco, el juez encargado de la ejecución analiza el clausulado, pero no exterioriza la motivación que ha llevado a cabo para descartar el carácter abusivo de alguna cláusula, ésta podrá ser sometida a control posterior, bien de oficio o bien a instancia de parte.

Ahora bien, se plantea la cuestión de si existe un momento a partir del cual ya no sea posible apreciar dentro del proceso de ejecución hipotecaria el carácter abusivo de alguna cláusula contractual y extraer las consecuencias que se derivan de ello: el fin del propio proceso de ejecución o la reducción de la cantidad por la que se despachó la ejecución.

En relación con el momento hasta el que es posible la apreciación de oficio de la nulidad de una cláusula abusiva en el proceso de ejecución hipotecaria resulta relevante la STC 31/2019, de 28 de febrero, que estima un recurso de amparo por vulneración del derecho a la tutela judicial efectiva de la actora, coejecutada en un proceso de ejecución hipotecaria, sustanciado con posterioridad a la entrada en vigor de la Ley 1/2013, de 14 de mayo[220]. El Tribunal Constitucional considera que la decisión del Juzgado de Primera Instancia de no admitir a trámite la petición de realizar

---

[220] Un comentario sobre esta Sentencia puede verse en J. M. MARTÍN FUSTER, «La protección del consumidor en la jurisprudencia del Tribunal Constitucional: la apreciación de oficio de la nulidad y la flexibilización de los principios procesales», en *Actualidad civil*, n.º 10/2021.

un control de oficio de una cláusula de vencimiento anticipado, presentada más de un año después del decreto de adjudicación de la vivienda hipotecada, vulneró el derecho a la tutela judicial efectiva al no respetar el canon constitucional de motivación de la decisión de inadmisión.

Conforme a los antecedentes del caso, tras el despacho de la ejecución, los ejecutados fueron debidamente requeridos de pago y voluntariamente decidieron no promover el incidente de oposición de los artículos 557 y 695 de la LEC. El decreto de adjudicación se dictó el 14 de abril de 2016 y, más de un año después, la ejecutada presentó tres escritos que fueron rechazados por falta de asistencia de abogado y procurador. Finalmente, el 1 de diciembre de 2017, la ejecutada promovió incidente de nulidad de actuaciones, alegando la nulidad de la cláusula vencimiento anticipado e invocando la STJUE de 26 de enero de 2017, asunto Banco Primus (C-421/14). La ejecutada afirmaba que, dado que aún no se había producido el lanzamiento, era procedente declarar la nulidad de todos los actos del proceso de ejecución hipotecaria o, subsidiariamente, suspender las actuaciones hasta que el TJUE resuelva las cuestiones prejudiciales aún pendientes en ese momento en relación con la cláusula cuestionada.

El juzgado inadmitió el incidente de nulidad de actuaciones por diversas razones: que el motivo en que se fundamenta pudo ser invocado mediante el incidente de oposición a la ejecución; que es extemporáneo, al haber transcurrido el plazo de veinte días desde el conocimiento del hecho determinante de la nulidad y por preclusión del plazo de oposición por cláusulas abusivas; que la propia STJUE en el asunto Banco Primus sostiene que los principios de preclusión y cosa juzgada no son incompatibles con la primacía del Derecho de la Unión ni con la Directiva 93/13; y que el examen del título se realizó en el momento procesal previsto en el artículo 552 de la LEC y «no corresponden otros exámenes de oficio del título por jurisprudencia sobrevenida o a criterio de los deudores porque tal examen de oficio del título no tiene por finalidad suplir su omisión de no haber formulado oposición a la ejecución en plazo».

La cuestión a dilucidar no es el carácter abusivo o no de cláusula de vencimiento anticipado incluida en el contrato de préstamo hipotecario, sino si el órgano judicial ha actuado correctamente al denegar el examen de esa condición por considerar la pretensión extemporánea o improcedente o si esta actuación ha vulnerado el artículo 24.1 de la CE

La STC 31/2019 otorga el amparo con apoyo en la doctrina establecida en la STC 232/2016, de 5 de noviembre, en la que se afirma que al Tribunal Constitucional le corresponde «velar por el respeto del principio de primacía del Derecho de la Unión cuando […] exista una interpretación auténtica efectuada por el propio Tribunal de Justicia de la Unión Europea» y que «el desconocimiento y preterición de una norma de Derecho de la Unión, tal y como ha sido interpretada por el Tribunal de Justicia, puede suponer una 'selección irrazonable y arbitraria de una norma aplicable al proceso', lo cual puede dar lugar a una vulneración del derecho a la tutela judicial efectiva (STC 145/2012, de 2 de julio, FFJJ 5 y 6)" [FJ 5 c)]».

El máximo intérprete de la Constitución afirma que hay dos circunstancias fundamentales para considerar lesionado el derecho a la tutela judicial efectiva cuando se trata del control de cláusulas abusivas: la existencia de un pronunciamiento del Tribunal de Justicia previo a la deliberación y fallo del procedimiento en el que se estima incumplida la interpretación auténtica de una norma de Derecho de la Unión efectuada por el citado Tribunal, y que esa jurisprudencia europea haya sido introducida y formara parte del objeto del debate.

Con estas premisas, la STC 31/2019 llega a la conclusión de que la jurisprudencia del TJUE imponía al juez someter a control de oficio la cláusula de vencimiento anticipado y que solo hay preclusión en el examen de oficio de las cláusulas respecto de las que ya ha habido un control previo. No se considera suficiente a estos efectos la justificación aportada en la providencia de inadmisión del incidente de nulidad de actuaciones en la que se afirmaba que ese control ya se hizo en el momento previsto en el artículo 552 de la LEC porque en el auto de despacho de la ejecución no había un razonamiento expreso sobre la adecuación de la cláusula de vencimiento anticipado a las exigencia de la doctrina comunitaria. Se concluye, pues, que el Juzgado debió admitir el incidente de nulidad de actuaciones, pese a ser extemporáneo[221].

La STC 31/2019 establece, en definitiva, que solo una resolución expresa sobre cada una de las cláusulas contractuales que pudieran ser abusivas satisface las exigencias del artículo 552 de la LEC y que no hay un momento preclusivo para el control de oficio de cláusulas que no hubieran sido objeto de ese pronunciamiento expreso, que resulta exigible incluso después de la adjudicación del inmueble en la subasta y antes del lanzamiento[222].

El razonamiento de la STC 31/2019 es ciertamente discutible y así se pone de manifiesto en el voto particular del magistrado Enriquez Sancho. El magistrado discrepante afirma que la doctrina sobre el alcance del derecho de la parte ejecutada para exigir el control judicial de oficio de las cláusulas abusivas en contratos con consumidores recogida en la Sentencia parte de una interpretación errónea de la jurisprudencia del Tribunal de Justicia de la Unión Europea y puede suponer un riesgo para la seguridad jurídica en los procesos de ejecución.

El problema nuclear que se plantea es «si existe un pretendido derecho a provocar la nulidad de actuaciones, total o parcial, de un proceso de ejecución prácticamente finalizado, pese a no

---

[221] La misma doctrina se reitera por el Tribunal Constitucional en las SSTC 30/2020, de 26 de marzo; 61/2022, de 9 de mayo y 80/2022, de 27 de junio.

[222] Esta interpretación extensiva del límite temporal para apreciar la abusividad es defendida por M. J. ACHÓN BRUNEN, «Alegación de cláusulas abusivas extemporáneamente, incluso terminado el procedimiento hipotecario y aun después del lanzamiento: casos en que prospera», en Diario La Ley, n° 10031, Sección Tribuna, 17 de Marzo de 2022, p. 4.

haber sufrido la parte ejecutada indefensión alguna y haber desaprovechado sin motivo justificado los trámites de defensa que tenía a su disposición para obtener una respuesta judicial sobre el carácter abusivo de la cláusula, amparándose en el último momento en el supuesto incumplimiento de un control de oficio de la misma».

La STC 31/2019 tomó como premisa la equiparación entre la situación de la recurrente de amparo y la del ejecutado en el proceso que dio lugar a la STJUE en el asunto Banco Primus. Sin embargo, como señala el voto particular, no existe identidad entre ambos supuestos. En la STJUE Banco Primus se trataba de un proceso de ejecución hipotecaria iniciado en el año 2010, pero todavía abierto a la entrada en vigor de la Ley 1/2013, de modo que la articulación sobrevenida de la oposición a la cláusula abusiva de vencimiento anticipado se sujetaba a las reglas de su disposición transitoria cuarta, que otorgaba un plazo de un mes para formalizar en ese caso la impugnación. Este plazo fue declarado contrario al Derecho de la Unión por la STJUE de 29 de octubre de 2015, asunto BBVA (C-8/14), porque se contaba desde el día siguiente a la publicación de la ley, sin exigir una notificación judicial a la parte dentro de cada procedimiento[223]. Este es el fundamento por el que la STJUE de 26 de enero de 2017, asunto Banco Primus, considera que la parte ejecutada del proceso *a quo* no había podido promover el incidente de oposición para el control de la cláusula, lo que abriría la alternativa a poder exigir el control de oficio mediante un incidente de nulidad instado con posterioridad. El procedimiento de ejecución de la demandante de amparo, por el contrario, se inició en noviembre de 2013, estando ya vigentes las normas que regulan tanto la apreciación de oficio como la denuncia a instancia de parte de las cláusulas abusivas.

---

[223] Sobre esta Sentencia, F. VERDUN PEREZ, «La sentencia del TJUE de 29 de octubre de 2015 en el asunto BBVA: análisis de sus eventuales consecuencias». *Revista CESCO De Derecho De Consumo*, 19/2016, pp. 75 a 111, (https://revista.uclm.es/index.php/cesco/article/view/1186).

No son, por tanto, equiparables los supuestos de hecho en uno y otro caso.

El magistrado discrepante estima que la demanda de amparo debió ser desestimada por varias razones, que se pueden resumir en dos fundamentales. La primera es que el órgano judicial ya había llevado a cabo el control de oficio de las cláusulas abusivas en el momento de decidir sobre el despacho de la ejecución, momento en el que ya contaba con los elementos de hecho y de derecho para ello. Ese control puede realizarse mediante un juicio global, no necesariamente pormenorizado cláusula a cláusula. Solo las cláusulas que no hubieran sido todavía examinadas quedarán aún pendientes de esa verificación de oficio. Y, como ha reconocido el propio TJUE, «con el fin de garantizar tanto la estabilidad del Derecho y de las relaciones jurídicas como la buena administración de justicia, es necesario que no puedan impugnarse las resoluciones judiciales que hayan adquirido firmeza tras haberse agotado las vías de recurso disponibles o tras expirar los plazos previstos para el ejercicio de dichos recursos»[224] y «la Directiva 93/13 debe interpretarse en el sentido de que no se opone a una disposición nacional, como la que resulta del artículo 207 de la LEC, que impide al juez nacional realizar de oficio un nuevo examen del carácter abusivo de las cláusulas de un contrato celebrado con un profesional cuando ya existe un pronunciamiento sobre la legalidad del conjunto de las cláusulas del contrato a la luz de la citada Directiva mediante una resolución con fuerza de cosa juzgada, extremo éste que incumbe verificar al órgano jurisdiccional remitente»[225].

La segunda razón es que la parte que pretende exigir al juez el control de oficio de la cláusula abusiva debe cumplir con la legalidad procesal vigente, a fin de preservar la seguridad jurídica y los derechos de las demás partes. Estas normas no contemplan

---

[224] STJUE de 6 de octubre de 2009, asunto Asturcom (C-40/08), apartado 36.
[225] STJUE de 26 de enero de 2017, asunto Banco Primus (C-421/14), apartado 49.

el derecho de la ejecutada de exigir sin sujeción a plazo alguno el control del carácter abusivo de una cláusula. La ejecutada fue correctamente notificada del despacho de la ejecución y de manera voluntario decidió no oponerse a la misma.

La tesis mantenida en el voto particular en el que se considera procedente la desestimación del amparo parece la más coherente con el ordenamiento vigente y con la propia jurisprudencia del Tribunal de Luxemburgo. No obstante, no creemos que pueda afirmarse a la vista de la Sentencia de 17 de mayo de 2022, asunto Ibercaja Banco (C-600/19) que una valoración global de las cláusulas contractuales en el auto de despacho de la ejecución y sin mencionar en concreto ninguna de ellas pueda considerarse suficiente para entender satisfecho el canon de control de oficio de las cláusulas abusivas impuesto por la jurisprudencia comunitaria. Se trataría de una desestimación tácita de la abusividad y resultaría difícil saber a ciencia cierta si el juez llevó cabo esa verificación de las cláusulas y descartó su carácter abusivo o si omitió toda valoración al respecto. Como se puede inferir de la propia Sentencia Ibercaja Banco, ofrecería mucha más seguridad la exteriorización de ese control de oficio en el auto de despacho de la ejecución, aunque sea con una somera motivación, que permita constatar que las cláusulas que fundamenten el título ejecutivo o que determinen la cantidad exigible han superado el filtro de la abusividad.

En todo caso, creo que la demanda de amparo no debió estimarse porque no se lesionó ningún derecho fundamental de la ejecutada y el proceso de ejecución hipotecaria ya había concluido con la adjudicación del bien hipotecado. Es cierto que no se había puesto aún en posesión del inmueble a la entidad adjudicataria y que ésta podía haber instando, dentro del propio proceso de ejecución hipotecaria, el lanzamiento de los ocupantes conforme a lo previsto en el artículo 675 de la LEC, para lo que tenía un plazo de un año desde la adjudicación. Plazo éste que ya había transcurrido cuando se insta la nulidad de actuaciones por la adjudicataria.

Como dispone el apartado segundo del artículo 675 de la LEC, transcurrido ese plazo, el adjudicatario tendrá que plantear su petición de desalojo a través del «juicio que corresponda». Este juicio, una vez que el adjudicatario haya inscrito su adquisición en el Registro de la Propiedad, puede ser el juicio verbal de protección del derecho real inscrito. Sobre éste, la STJUE de 7 de diciembre de 2017, asunto Banco Santander (C-598/15) ya ha puesto de manifiesto que no resulta de aplicación la Directiva 93/13 porque la pretensión no se fundamenta en un contrato entre un empresario y un consumidor, sino en la adquisición de la propiedad y su inscripción registral.

A la misma conclusión habría que llegar si el adjudicatario acude a un proceso declarativo ordinario y no al sumario para la protección del derecho real inscrito. Evidentemente, que sea uno u otro el cauce procesal elegido para hacer valer la pretensión no puede alterar la consideración de que la pretensión no se fundamenta en el contrato, sino en la adquisición de la propiedad tras la celebración de la subasta.

En definitiva, coincido con la opinión del magistrado firmante del voto particular en el sentido de que admitir sin sujeción a plazo alguno la viabilidad de una solicitud de nulidad del proceso de ejecución hipotecara por la falta de control de oficio de una cláusula abusiva cuando ya se ha producido la adjudicación del bien en la subasta pone en peligro la seguridad jurídica. El adjudicatario del bien en la subasta, que puede ser, como en este caso, el propio ejecutante o puede ser también un tercero, tendría sobre sí la espada de Damocles de una solicitud *sine die* de nulidad por la concurrencia de cláusulas abusivas.

Esta misma conclusión se ha confirmado ahora con la tan citada Sentencia de 17 de mayo de 2022, asunto Ibercaja Banco (C-600/19). Una de las cuestiones que planteó la Audiencia Provincial de Zaragoza al Tribunal de Luxemburgo fue si, aprobado el remate y adjudicada la finca, exige el Derecho de la Unión que se puedan plantear nuevos incidentes por el deudor para que se declare la nulidad de alguna cláusula abusiva con incidencia en el proceso de ejecución, o si se debe admitir una revisión de oficio que conlleve la anulación de todo el proceso de ejecución o termine incidiendo en las cuantías cubiertas por la hipoteca, pudiendo afectar a los términos en que se realizaron las posturas. La respuesta del Tribunal de Justicia, reflejada en los apartados 57 y 58 de la Sentencia, es la siguiente:

> «...*en una situación como la del litigio principal, en la que el procedimiento de ejecución hipotecaria ha concluido y los derechos de propiedad respecto del bien han sido transmitidos a un tercero, el juez, actuando de oficio o a instancias del consumidor, ya no puede proceder a un examen del carácter abusivo de cláusulas contractuales que llevase a la anulación de los actos de transmisión de la propiedad y cuestionar la seguridad jurídica de la transmisión de la propiedad ya realizada frente a un tercero.*
>
> *No obstante, en tal situación, el consumidor, conforme a los artículos 6, apartado 1, y 7, apartado 1, de la Directiva 93/13, interpretados a la luz del principio de efectividad, debe poder invocar en un procedimiento posterior distinto el carácter abusivo de las cláusulas del contrato de préstamo hipotecario para poder ejercer efectiva y plenamente sus derechos en virtud de la citada Directiva, con el fin de obtener la reparación del perjuicio económico causado por la aplicación de dichas cláusulas*».

Por tanto, una vez que se ha producido la adjudicación del bien en la subasta, ya no puede llevarse a cabo, ni de oficio ni a instancia de parte, un control de las cláusulas abusivas que determine la nulidad de todo o parte del proceso de ejecución hipotecaria. No obstante, la abusividad se podrá plantear en un proceso distinto con el fin de obtener una compensación económica que remedie el perjuicio sufrido por el consumidor ante la falta de apreciación de carácter abusivo de una determinada cláusula.

2.3. *El trámite de audiencia a las partes y la decisión sobre la abusividad*

Como condición para se pueda apreciar de oficio el carácter abusivo de una cláusula contractual, el juez ha de dar audiencia a las partes por plazo de quince días[226] y, tras ello, en el plazo de cinco días resolverá lo procedente[227]. Se aleja en este punto el tratamiento de las clausulas abusivas del que se da a los presupuestos procesales porque respecto de éstos no es necesaria la audiencia previa de las partes, sino que se puede denegar directamente el despacho de la ejecución ante su falta.

La regulación del artículo 552.1 II LEC suscita importantes dudas sobre el concepto de partes. Se plantea si debe darse audiencia solo al ejecutante, que es el único personado en ese momento o si también debe ser oída la parte ejecutada. En mi opinión, este trámite de audiencia debe sustanciarse con ambas partes por dos razones. La primera es que si el legislador hubiera querido limitarlo al ejecutante, hubiera empleado los términos «partes personadas». La segunda razón es que ésta es la interpretación que más se ajusta a la jurisprudencia comunitaria, que, como regla general, pone de manifiesto la necesidad de oír a ambas partes de forma contradictoria a fin de asegurar el derecho de defensa y de permitir al juez conocer la voluntad del consumidor ejecutado, pues no debe olvidarse que si el consumidor, tras haber sido informado del posible carácter abusivo de una clausula contractual, manifiesta su intención de no excluirla, el juez no tendrá que dejar de aplicarla[228].

---

[226] En la redacción inicial dada por la Ley 1/2013 el plazo de audiencia a las partes era de cinco días, pero fue ampliado a quince mediante la disposición final 4.1 de la Ley 8/2013, de rehabilitación, regeneración y renovación urbanas.

[227] Como señala J. GONZÁLEZ GARCÍA, *El procedimiento hipotecario...*, cit., pp. 178 y 179, el trámite de audiencia a las partes previo a la decisión sobre la abusividad solo entrará en juego si el juez tiene algún tipo de sospecha sobre el carácter abusivo de alguna cláusula contractual. En caso contrario, el juez habrá de dictar auto de despacho de la ejecución sin abrir el trámite del artículo 552.1, II de la LEC.

[228] SSTJUE de 4 de junio de 2009, asunto Pannon y 21 de febrero de 2013, asunto *Banif Plus Bank*.

El introducir una fase de contradicción previa al despacho de la ejecución se ha considerado innecesario y perturbador para el normal desarrollo del proceso de ejecución forzosa. Se ha afirmado que el hecho de que el juez, sin audiencia previa de las partes, pudiera decidir sobre el carácter abusivo de una cláusula contractual no vulneraría el derecho de defensa de ninguna de las partes: el ejecutante podría impugnar la declaración de abusividad recurriendo el auto que denegase el despacho de la ejecución o la despachase sin aplicación de la cláusula abusiva y el ejecutado podría oponerse a la ejecución en el caso de que el juez haya concluido que la cláusula no es abusiva. Esta distorsión, además, anula el «efecto sorpresa» de la actividad ejecutiva, que es el fundamento por el que la ejecución se despacha, como regla general, *inaudita parte debitoris*[229]. Sin embargo, esta última crítica no es aplicable a la ejecución hipotecaria porque de nada le servirá al ejecutado que se le ponga sobre aviso del ataque que se cierne sobre su patrimonio con el riesgo de que sustraiga sus bienes del alcance del acreedor y también del tribunal. La ejecución hipotecaria solo se proyecta sobre el bien o bienes hipotecados y éstos ya han sido vinculados al pago del crédito hipotecario desde el momento mismo en que se constituye la hipoteca. No siendo necesario el embargo de bienes en la ejecución hipotecaria, la falta de ese efecto sorpresa de la ejecución no pondrá en riesgo ésta.

En cuanto a la forma de articular la audiencia a las partes, ésta se realizará por escrito en un plazo de quince días y las alegaciones habrán de ceñirse a las concretas cláusulas sobre las que el juez haya planteado sus dudas sobre su carácter abusivo[230]. Si el ejecutado considera que el carácter abusivo afecta a otras cláusu-

---

[229]   Cfr. A. LAFUENTE TORRALBA, «El control judicial de las cláusulas…», op. cit., pp. 222 a 224.

[230]   Como señala, A. LAFUENTE TORRALBA, «El control judicial de las cláusulas…», cit., pp. 224 y 225, no podrá el ejecutado aprovecha este trámite para plantear la abusividad de otras cláusulas distintas de las indicadas por el tribunal. Si se admitiera esa posibilidad, habría que dar audiencia de nuevo al ejecutante para que pudiera apoyar la validez de

las distintas de las señaladas por el juez, habrá de plantearlo por medio de la oposición a la ejecución.

Una vez formuladas las alegaciones de las partes o precluido el plazo sin que se hayan presentado, el juez acordará lo procedente mediante auto en los cinco días hábiles siguientes. El juez puede adoptar hasta tres decisiones distintas con consecuencias diversas. Puede, en primer lugar, despachar la ejecución en los términos solicitados en la demanda ejecutiva, si no aprecia el carácter abusivo de la o las cláusulas sobre las que suscitó la duda. Puede denegar el despacho de la ejecución si aprecia el carácter abusivo de la cláusula y, además, ésta afecta de tal modo al título ejecutivo que impide la ejecución misma. Por último, el juez puede despachar la ejecución excluyendo aquella o aquellas cláusulas que considere abusivas y que solo afectan a algún aspecto de la ejecución, normalmente a la cantidad reclamada.

Conforme al artículo 552.2 de la LEC, el auto que deniegue el despacho de la ejecución o, entiendo, el que despache la ejecución con exclusión de la cláusula considerada abusiva, será directamente apelable, sin perjuicio de que el acreedor pueda interponer con carácter previo recurso de reposición. Esta apelación se sustancia solo con el acreedor. No parece coherente que se permita a ambas partes formular alegaciones previas a la decisión sobre el eventual carácter abusivo de las cláusulas y el despacho de la ejecución y, sin embargo, se excluya a una de las partes de la sustanciación del recurso de apelación que se interponga ante la denegación del despacho de la ejecución por la concurrencia de cláusulas abusivas. Si se exige la contradicción previa, no tiene sentido impedir después al deudor defenderse frente a la impugnación del auto que deniegue el despacho de la ejecución[231].

---

esas cláusulas y se podría entrar en una espiral de alegaciones, contraalegaciones y emplazamientos sucesivos.

[231] En el mismo sentido, J. GONZÁLEZ GARCÍA, *El procedimiento hipotecario...*, cit., p. 183.

Capítulo XII

El control de oficio de cláusulas abusivas en el proceso de ejecución de títulos ejecutivos judiciales y asimilados

1. LA EXCLUSIÓN DEL CONTROL DE OFICIO DE CLÁUSULAS ABUSIVAS EN LOS PROCESO DE EJECUCIÓN DE TÍTULOS EJECUTIVOS JUDICIALES Y ASIMILADOS

El legislador nacional ha limitado el control de las cláusulas abusivas, tanto de oficio como a instancia de parte, a los procesos en los que se ejecutan títulos ejecutivos extrajudiciales. Así se deduce con claridad de los artículos 552.1.II y 557.1 de la LEC. Con más exactitud, se puede afirmar que ese control se restringe a las escrituras públicas y a las pólizas intervenidas por notario de los números 4° y 5° del artículo 517.2 de la LEC[232].

Quedan, por tanto, fuera del control de abusividad los títulos ejecutivos judiciales o asimilados. La explicación para tal exclusión puede encontrarse en que la sustanciación de un proceso declarativo previo a la creación del título habrá brindado al juez la posibilidad de apreciar de oficio el carácter abusivo de las cláusu-

---

[232] Los títulos nominativos, al portador o mediante anotaciones en cuenta de los números 6° y 7° del artículo 517.2 de la LEC no son susceptibles de control de abusividad. Como señala, A. LAFUENTE TORRALBA, «Los obstáculos para el examen de cláusulas abusivas en el proceso de ejecución: puntos ciegos y zonas de desprotección en el régimen vigente», en *Revista de Derecho Civil*, número 2, abril-junio de 2016, pp. 194 y 195, sería un disparate jurídico que, por ejemplo, una sociedad de capital pudiera denunciar la existencia de cláusulas abusivas en los títulos de deuda que ella misma ha emitido y oponerlos a los tenedores de esos títulos.

las que sean relevantes para la decisión sobre el objeto del proceso y también el propio consumidor habrá tenido oportunidad de poner de manifiesto la nulidad de las cláusulas abusivas.

En lo que se refiere al control de oficio en el proceso declarativo, éste no solo ha de producirse en la primera instancia, sino también en instancias posteriores, tan pronto como el juez disponga de los elementos de hecho y de derecho para ello.

Ahora bien, ¿qué sucede si el juez no ha apreciado de oficio o a instancia de parte una cláusula abusiva en el proceso declarativo? ¿Podrá ese control trasladarse al proceso de ejecución?

La respuesta a esta cuestión es, en principio, negativa. La validez o nulidad de las cláusulas contractuales queda cubierta por la cosa juzgada de la sentencia porque pudo valorarse en el proceso de declaración y, en consecuencia, no podrá ser objeto de nueva decisión ni en la ejecución forzosa ni en otro procedimiento posterior porque ha quedado fijado de modo irrevocable.

En este sentido, el propio TJUE ha resaltado que con el fin de garantizar la seguridad jurídica y la buena administración de justicia es necesario que no puedan impugnarse las resoluciones judiciales que hayan adquirido firmeza tras haberse agotado las vías de recurso disponibles o tras expirar los plazos previstos para el ejercicio de dichos recursos[233]. En consecuencia, el Derecho de la Unión Europea no obliga a un órgano jurisdiccional nacional a dejar de aplicar las normas procesales internas que confieren fuerza de cosa juzgada a una resolución, aunque ello permitiera subsanar una vulneración de una disposición, cualquiera que sea su naturaleza, del Derecho comunitario[234]. La protección del con-

---

[233] Sentencias de 30 de septiembre de 2003, asunto Köbler (C-224/01), apartado 38; de 16 de marzo de 2006, asunto Kapferer (C-234/04), apartado 20, y de 3 de septiembre de 2009, asunto Fallimento Olimpiclub (C-2/08), apartado 22.

[234] Sentencias de 1 de junio de 1999, asunto Eco Swiss (C-126/97), apartados 47 y 48; de 16 de marzo de 2006, asunto Kapferer (C-234/04), apartado 21; de 3 de septiembre de 2009, asunto Fallimento Olimpiclub

sumidor no es, por tanto, absoluta y ha de conciliarse con otros valores como la seguridad jurídica.

No debe, empero, olvidarse que el Tribunal de Justicia ha establecido ciertas limitaciones respecto de la extensión de la eficacia de cosa juzgada en relación con las cláusulas abusivas. En efecto, la Sentencia de 17 de mayo de 2022, asuntos SPV Project 1503 Srl y Banco di Desio e della Brianza SpA (C-693/19 y C-831/19) y la Sentencia de 17 de mayo de 2022, asunto Ibercaja Banco (C-600/19), disponen que solo un pronunciamiento expreso sobre el carácter abusivo de una cláusula contractual puede pasar en autoridad de cosa juzgada. Esta doctrina se enmarca en un contexto muy concreto: el de procesos de ejecución hipotecaria o de procesos monitorios, en los que hay una importante restricción en la cognición y en las posibilidades de defensa del consumidor. Sin embargo, la misma doctrina no se puede extender al ámbito de los procesos declarativos con cognición plena y sin limitación en las posibilidades de defensa del consumidor. Entre unos y otros no se da la necesaria identidad de razón.

2. LAS POSIBLES EXCEPCIONES A LA EXCLUSIÓN DEL CONTROL DE OFICIO DE CLÁUSULAS ABUSIVAS EN LOS PROCESOS DE EJECUCIÓN DE TÍTULOS EJECUTIVOS JUDICIALES O ASIMILADOS

Si el razonamiento anterior, que excluye el control de las cláusulas abusivas en el proceso de ejecución de títulos judiciales, lo proyectamos sobre el título ejecutivo judicial por antonomasia, esto es, la sentencia de condena firme, parece intachable. No resulta procedente admitir el control de cláusulas abusivas en el proceso de ejecución de una sentencia de condena porque ese control se ha podido llevar a cabo, tanto de oficio como a instancia de parte, a lo largo de todo el proceso declarativo, en diver-

---

(C-2/08), apartado 23, y de 21 de diciembre de 2018, asunto Guitérrez Naranjo (C-154/15, C-307/15 y C-308/15), apartado 68.

sos momentos e, incluso, en diversas instancias. Sin embargo, hay
otros títulos ejecutivos que se asimilan a los judiciales, como son
los laudos arbitrales, o que se dictan dentro del proceso declarativo por una autoridad no judicial, como los decretos del letrado de
la Administración de Justicia, respecto de los que pueden surgir
más dudas.

2.1. *Proceso de ejecución de laudos arbitrales y control de abusividad*

En el caso de que el título que esté en la base de la ejecución
sea un laudo arbitral, el control que ha de realizar el juez encargado de la ejecución queda, en principio, reducido a comprobar
ex artículo 551 de la LEC la concurrencia de los presupuestos y
requisitos procesales, la regularidad formal del título ejecutivo y,
por último, que la tutela solicitada sea conforme con la naturaleza
y el contenido del título.

La legislación procesal no prevé la posibilidad de que el juez
encargado de la ejecución del laudo aprecie de oficio la abusividad de una cláusula inserta en el instrumento que formaliza la relación jurídica entre el consumidor y el empresario o profesional.
Las causas de nulidad del laudo deben hacerse valer a través del
llamado recurso de anulación, regulado en los artículos 40 a 43 de
la Ley de Arbitraje, y el laudo firme, igual que la sentencia, tiene
eficacia de cosa juzgada material.

2.1.1. Las discrepancias doctrinales y jurisprudenciales

Pese a lo anterior, el problema del control de las cláusulas abusivas y, en general, de la nulidad en el proceso de ejecución del
laudo lejos de estar solucionado, ha dado lugar a diversas posturas
doctrinales y jurisprudenciales. Las sentencias del Tribunal de Luxemburgo sobre la protección del consumidor frente a cláusulas
abusivas han avivado la antigua polémica y han puesto en tela de
juicio la compatibilidad entre la regulación española y el Derecho
de la Unión Europea.

Un sector de la doctrina y de la jurisprudencia de las Audiencias aboga por la ampliación de los poderes del juez de la ejecución en orden al control del laudo y, más concretamente, de las eventuales cláusulas abusivas en perjuicio del consumidor que puedan estar en la base del arbitraje. Esta postura más tuitiva defiende que el juez ejecutor no puede adoptar una actitud meramente pasiva, sino que debe cumplir una función de vigilancia a través del control de la idoneidad del laudo cuando éste afecte a materias excluidas de arbitraje o sea contrario al orden público. No se trata de una posición nueva en la doctrina sino que se ha defendido años atrás y con anterioridad a la irrupción de la jurisprudencia del TJUE en defensa de los derechos de los consumidores[235].

No han faltado tampoco decisiones de las Audiencias Provinciales en favor del aumento de los poderes de control de oficio en el proceso de ejecución de laudos arbitrales. En este sentido, resulta muy ilustrativo el Auto de la Audiencia Provincial de Madrid

---

[235] Cfr., entre otros, J. MONTERO AROCA, «Comentario al Título VIII. De la ejecución forzosa del laudo», en *Comentario breve a la Ley de Arbitraje*, Montero Aroca (Dir.), Civitas, 1990, p. 282.; G. ORMAZABAL SÁNCHEZ, *La ejecución de los laudos arbitrales*, Barcelona, Bosch, 1996, pp. 120 y 121; A. BERNARDO SAN JOSÉ, *Arbitraje y Jurisdicción, incompatibilidades y vías de exclusión*, Granada, Comares, 2003, pp. 177 a 180; y J. PICÓ I JUNOY, «El abuso del arbitraje por parte de ciertas instituciones arbitrales», en *La Ley, Revista Jurídica Española de doctrina, jurisprudencia y bibliografía*, núm. 2/2005, pp. 1427 a 1441, quien estima que el control de oficio en la ejecución del laudo es admisible cuando ha versado sobre una materia no arbitrable o cuando el demandado no ha tenido oportunidad de defenderse por falta de imparcialidad del árbitro o por vulneración de alguna garantía fundamental del proceso arbitral. Algo más reciente y ya con la vista puesta en la jurisprudencia emanada desde Luxemburgo, puede verse A. LAFUENTE TORRALBA, «Los obstáculos para el examen de cláusulas abusivas en el proceso de ejecución: puntos ciegos y zonas de desprotección en el régimen vigente», en *Revista de Derecho Civil* (http://nreg.es/ojs/index.php/RDC), vol. II, núm. 2 (abril-junio, 2015), Ensayos, pp. 181 a 205.

(Sección 20ª), núm. 144/2011, de 7 de junio (JUR 2011/291482), en el que se afirma lo siguiente:

> *«Tras realizar una primera aproximación a la materia, revisando las disposiciones específicas que contiene la Ley de Arbitraje de 23 de diciembre de 2003 y la Ley de Enjuiciamiento civil, entendemos que los tribunales, a pesar de no haber sido impugnado el laudo, no deben mostrar una actitud pasiva sino que existen cuestiones que no se pueden sustraer a su control pues, en otro caso, no se explicaría que la ley ordene que se deba acompañar a la demanda de ejecución el contrato arbitral (artículo 550 Ley de Enjuiciamiento civil), ni que el artículo 551 exija al juez antes de despachar ejecución, sin excepción alguna en función de los títulos base de ejecución, examinar que concurran los presupuestos y requisitos procesales, que el título ejecutivo no adolezca de ninguna irregularidad formal y que los actos de ejecución que se solicitan sean conformes con la naturaleza y contenido del título.*
>
> *Si a ello añadimos que entre los motivos de nulidad del laudo existen algunos apreciables de oficio por los tribunales, en concreto, los motivos contenidos en los párrafos b), e) y f) del apartado primero del artículo 41, es decir cuando una de las partes b) no ha sido debidamente notificada de la designación de un árbitro o de las actuaciones arbitrales o no ha podido, por cualquier otra razón, hacer valer sus derechos, cuando e) los árbitros han resuelto sobre cuestiones no susceptibles de arbitraje, o si f) el laudo es contrario al orden público, podemos tener una base sólida para determinar el control que debe realizarse sobre el laudo que se pretende ejecutar. Esto es, existen cuestiones en las que el juzgado tiene facultad de denegar la ejecución al entrarse en unos límites legalmente imperativos e indisponibles fuera de los cuales no puede excluirse la jurisdicción, pudiendo rechazar la ejecución del laudo, por no ser conforme a la naturaleza y contenido del título, cuando verse sobre materias no susceptibles de arbitraje (contrario a su naturaleza) o se solicite la ejecución de materias no decididas en el laudo (contrario a su contenido)»*[236].

---

[236] En la misma línea, entre la jurisprudencia de las Audiencias, pueden verse: AAP Barcelona (sec. 15ª) de 8 de febrero de 2006 (AC 2006, 2041); AAP Jaén (sec. 3ª), núm. 75/2007, de 23 de octubre (JUR 2008/46921); AAP Barcelona (sec. 15ª); de 2 de julio de 2008 (AC 2008, 1690); o AAP Madrid (sec. 20ª) de 28 de octubre de 2008 (JUR 2009, 35299).

Otro sector de la doctrina y la jurisprudencia se muestra contrario a la ampliación de los poderes de control del juez en el proceso de ejecución del laudo. La negativa a permitir al juez de la ejecución analizar la validez o nulidad del convenio arbitral se fundamenta en que se trata de cuestiones que pudieron plantearse en el procedimiento arbitral o en el recurso de anulación del laudo. Una vez firme el laudo, la cosa juzgada tendrá eficacia sanadora, dejando a salvo, eso sí, la posibilidad excepcional de revisión, prevista en el artículo 43 de la LA en relación con el artículo 510 de la LEC. Lo contrario supondría, para este sector, una inadmisible intromisión de la jurisdicción en el arbitraje y una, no menos inadmisible, discriminación del laudo arbitral respecto de la sentencia firme. Incluso se ha afirmado que esta posibilidad implicaría «sustituir la iniciativa que corresponde a las partes en el proceso de ejecución por la del *iudex*, con grave lesión para los derechos del ejecutante y del principio dispositivo»[237].

Esta interpretación más restrictiva de los poderes del juez en la ejecución del laudo también ha encontrado, igual que la contraria, apoyo en la jurisprudencia de las Audiencias. Así, por su claridad, puede citarse, como botón de muestra, el AAP de Vizcaya (Sección 4ª), núm. 395/2008, de 5 de junio (JUR 2008/391389),

---

[237] J. M. RUIZ MORENO, «El control *ex officio iudicis* de la validez del laudo de consumo en el proceso de ejecución: una práctica errónea de las Audiencias Provinciales que ahora confirma la sentencia Asturcom telecomunicaciones del TJUE», en *Diario La Ley*, núm. 7578, 28 de febrero de 2011, p. 3 y del mismo autor, «La intromisión de la jurisdicción ordinaria en el arbitraje de consumo», en *Revista Internacional de Estudios de Derecho Procesal y Arbitraje*, núm. 1, 2015. En el mismo sentido, A. M. LORCA NAVARRETE, *Tratado de Derecho de Arbitraje*, Instituto Vasco de Derecho Procesal, 2001, p. 74; o J. FRANCO ARIAS, «La ejecución del laudo y particularmente la ejecución provisional, según la Ley de Arbitraje de 2003», en *Justicia Alternativa*, núm. 5/2003, p. 184, quien afirma que la legislación no permite convertir el despacho de la ejecución o la oposición a la ejecución en un segundo recurso de nulidad, ni siquiera en aquellos casos en que no se hubiera ejercitado la acción de nulidad.

en el que se hace un resumen de la doctrina reflejada en otras resoluciones citadas en el mismo con los siguientes términos:

«*El juez debe despachar ejecución en todo caso siempre que concurran los presupuestos y requisitos procesales, el título ejecutivo no adolezca de ninguna irregularidad formal y los actos de ejecución que se solicitan sean conformes con la naturaleza y contenido del título (artículo 551 LEC y 44 LA) y haya transcurrido el plazo de veinte días a que se refiere el artículo 548 LEC.*

Lo que no procede es, como hace el auto recurrido, analizar "ab initio" y de oficio la validez o nulidad del convenio arbitral y denegar el despacho de ejecución razonando que el convenio arbitral es nulo por ser contrario al orden público, por falta de imparcialidad de la AEADE, pues dichas cuestiones solo podrán hacerse valer, en su caso, y si procede, por quien se crea asistido del derecho en el propio arbitraje, en el recurso de anulación del laudo dictado o, si ello fuera posible y no estuviera incursa la cuestión en preclusión, en la oposición a la ejecución, ya que de otro modo se infringen los principios dispositivo y de aportación de parte y los preceptos establecidos en la Ley de Enjuiciamiento Civil reguladores del despacho de ejecución.

La denegación del despacho de ejecución contemplada en el artículo 552 LEC, sólo puede fundarse en cuestiones formales relativas al título, o al propio proceso de ejecución si no fuera subsanable la falta del presupuesto formal, es decir, en cuestiones relacionadas en el artículo 551 (jurisdicción y competencia, capacidad, defensa y representación de las partes y cualidad con que aparecen en el título o según justificación documental, requisitos de la demanda, presentación de documentos necesarios, título formalmente constituido, actividades ejecutivas conformes, existencia de acción ejecutiva ¿no caducada?, y cumplimiento del plazo previsto en el artículo 548) y si quien ejercita la acción ejecutiva presenta un título regularmente constituido en su aspecto formal, los actos solicitados son conformes con la naturaleza y contenidos del título y se cumplen los demás presupuestos que resultan del artículo 551 y concordantes de la Ley de Enjuiciamiento Civil, el Juez debe despachar ejecución.

Es decir, ante la cuestión de si los órganos jurisdiccionales pueden ir más allá de este examen de la regularidad formal y procesal del título y de la petición que se deduce, y pueden adentrarse en un control de oficio, cuando no ha precedido una decisión judicial a través del recurso de anulación, de la legalidad intrínseca no sólo del laudo emitido (título de la ejecución) sino del convenio mismo en cuya virtud se deriva la función de decidir la contienda a los árbitros, excluyendo la intervención de la jurisdicción en ese primer grado resolutorio, debemos concluir en sentido negativo argumentando que los principios de rogación y seguridad jurídica, éste inmanente al efecto de la cosa juzgada, imperantes en nuestro ordenamiento jurídico, constituyen una barrera o tope a la revisión judicial de oficio cuando no está permitida expresamente por la ley, y que la tutela judicial no puede ir más allá de lo querido por la parte afectada por el acto o resolución ni de lo autorizado por la ley».

2.1.2. La postura del Tribunal de Justicia de la Unión Europea: la Sentencia de 6 de octubre de 2009, asunto Asturcom (C-40/08)

Ante esta disparidad de criterios tanto en la doctrina como en la jurisprudencia no resulta extraño que un órgano jurisdiccional español, en concreto el Juzgado de Primera Instancia número 4 de Bilbao, haya planteado una cuestión prejudicial ante el Tribunal de Luxemburgo para determinar si la protección a los consumidores de la Directiva 93/13 exige al tribunal que conoce de una demanda de ejecución forzosa de un laudo arbitral firme, dictado sin la comparecencia del consumidor, apreciar de oficio la nulidad del convenio arbitral y, en consecuencia, la anulación del laudo por estimar que dicho convenio contiene una cláusula arbitral abusiva en perjuicio del consumidor. La cuestión fue resuelta por la Sentencia de 6 de octubre de 2009, asunto Asturcom (C-40/08).

El adecuado entendimiento del problema planteado en este caso concreto exige traer a colación, siquiera brevemente, algunos hechos de gran relevancia. El litigio principal tenía por objeto el incumplimiento por parte de la consumidora de un contrato de abono de telefonía móvil en el que figuraba una cláusula de sumisión a arbitraje en favor de la Asociación Europea de Arbitraje de Derecho y Equidad (en adelante AEADE), cuya sede, que no figuraba en el contrato, se encontraba en una provincia distinta de aquella donde la consumidora estaba domiciliada. Se da la circunstancia de que la propia AEADE ofrecía servicios de asesoramiento a las empresas del sector de la telefonía y confeccionaba los modelos contractuales, incluyendo en éstos una cláusula arbitral en cuya virtud la resolución de las futuras controversias se encomendaba a árbitros designados por la propia institución.

Con estos antecedentes, la Abogada General, Sra. Verica Trstenjak, en sus Conclusiones, presentadas el 14 de mayo de 2009, se muestra favorable a la interpretación más tuitiva con los derechos de los consumidores. En su propuesta, la Abogada General afirma que si se quiere alcanzar el objetivo de protección de los consumidores perseguido por la Directiva 93/13 ha de reconocerse a los tribunales nacionales la facultad o, más exactamente, el deber de examinar de oficio la concurrencia de cláusulas abusivas también en los procesos de ejecución forzosa. En apoyo de esta conclusión, se arguye que, aunque los árbitros estuvieran facultados u obligados a examinar de oficio cláusulas abusivas, posibilidad que no está expresamente prevista en la legislación española reguladora del arbitraje, «existirían serias dudas de que un tribunal arbitral pudiera ser considerado siempre independiente y neutral, habida cuenta de que, en determinadas circunstancias, el árbitro puede tener interés personal en el mantenimiento de una cláusula arbitral en la que basa su competencia (…) Así sucede, por ejemplo, en un caso como el del procedimiento principal, en el que el convenio arbitral ha sido redactado por la misma entidad encargada del procedimiento arbitral. Por consiguiente, el examen de la nulidad de una cláusula arbitral nula no puede quedar exclusivamente en manos del árbitro. Al contrario, hay que encomendar esta tarea a un juez que ofrezca todas las garantías de independencia judicial propias de un Estado de Derecho». Finalmente, vincula su postura a la protección del orden público y al principio de efectividad del Derecho de la Unión que pueden requerir excepcionalmente quebrar la eficacia de cosa juzgada en algunos casos.

La STJUE de 6 de octubre de 2009, asunto Asturcom (C-40/08) no se muestra tan clara y contundente, sino que introduce algún matiz importante respecto de las Conclusiones de la Abogada General. El Tribunal de Luxemburgo comienza poniendo de manifiesto una diferencia esencial entre el asunto Asturcom y el asunto Mostaza Claro que dio lugar a la Sentencia de 26 de octubre de 2006 (C-168/05), pues en el primero la consumidora ha permanecido absolutamente pasiva y no ha ejercido acción alguna dirigida a la anulación del laudo arbitral, invocando el carácter abusivo de la cláusulas de sumisión a arbitraje, mientras que en el segundo sí se instó el recurso de anulación del laudo.

Por ello, la cuestión nueva que se plantea en Asturcom es si la necesidad de reemplazar el equilibrio formal que el contrato establece entre los derechos y obligaciones de las partes por un equilibrio real obliga al juez que conoce del procedimiento ejecutivo a brindar una protección absoluta al consumidor, aun cuando éste no haya ejercitado acción judicial alguna para hacer valer sus derechos y pese a las normas procesales nacionales de atribución de eficacia de cosa juzgada al laudo firme.

A falta de normativa unificada, el régimen jurídico de la eficacia de cosa juzgada se rige por el ordenamiento nacional de cada Estado miembro en virtud del principio de autonomía procesal. Esto, sin embargo, está sujeto a dos limitaciones: no debe ser menos favorable que la normativa correspondiente a reclamaciones similares de carácter interno (principio de equivalencia) y no debe estar articulado de tal manera que haga imposible en la práctica el ejercicio de los derechos conferidos por el ordenamiento jurídico comunitario (principio de efectividad).

El Tribunal de Luxemburgo estima que la normativa española es respetuosa con el principio de efectividad, pues si el laudo devino firme fue porque la consumidora no promovió dentro del plazo de dos meses la acción para la anulación del laudo. Este plazo se considera razonable y compatible con el Derecho comunitario. Además, el TJUE considera que el principio de efectividad no puede llegar al extremo de exigir al órgano jurisdiccional nacional «suplir íntegramente la absoluta pasividad del consumidor interesado que, como la demandada en el procedimiento principal, ni participó en el procedimiento arbitral ni promovió la anulación del laudo arbitral que, en consecuencia, pasó a ser firme».

Sin embargo, el Tribunal de Luxemburgo centra, en este caso, en el principio de equivalencia la clave para resolver la cuestión prejudicial planteada. Tomando como premisa la equiparación entre la protección que el artículo 6 de la Directiva 93/13 otorga a los consumidores y las normas nacionales de orden público, el Tribunal concluye que «en la medida en que el juez nacional que conozca de una demanda de ejecución forzosa de un laudo arbitral firme deba, con arreglo a las normas procesales internas, apreciar de oficio la contrariedad de una cláusula arbitral con las normas nacionales de orden público, está igualmente obligado a apreciar de oficio el carácter abusivo de dicha cláusula desde el punto de vista del artículo 6 de la citada Directiva, tan pronto como disponga de los elementos de hecho y de derecho necesarios para ello».

Como se puede apreciar, el Tribunal de Luxemburgo no considera que el Derecho de la Unión exija inexorablemente la apreciación de oficio de cláusulas abusivas por el juez encargado de la ejecución del laudo, sino que condiciona esta posibilidad a lo dispuesto en el Derecho nacional sobre el control de oficio de la infracción del orden público por el juez ejecutor. La pelota vuelve a estar, por tanto, en el terreno de la legislación nacional y el problema es que ésta no prevé nada expresamente. De ahí que la doctrina y la jurisprudencia hayan encontrado argumentos en favor y en contra de la ampliación de los poderes de control del juez de la ejecución.

Con posterioridad a la Sentencia Asturcom, se han sucedido las decisiones del TJUE que inciden en la protección del consumidor frente a cláusulas abusivas y se puede plantear si esta consolidada jurisprudencia modifica en algo el control que ha de hacer el juez encargado de la ejecución del laudo. Lo cierto es, sin embargo, que el Tribunal de Luxemburgo ha reiterado la misma postura mantenida en la Sentencia Asturcom en cada ocasión en que se ha suscitado el problema de la apreciación de oficio de cláusulas abusivas en el proceso de ejecución del laudo, haciendo depender la decisión de lo dispuesto en los ordenamientos nacionales en relación con el control de oficio de las vulneraciones del orden público[238].

---

[238]   No ha sido la Sentencia de 6 de octubre de 2009, asunto Asturcom (C-40/08) la única ocasión en la que se han planteado al Tribunal de

2.1.3. El intento frustrado de dar cobertura legal al control de oficio de las cláusulas abusivas por el juez encargado de la ejecución del laudo

El legislador español ha intentado acabar con las dudas en torno al control de oficio de las cláusulas abusivas en sede de ejecución del laudo. Así lo ha hecho en la Ley 42/2015, de 5 de octubre, de reforma de la LEC. Sin embargo, los errores de técnica legislativa y las contradicciones internas de las que adolece esta reforma han impedido poner fin a las discrepancias.

El apartado V del Preámbulo de la Ley 42/2015, tras referirse a la modificación del proceso monitorio para dar cumplimiento a la STJUE de 14 de junio de 2012, asunto Banco Español de Crédito (C-618/10), dispone: «Igualmente, se da cobertura a la sentencia del Tribunal de Justicia de la Unión Europea de 6 de octubre de 2009 y al criterio consolidado en nuestra jurisprudencia al incorporar la posibilidad del control judicial de las cláusulas abusivas en el despacho de ejecución de laudos arbitrales, al igual que ya está previsto para los títulos no judiciales».

Lo primero que se debe resaltar es que la Sentencia Asturcom no exige, como hemos visto, el control de las cláusulas abusivas en sede de ejecución del laudo, sino que lo condiciona a lo dis-

---

Luxemburgo cuestiones relacionadas con la ejecución del laudo y en todas ellas ha confirmado la misma doctrina sentada en la Sentencia Asturcom. Cfr., el Auto de 16 de noviembre de 2010, asunto Pohotovost', (C-76/10), apartados 51, 53 y 54, en el que se vuelve a plantear el control de la abusividad en el proceso de ejecución del laudo; la Sentencia de 27 de febrero de 2014, asunto Pohotovost' (C-470/12), apartado 42, en la que se cuestionó la intervención de una asociación para la defensa de los consumidores en apoyo de un consumidor en un procedimiento de ejecución de un laudo arbitral firme; y la Sentencia de 28 de julio de 2016, asunto Tomášová (C-168/15), apartado 32, en la que se planteó la responsabilidad del Estado por los daños causados como consecuencia de la violación del Derecho de la Unión imputable al órgano jurisdiccional nacional que estimó la demanda de ejecución del laudo.

puesto en el ordenamiento interno sobre el control de las normas nacionales de orden público. En todo caso, a la vista del Preámbulo de la Ley 42/2015 parece que el legislador patrio se ha decantado por la interpretación más favorable al consumidor y, en consecuencia, el juez encargado de la ejecución del laudo deberá controlar, incluso de oficio, el carácter abusivo de las cláusulas contractuales en perjuicio del consumidor.

Sin embargo, esta conclusión, que parece evidente a tenor del Preámbulo, no se ve respaldada por el articulado. La Ley 42/2015 da una nueva redacción al párrafo segundo del artículo 552 de la LEC, que queda redactado de la siguiente forma: «El tribunal examinará de oficio si alguna de las cláusulas incluidas en un título ejecutivo de los citados en el artículo 557.1 puede ser calificada como abusiva. Cuando apreciare que alguna cláusula puede ser calificada como tal dará audiencia por quince días a las partes. Oídas éstas, acordará lo procedente en el plazo de cinco días hábiles conforme a lo previsto en el artículo 561.1.3.ª». El problema es que el artículo 557.1 de la LEC, bajo la rúbrica «oposición a la ejecución fundada en títulos no judiciales ni arbitrales», se refiere, obviamente, a los títulos ejecutivos extrajudiciales previstos en los números 4.º, 5.º, 6.º y 7.º, así como a otros documentos con fuerza ejecutiva a que se refiere el número 9.º del apartado 2 del artículo 517. Quedan, por tanto, excluidos de esta regulación los laudos arbitrales y, en contra de lo anunciado por el legislador en el Preámbulo, la norma reformada no consagra el control de oficio de cláusulas abusivas en el proceso de ejecución del laudo.

Esta, empero, no es la única incongruencia de esta reforma de la LEC. La Disposición transitoria segunda de la Ley 42/2015, referida a los procesos monitorios y ejecución de laudos arbitrales, dispone:

«1. Las modificaciones del artículo 815 y del apartado 1 del 552, último párrafo, serán de aplicación a los procesos monitorios y de ejecución que se inicien tras la entrada en vigor de esta Ley.

2. Los procedimientos monitorios que se encuentren en tramitación a la entrada en vigor de esta Ley serán suspendidos por el secretario judicial cuando la petición inicial se fundamente en un contrato entre un empresario o profesional y un consumidor o

usuario. En este caso, dará inmediatamente cuenta al juez quien, si apreciase que alguna de las cláusulas que constituye el fundamento de la petición o que hubiese determinado la cantidad exigible puede ser calificada como abusiva, dará audiencia por cinco días a las partes y resolverá lo procedente mediante auto dentro de los cinco días siguientes. Si el juez no estimase la existencia de cláusulas abusivas, lo declarará así, procediendo el secretario judicial a alzar la suspensión acordada y a ordenar la continuación del procedimiento.

3. Si se tratare de ejecuciones de laudos arbitrales que se fundamenten en un contrato entre un empresario o profesional y un consumidor o usuario, que no estuvieran archivadas definitivamente, se seguirá el procedimiento descrito en el apartado anterior a fin de apreciar si alguna de sus cláusulas pudiera ser calificada de abusiva».

La Disposición transitoria segunda pretende aclarar a qué procesos monitorios o de ejecución de laudos arbitrales se aplican las novedades introducidas en la Ley 42/2015. Se puede detectar, aquí también, un error: en el número primero afirma que las modificaciones del artículo 552.1 de la LEC se aplicarán a los procesos de ejecución que se inicien tras la entrada en vigor de la ley y debería referirse a los procesos de ejecución de laudos arbitrales. Lo único que sí aparece claro en esta Disposición es que en los procesos de ejecución de laudos arbitrales fundados en un contrato entre un empresario y un consumidor pendientes en el momento de entrada en vigor de la Ley, el juez tendrá que apreciar de oficio la existencia de cláusulas abusivas y, a tal fin, dará audiencia a las partes por cinco días y decidirá lo procedente mediante auto en los cinco días siguientes[239].

Por tanto, los errores de técnica legislativa de esta reforma de la legislación procesal conducen a una conclusión que es, cuanto menos, llamativa o, más claramente, absurda: se prevé el control de

---

[239] No entiendo cómo se puede justificar que el plazo de audiencia a las partes previsto en el artículo 552.1 de la LEC sea de quince días y en la Disposición transitoria segunda ese mismo plazo se reduzca a cinco días respecto de los procesos en tramitación.

oficio de cláusulas abusivas en los procesos de ejecución de laudos arbitrales que estuvieran en tramitación en el momento de entrada en vigor de la Ley 42/2015, pero no en los procesos de ejecución de laudos iniciados con posterioridad a su entrada en vigor.

El origen de las incongruencias detectadas se encuentra en la tramitación parlamentaria de la Ley 42/2015. En el proyecto de ley de reforma de la Ley de Enjuiciamiento Civil, presentado por el gobierno el 27 de febrero de 2015, solo se introducía la apreciación de oficio de cláusulas abusivas en el proceso monitorio. En el último párrafo del apartado IV de la Exposición de Motivos se justificaba esta modificación en el cumplimiento de la STJUE de 14 de junio de 2012, asunto Banco Español de Crédito (C-618/10)[240]. No se ampliaban las potestades de apreciación de oficio del juez en el proceso de ejecución de laudos arbitrales y no se modificaba el artículo 552 de la LEC.

---

[240] En concreto, la Exposición de Motivos decía lo siguiente: «Por último, la ley da cumplimiento a la sentencia del Tribunal de Justicia de la Unión Europea, de 14 de junio de 2012, en el asunto Banco Español de Crédito, C-618/10, donde, tras el examen de la regulación del proceso monitorio en España, en relación con la Directiva 93/13/CEE del Consejo, de 5 de abril de 1993, sobre las cláusulas abusivas en los contratos celebrados con consumidores, declaró que la normativa española no es acorde con el derecho de la Unión Europea en materia de protección de los consumidores, en la medida que «que no permite que el Juez que conoce de una demanda en un proceso monitorio, aun cuando disponga de los elementos de hecho y de Derecho necesarios al efecto, examine de oficio —in limine litis ni en ninguna fase del procedimiento— el carácter abusivo de una cláusula sobre intereses de demora contenida en un contrato celebrado entre un profesional y un consumidor, cuando este último no haya formulado oposición». Por esta razón se introduce en el artículo 815 de la Ley de Enjuiciamiento Civil, en un nuevo apartado 4, un trámite que permitirá al Juez, previamente a que el Secretario judicial acuerde realizar el requerimiento, controlar la eventual existencia de cláusulas abusivas en los contratos en los que se basen los procedimientos monitorios que se dirijan contra consumidores o usuarios y, en su caso, tras la celebración de una vista con citación de ambas partes, resolver lo procedente, como exige la normativa europea».

Sin embargo, el Grupo Parlamentario Popular en el Congreso presentó una enmienda (la número 209) en la que proponía modificar el apartado primero del artículo 552 de la LEC, que quedaría redactado con los siguientes términos: «1. Si el tribunal entendiese que no concurren los presupuestos y requisitos legalmente exigidos para el despacho de la ejecución, dictará auto denegando el despacho de la ejecución. Cuando el tribunal apreciare que alguna de las cláusulas incluidas en un título ejecutivo de los citados en el artículo 557.1 pueda ser calificada como abusiva, dará audiencia por quince días a las partes. Oídas éstas, acordará lo procedente en el plazo de cinco días hábiles conforme a lo previsto en el artículo 561.1.3.ª. El procedimiento descrito en el párrafo anterior se seguirá también cuando, en el despacho de la ejecución de un laudo arbitral que haya adquirido fuerza de cosa juzgada, el Tribunal apreciare que alguna de las cláusulas arbitrales contenidas en el contrato celebrado entre empresarios o profesionales con consumidores o usuarios puede ser abusiva». Se incorpora, por tanto, la apreciación de oficio de cláusulas abusivas en el proceso de ejecución de laudos arbitrales.

En coherencia con ello, se proponía la modificación de la Exposición de Motivos en los términos que pasaron al Preámbulo de la Ley 42/2015[241] y de la Disposición transitoria segunda para incluir la apreciación de oficio de las cláusulas abusivas en los procesos de ejecución de laudos arbitrales en tramitación[242].

Estas enmiendas fueron aprobadas por la Comisión de Justicia del Congreso con competencia legislativa plena y pasaron al Senado. Y es en ese momento de la tramitación parlamentaria cuando se produce el principal error. El Grupo Popular en el Senado pro-

---

[241] La enmienda 224 del Grupo Popular proponía añadir el siguiente párrafo en la Exposición de Motivos: «Igualmente, se da cobertura a la STJUE de 6 de octubre de 2009 y al criterio consolidado en nuestra jurisprudencia al incorporar la posibilidad del control judicial de las cláusulas abusivas en el despacho de ejecución de laudos arbitrales, al igual que ya está previsto para los títulos no judiciales».

[242] Enmienda 230 del Grupo Popular.

pone una enmienda —la número 269— para modificar el artículo 552 de la LEC, suprimiendo el párrafo tercero en el que se hacía referencia al control de cláusulas abusivas en el proceso de ejecución del laudo arbitral[243]. Esta enmienda, que fue aprobada y pasó al texto definitivo, se justifica como una «modificación técnica para aclarar que el juez apreciará de oficio la existencia de cláusulas abusivas». No se modifican, sin embargo, ni la Exposición de Motivos, posterior Preámbulo, ni la Disposición transitoria segunda que sí hacen referencia al control de cláusulas abusivas en el proceso de ejecución de laudos arbitrales.

El resultado final es una reforma plagada de errores e incongruencias que no permite dar una respuesta clara al problema de los poderes directivos del juez en orden a la apreciación de oficio de cláusulas abusivas en el proceso de ejecución de laudos arbitrales[244].

---

[243] La nueva redacción propuesta es la siguiente: «Artículo 552. Denegación del despacho de la ejecución. Recursos.
1. Si el tribunal entendiese que no concurren los presupuestos y requisitos legalmente exigidos para el despacho de la ejecución, dictará auto denegando el despacho de la ejecución.
El tribunal examinará de oficio si alguna de las cláusulas incluidas en un título ejecutivo de los citados en el artículo 557.1 puede ser calificada como abusiva. Cuando apreciare que alguna cláusula puede ser calificada como tal dará audiencia por quince días a las partes. Oídas éstas, acordará lo procedente en el plazo de cinco días hábiles conforme a lo previsto en el artículo 561.1.3.ª.
2. El auto que deniegue el despacho de la ejecución será directamente apelable, sustanciándose la apelación sólo con el acreedor. También podrá el acreedor, a su elección, intentar recurso de reposición previo al de apelación.
3. Una vez firme el auto que deniegue el despacho de la ejecución, el acreedor sólo podrá hacer valer sus derechos en el proceso ordinario correspondiente, si no obsta a éste la cosa juzgada de la sentencia o resolución firme en que se hubiese fundado la demanda de ejecución.»
[244] En este sentido, R. HINOJOSA SEGOVIA, «El arbitraje y los errores legislativos», *El Notario del siglo XXI*, n°. 65, enero/febrero, 2016, (accesible   en   https://www.elnotario.es/index.php/hemeroteca/revista-65/6060-el-arbitraje-y-los-errores-legislativos), afirma que «…no hay ninguna previsión específica en la regulación general de la ejecución

2.1.4. ¿Debe haber un control de oficio de cláusulas abusivas en el proceso de ejecución de laudos arbitrales?

De la Sentencia de 6 de octubre de 2009, asunto Asturcom (C-40/08), no se infiere que el Derecho de la Unión exija al juez que conoce del proceso de ejecución de laudos arbitrales la apreciación de oficio de cláusulas abusivas, sino que remite a lo previsto en el ordenamiento interno de los Estados respecto del control de las normas de orden público.

Debemos centrar, por tanto, la atención en el Derecho nacional, que es donde tenemos que encontrar la respuesta. La jurisprudencia del Tribunal de Luxemburgo ha tenido una clara incidencia en la regulación del proceso de ejecución sobre todo a raíz de la STJUE de 14 de marzo de 2013, asunto Aziz (C-415/11). La Ley 1/2013, de 14 de marzo, de medidas para reforzar la protección de los deudores hipotecarios, reestructuración de deuda y alquiler social, añadió un párrafo al apartado primero del artículo 552 de la LEC para incluir la apreciación de oficio de cláusulas abusivas por el tribunal de la ejecución.

Esta ampliación legal de los poderes del juez ejecutor, ¿puede servir de fundamento para defender el control de oficio de las cláusulas abusivas en el proceso de ejecución del laudo? La res-

---

sobre el posible control de oficio de la existencia de cláusulas abusivas en los supuestos de que el laudo derive de un contrato entre un empresario o profesional y un consumidor o usuario, salvo que se interpretara así lo dispuesto en la disposición transitoria segunda.1 de la Ley 42/2015, que, como se ha visto, lo sería con una deficiente técnica legislativa en cuanto a los procesos de ejecución de laudos o resoluciones arbitrales tras la entrada en vigor de dicha Ley, no así en la disposición transitoria segunda.3, en lo relativo a las ejecuciones de laudos ya iniciadas, a pesar de lo dicho respecto a los plazos».
No obstante, el mencionado autor considera que debe admitirse el control de oficio de cláusulas abusivas en el proceso de ejecución de laudos arbitrales porque, pese a las deficiencias legales, es la voluntad manifestada por el legislador.

puesta a esta cuestión ha de ser negativa porque la modificación legal solo se refiere a los títulos ejecutivos extrajudiciales, pero no se ha extendido a los títulos judiciales o asimilados, entre los que está el laudo arbitral. Ni siquiera ha previsto el legislador la ampliación de los motivos de oposición en la ejecución de títulos judiciales o asimilados para incluir el carácter abusivo de las cláusulas que sean fundamento del título ejecutivo, como sí se ha regulado respecto de los títulos ejecutivos extrajudiciales en el artículo 557.1.7ª de la LEC. Y, como ya se ha constatado, el objetivo de extender el control de oficio de cláusulas abusivas al proceso de ejecución de laudos arbitrales no se alcanzó por los errores de técnica legislativa de la Ley 42/2015. Sí se refleja ese objetivo en el Preámbulo de esa Ley, pero, como es sabido, éste no tiene valor normativo, aunque sí es un elemento a tener en cuenta en la interpretación de las leyes.

A lo anterior se debe añadir que la ley española no contempla expresamente la vulneración del orden público como motivo de denegación del despacho de la ejecución del laudo. Por tanto, el principio de equivalencia, al que se refiere la Sentencia Asturcom, no puede servir de fundamento para sustentar la obligación judicial de apreciar de oficio la existencia de cláusulas abusivas en el proceso de ejecución del laudo arbitral[245].

No existe, en consecuencia, un apoyo legal claro que sirva de base a la ampliación de los poderes de control del juez sobre las cláusulas abusivas en el proceso de ejecución del laudo. Sin embargo, de *lege ferenda* sería conveniente, a mi juicio, admitir esa verificación de oficio, especialmente en los casos en que el empre-

---

[245] En este sentido, J. M. MARTÍN FABA, «El TJUE consolida la obligación del juez de la ejecución del laudo de apreciar de oficio la existencia de cláusulas abusivas: la doctrina es clara y precisa desde el caso Pannon», en *Revista Cesco de Derecho de Consumo*, núm. 19/2016, pp. 231 y 231; y J. C. FERNÁNDEZ ROZAS, «Perfiles de la ejecución forzosa de los laudos arbitrales, a la luz de la reciente doctrina de las Audiencias Provinciales», en *La Ley. Mediación y Arbitraje*, núm. 2, abril-junio, 2020, pp. 125 y 126.

sario o profesional aprovecha su superior posición negociadora y la falta de información del consumidor para imponer cláusulas de sumisión a arbitraje manifiestamente abusivas, bien porque obligan al consumidor a desplazarse fuera de la circunscripción territorial donde se encuentra su domicilio para participar en el procedimiento arbitral o bien porque predeterminan la institución administradora del arbitraje y a los propios árbitros. Esta última práctica, que se refleja en el caso resuelto por la Sentencia Asturcom, constituye un claro quebranto de la imparcialidad e independencia que el artículo 17 de la Ley de Arbitraje considera imprescindible para el desarrollo de la función arbitral.

En esas situaciones patológicas, la exclusión del control de oficio de la abusividad en el proceso de ejecución no podría fundarse en que el árbitro ya habrá tenido la oportunidad de apreciar la cláusula abusiva durante el proceso arbitral. Resulta evidente que los árbitros pueden tener interés en el mantenimiento del convenio arbitral que fundamenta su propia competencia y, en consecuencia, no puede dejarse exclusivamente en manos de los propios árbitros la verificación de la validez de la cláusula de sumisión a arbitraje.

No parece tampoco adecuado, en tales casos, hacer recaer exclusivamente sobre el consumidor la carga de ejercitar la acción de anulación del laudo como único remedio frente a tales cláusulas abusivas. Este planteamiento resulta contrario a la jurisprudencia del TJUE, que considera la apreciación de oficio por el juez el medio idóneo para garantizar la protección del consumidor frente a cláusulas abusivas sin esperar a la denuncia del consumidor[246].

---

[246] A este respecto, A. LAFUENTE TORRALBA, «Los obstáculos para el examen de cláusulas abusivas...», cit., pp. 196 y 197, afirma que: «El grado de diligencia exigible a éste (el consumidor) se reduce si tenemos en cuenta que, a menudo, la propia configuración de estas cláusulas arbitrales dificulta la comparecencia del consumidor y disminuye su margen de reacción: así, es evidente que la designación como lugar

En definitiva, la no vinculación del consumidor a las cláusulas abusivas, proclamada en la Directiva 93/13 y desarrollada por la jurisprudencia del Tribunal de Luxemburgo, solo será realmente efectiva en los casos descritos si el juez nacional puede controlar de oficio la abusividad desde el momento en que entre en contacto con el asunto y tenga los elementos de hecho y de derecho para ello. Esto sucederá, en tales circunstancias, cuando el empresario o profesional insta la ejecución del laudo ante los tribunales[247].

2.2. El control de cláusulas abusivas en el proceso de ejecución derivado de un proceso monitorio

Como se ha puesto de manifiesto con anterioridad, la Ley 42/2015 modificó el artículo 815 de la LEC para añadir la previsión de que si la reclamación se basa en un contrato entre un empresario y un consumidor o usuario, el letrado de la Administración de Justicia, con carácter previo a la emisión del requerimiento de pago, de traslado al juez con el fin de que pueda controlar el posible carácter abusivo de las cláusulas contractuales que sean fundamento de la petición o determinen la cantidad exigible.

La cuestión que ahora se plantea es si resulta admisible el control de la abusividad de esas cláusulas en el posterior proceso de

---

del arbitraje de localidades distintas del domicilio del consumidor hará más gravosa y, por tanto, desincentivará la participación de aquél en el procedimiento arbitral; de modo reflejo, también obstará al ejercicio de la acción de anulación ante el tribunal competente, pues éste viene determinado por el lugar donde el laudo se dictó (art. 8.5 de la Ley de Arbitraje). La actuación del profesional puede agravar este estado de cosas si, antes de pedir la ejecución del laudo, deja transcurrir el plazo para impugnarlo: en el momento de la ejecución y del embargo de bienes, cuando el laudo despliega una fuerza con la que el consumidor probablemente no contaba, éste ya habrá perdido las posibilidades de defensa que el cauce de la impugnación le ofrecía».

[247] En el mismo sentido, A. LAFUENTE TORRALBA, «Los obstáculos para el examen de cláusulas abusivas...», cit, p. 197.

ejecución derivado del monitorio. En principio, la respuesta debe ser negativa. Si el juez no ha apreciado el carácter abusivo de alguna cláusula y el deudor no se ha opuesto, se perfeccionará un título ejecutivo con eficacia similar a una sentencia. De ahí que el artículo 816.2 de la LEC disponga que la ejecución se llevará a cabo conforme a lo previsto para las sentencias judiciales y que ni el solicitante del proceso monitorio ni el deudor ejecutado podrán pretender ulteriormente en proceso ordinario la cantidad reclamada en el monitorio o la devolución de la cantidad obtenida con la ejecución.

La consecuencia de la equiparación a efectos de su ejecución entre el título obtenido en el proceso monitorio y la sentencia es que no se prevé en el proceso de ejecución ni el control de oficio ni la denuncia a instancia de parte del posible carácter abusivo de las cláusulas contractuales que constituyan el fundamento de la reclamación o que determinen la cantidad exigible.

La respuesta al problema suscitado, sin embargo, no resulta tan sencilla como a primera vista podría parecer. La jurisprudencia del Tribunal de Luxemburgo referida al proceso monitorio y a la posterior ejecución obliga a profundizar algo más en la cuestión planteada para ver si la omisión legal es coherente con las exigencias derivadas de la Directiva 93/13 o si es necesario hacer alguna matización.

Como punto de partida, la STJUE de 18 de febrero de 2016, asunto Finanmadrid (C-49/14) resolvió que la Directiva 93/13 se opone a una normativa nacional «que no permite al juez que conoce de la ejecución de un requerimiento de pago apreciar de oficio el carácter abusivo de una cláusula contenida en un contrato celebrado entre un profesional y un consumidor, cuando la autoridad que conoció de la petición de juicio monitorio carece de competencia para realizar tal apreciación». Esta doctrina resultaba plenamente aplicable a la regulación del proceso monitorio anterior a la reforma de la Ley 42/2015, pues el Secretario Judicial (actual letrado de la Administración de Justicia) que conocía del proceso monitorio no tenía competencia para apreciar el eventual carácter abusivo de una cláusula contenida en un contrato entre un empresario y un consumidor[248] y no estaba previsto el control del juez antes del requerimiento de pago. Por tanto, debía admitirse, sin ninguna duda, el control de la abusividad por parte del juez que conocía del posterior proceso de ejecución.

Ahora bien, tras la reforma, el juez llevará a cabo el control de las eventuales cláusulas abusivas en el momento en que el letrado de la Administración de Justicia le dé traslado de las actuaciones antes de emitir el requerimiento de pago. Solo en el caso de que, por cualquier circunstancia, el letrado de la Administración de Justicia hubiera incumplido la obligación de informar al juez dentro del proceso monitorio de que la reclamación se basa en un contrato entre un empresario y un consumidor, entraría en juego la doctrina del asunto Finanmadrid y el control judicial se trasladaría al proceso de ejecución.

En este punto, debe traerse a colación la STJUE de 26 de enero de 2017, asunto Banco Primus (C-421/14), que, aún referida al

---

[248]   Se trata, además, de una competencia que no podría dejarse en manos del letrado de la Administración de Justicia sino de un juez o magistrado. En este sentido, es muy clara la STJUE de 20 de septiembre de 2018, asunto asunto EOS KSI Slovensko (C-448/17), en cuyos apartados 49 y 50 puede leerse:
«A este respecto, debe señalarse que la preservación del efecto útil de la Directiva 93/13 se opone a que una normativa nacional permita que se dicte un requerimiento de pago sin que el consumidor pueda disfrutar, en ningún momento del procedimiento, de la garantía de que un juez realizará un control de la inexistencia de cláusulas abusivas en el contrato de que se trate (véase, en este sentido, la sentencia de 18 de febrero de 2016, Finanmadrid EFC, C-49/14, EU:C:2016:98, apartado 45).
Por consiguiente, el hecho de que la normativa nacional confiera competencia, en materia de expedición de requerimientos de pago, a funcionarios que no tengan la condición de magistrado no menoscaba la preservación de la eficacia de la Directiva 93/13, siempre que el control por un juez de la inexistencia de cláusulas abusivas en el contrato de que se trate se prevea en la fase de la ejecución del requerimiento de pago o en caso de oposición a este».

proceso de ejecución hipotecaria, resulta extensible a otros procesos. Conforme a la doctrina sentada en esta Sentencia «en caso de que existan una o varias cláusulas contractuales cuyo eventual carácter abusivo no ha sido aún examinado en un anterior control judicial del contrato controvertido concluido con la adopción de una resolución con fuerza de cosa juzgada, la Directiva 93/13 debe interpretarse en el sentido de que el juez nacional, ante el cual el consumidor ha formulado, cumpliendo lo exigido por la norma, un incidente de oposición, está obligado a apreciar, a instancia de las partes o de oficio, cuando disponga de los elementos de hecho y de derecho necesarios para ello, el eventual carácter abusivo de esas cláusulas». Con estos términos, se está admitiendo la posibilidad de que haya un nuevo control de oficio por el juez tan pronto como disponga de los elementos fácticos y jurídicos para ello respecto de aquellas cláusulas que no hubieran sido examinadas antes, con independencia de que exista una resolución con fuerza de cosa juzgada dictada en el control previo y referido a otras cláusulas contractuales diferentes.

Dentro de nuestras fronteras, la doctrina de la Sentencia Banco Primus se ha llevado a sus últimas consecuencias en la STC 31/2019, de 28 de febrero, que, en relación con el proceso de ejecución hipotecaria, vino a establecer que solo una resolución expresa sobre cada una de las cláusulas contractuales que pudieran ser abusivas satisface las exigencias del artículo 552 de la LEC y que no hay un momento preclusivo para el control de oficio de cláusulas que no hubieran sido objeto de ese pronunciamiento expreso, que resulta exigible incluso después de la adjudicación del inmueble en la subasta y antes del lanzamiento.

Se plantea, pues, si en el proceso de ejecución derivado de un proceso monitorio se puede o, incluso, se debe admitir un control de oficio o a instancia de parte de las eventuales cláusulas abusivas que no hubieran sido revisadas con anterioridad en el monitorio.

La STC 12/2021, de 25 de enero, extiende la misma doctrina de la STC 31/2019 al ámbito del proceso monitorio. El Tribunal Constitucional estima un recurso de amparo interpuesto frente a un auto de un Juzgado de Primera Instancia que desestimó un incidente de nulidad de actuaciones basado en la falta de control de las cláusulas abusivas de un contrato celebrado entre un empresario y una consumidora. Ni en el momento de admisión de la petición inicial del proceso monitorio ni en el de decidir sobre el despacho de la ejecución se había llevado a cabo un control de oficio de esa cláusulas. El juzgador de instancia se basó en que dicho examen no fue exigible hasta la nueva redacción dada al art. 815 LEC por la Ley 42/2015, de 5 de octubre.

El Tribunal Constitucional reitera la doctrina reflejada en la STJUE, de 26 de enero de 2017, asunto Banco Primus, y en la STC 31/2019, y afirma:

> *«La escueta respuesta del órgano judicial además de frustrar la expectativa revisora de la recurrente, con infracción de las exigencias de motivación derivadas del contenido del derecho a la tutela judicial efectiva (art. 24.1 CE), y de la propia doctrina anteriormente expuesta, se enfrenta con la obligación de control de oficio por el órgano judicial del eventual abuso de las cláusulas, que únicamente se exceptúa en el caso de que el carácter abusivo hubiera sido examinada en un anterior control judicial.*
>
> *En efecto, de la doctrina expuesta resulta que se residencia en el juez nacional la obligación de apreciar el eventual carácter abusivo de una cláusula, incluso tras el dictado de una resolución con fuerza de cosa juzgada, cuando disponga de los elementos de hecho y de derecho necesarios para ello, siempre que la cláusula denunciada no hubiera sido examinada previamente. Sin embargo, el órgano judicial rechaza realizar ese control pese a que no ha existido un anterior control judicial en relación con el eventual carácter abusivo de la cláusula de vencimiento anticipado. La resolución intenta justificar la negativa a realizar el control del abuso en que los preceptos de la legislación procesal no habían sido adaptados a las exigencias derivadas de la Directiva 93/13, con olvido del principio de primacía del Derecho de la Unión Europea».*

Con estos fundamentos, el Tribunal Constitucional concluye:

> *«En conclusión, compartiendo el criterio del Ministerio Fiscal, la resolución impugnada en esta sede constitucional ha lesionado el derecho a la tutela judicial efectiva sin indefensión de la recurrente (art. 24.1 CE), tanto por la falta de motivación material a que se ha*

> *hecho mención, como porque la decisión de no atender la revisión interesada por la recurrente: «(i) infringió el citado principio de primacía del Derecho de la Unión al prescindir por su propia, autónoma y exclusiva decisión, de la interpretación impuesta y señalada por el órgano competente para hacerlo con carácter vinculante; (ii) incurrió, por ello, en una interpretación irrazonable y arbitraria de una norma aplicada al proceso (STC 31/2019, FJ 9)».*

La STC 12/2021 puede servir de fundamento para admitir el control de oficio de cláusulas abusivas en el proceso de ejecución derivado de un proceso monitorio cuando esas cláusulas no hubieran sido objeto de un examen previo en una resolución con fuerza de cosa juzgada y con independencia de que la LEC no prevea ese control en relación con los títulos ejecutivos judiciales. Es cierto que los hechos de los que esta resolución trae causa se remonta a un momento en que no estaba previsto el control de las cláusulas abusivas en el proceso monitorio. Sin embargo, la fundamentación del Tribunal Constitucional no se sustenta en esa falta de previsión legal, sino en el hecho de que el control previo no se hubiera hecho, estuviera o no previsto, y en el principio de primacía del Derecho de la Unión. Resulta, por tanto, extensible a los casos en que sí se prevé ese control en sede de proceso monitorio, pero una o varias cláusulas no han sido objeto del mismo. Esto, Obviamente, exige al juzgador exteriorizar al hacer el control de oficio qué cláusulas han pasado por el filtro de la abusividad, pues solo éstas quedarán excluidas de un nuevo control de oficio al haber sido ya valoradas en una resolución con fuerza de cosa juzgada[249].

El Tribunal de Justicia de la Unión Europea ha confirmado esta misma conclusión en la Sentencia de 17 de mayo de 2022, asuntos SPV Project 1503 Srl y Banco di Desio e della Brianza SpA (C-693/19 y C-831/19). Los hechos de los que esta Sentencia trae

---

[249] Entre la doctrina, J. LÓPEZ SÁNCHEZ, *La regulación del proceso monitorio...*, cit., pp. 367 y ss., se pronuncia a favor de ese control de oficio en el proceso de ejecución de las cláusulas abusivas no examinadas en el proceso monitorio

causa se enmarcan en un proceso monitorio en el que el órgano jurisdiccional italiano competente dictó un requerimiento de pago sin hacer pronunciamiento alguno sobre el carácter abusivo de determinadas cláusulas contractuales. La cuestión fundamental que se somete a la consideración del Tribunal de Luxemburgo es si es compatible con el Derecho de la Unión una normativa nacional que, en virtud de la cosa juzgada implícita, impide al juez encargado de la ejecución del requerimiento de pago el control del carácter abusivo de esas cláusulas.

El Tribunal de Justicia afirma que «habida cuenta de la naturaleza y de la importancia del interés público que subyace a la protección que la Directiva 93/13 confiere a los consumidores, una normativa nacional según la cual se considera que se ha realizado un examen de oficio del carácter abusivo de las cláusulas contractuales y que éste tiene fuerza de cosa juzgada aun en ausencia de cualquier motivación al efecto en una resolución como la expedición de un requerimiento de pago puede vaciar de contenido la obligación que incumbe al juez nacional de proceder a un examen de oficio del carácter eventualmente abusivo de las cláusulas contractuales».

En consecuencia, el máximo intérprete del Derecho de la Unión concluye que «los artículos 6, apartado 1, y 7, apartado 1, de la Directiva 93/13 deben interpretarse en el sentido de que se oponen a una normativa nacional que establece que, cuando un requerimiento de pago expedido por un juez a instancia de un acreedor no haya sido objeto de oposición por parte del deudor, el juez que conoce de la ejecución no puede controlar posteriormente el eventual carácter abusivo de las cláusulas del contrato en las que se fundamenta dicho requerimiento, por el motivo de que la fuerza de cosa juzgada de la que goza dicho requerimiento se extiende implícitamente a la validez de estas cláusulas y excluye cualquier control de la validez de estas».

Parece, pues, que en el ámbito del proceso monitorio, la jurisprudencia europea ha elevado el estándar de protección de los consumidores al exigir que el órgano jurisdiccional exteriorice en una resolución judicial la valoración realizada sobre el posible carácter abusivo de las cláusulas contractuales. Si la resolución exterioriza ese control de las cláusulas abusivas, el consumidor tendrá la carga de oponerse en caso de que no esté conforme con la decisión. Si no lo hace, tendrá que asumir las consecuencias y, por tanto, no hay, desde el punto de vista del Derecho de la Unión europea en su interpretación por la jurisprudencia del Tribunal de Luxemburgo, obstáculo alguno para impedir que se pueda volver a plantear de nuevo la misma cuestión en sede de ejecución. No se produce, en este caso, ningún tipo de indefensión ni puede afirmarse que para el consumidor haya sido imposible o extremadamente difícil hacer valer sus derechos dentro del proceso.

Por el contrario, en ausencia de un pronunciamiento expreso no queda garantizado, en este contexto, que se haya realizado un control eficaz de la abusividad. Y, en esos casos, el juez encargado de la ejecución del requerimiento de pago debe controlar el carácter abusivo de las cláusulas contractuales en perjuicio del consumidor tan pronto como disponga de los elementos de hecho y de derecho para ello.

Bibliografía

ACHÓN BRUÑEN, M. J., «Alegación de cláusulas abusivas extemporáneamente, incluso terminado el procedimiento hipotecario y aun después del lanzamiento: casos en que prospera», en *Diario La Ley*, nº 10031, Sección Tribuna, 17 de Marzo de 2022.

AGUILERA MORALES, M., «¿Quo vadis "jura de cuentas"? ¿Quo vadis Europa? (El estatus y la función de los Secretarios Judiciales a examen por el TJUE», en *Revista General de Derecho Procesal*, núm. 41, 2017.

AGUILERA MORALES, M., «Concurrencia de acciones colectivas e individuales: la solución a un problema de legalidad ordinaria de manos del TJUE», en *Estudios sobre jurisprudencia europea: materiales del I y II Encuentro anual del Centro español del European Law Institute* / coord. por A. RUDA GONZÁLEZ y C. JEREZ DELGADO, ed. Sepin, Madrid, 2018, pp. 473 a 487.

AGUILERA MORALES, M., «El control de oficio de las cláusulas abusivas en sede de recurso: la próxima batalla ante el TJUE», en *Diario La Ley*, Nº 9378, Sección Doctrina, 15 de Marzo de 2019.

ALBA CLADERA, F., «Armonización de la técnica monitoria en Europa. El proceso monitorio europeo como punto de partida», en *Cuadernos de Derecho Transnacional*, octubre/2020, vol. 12/2, pp. 1217 a 1242

ÁLVAREZ CARREÑO, S. M., «El reto del juez nacional como juez europeo», en *20 años de la Ley de lo Contencioso-administrativo: actas del XIV Congreso de la Asociación Española de Profesores de Derecho Administrativo*, Murcia, 8-9 de febrero de 2019, coord. por F. LÓPEZ RAMÓN y J. VALERO TORRIJOS, pp. 247 a 287.

ANTÓN JUÁREZ, I., «El proceso monitorio europeo: ¿Un proceso ágil y económico para la reclamación de créditos no impugnados transfronterizos?», en *Cuadernos de derecho transnacional*, Vol. 14, nº. 2/2022, pp. 92 a 165.

ARIAS RODRÍGUEZ, J. M., «Reflexiones sucintas sobre la cosa juzgada en la jurisprudencia del TJUE», en *Diario La Ley*, nº 10208, Sección Doctrina, 16 de Enero de 2023.

ARMENGOT VILAPLANA, A., «La incidencia de la doctrina del TJUE en los principios que informan el proceso civil», en *Revista General de Derecho Procesal*, nº. 44, 2018, iustel.com.

ARROYO AMAYUELAS, E., «No vinculan al consumidor las cláusulas abusivas: del Derecho civil al procesal y entre la prevención y el castigo», en *La europeización del Derecho privado: cuestiones actuales*, E. ARROYO AMAYUELAS y A. SERRANO DE NICOLÁS (Dirs.), Marcial Pons, Madrid, 2016, pp. 65 a 96.

ARZOZ SANTISTEBAN, X., «La autonomía institucional y procedimental de los Estados miembros de la Unión Europea: mito o realidad», en *Revista de Administraciones Públicas*, mayo-agosto, 2013, pp. 159 a 197.

AYALA MUÑOZ, J. M., «La sujeción de los servicios concertados entre abogados y clientes a la directiva de cláusulas abusivas. Comentario a la STJUE de 15 de enero de 2015», en *Diario La Ley*, núm. 8511, 31 de mayo de 2015.

BANACLOCHE PALAO, J., «Algunas reflexiones sobre el Anteproyecto de reforma parcial de la Ley de Enjuiciamiento Civil en materia de procuradores, juicio verbal y monitorio», en Diario La Ley, n.º 8173, 30 de julio de 2012.

BANACLOCHE PALAO, J., «Cláusulas abusivas y suspensión de la ejecución hipotecaria», en *Diario La Ley*, n° 8312, Sección Doctrina, 16 de Mayo de 2014.

BECH SERRAT, J. M., «Cláusulas suelo y autonomía procesal en la Unión Europea: ¿por qué no hacer una excepción a la cosa juzgada?», *InDret, Revista para el análisis del Derecho*, Enero/2018, (accesible en https://indret.com/clausulas-suelo-y-autonomia-procesal-en-la-union-europea-por-que-no-hacer-una-excepcion-a-la-cosa-juzgada/).

BERNARDO SAN JOSÉ, A., «El despacho de la ejecución y la oposición del ejecutado», en *Proceso de ejecución forzosa. Problemas actuales y soluciones jurisprudenciales*, coord. A. GUTIÉRREZ BERLINCHES, La Ley, Madrid, 2015, pp. 193 a 317.

BERNARDO SAN JOSÉ, A., *Arbitraje y Jurisdicción, incompatibilidades y vías de exclusión*, Comares, Granada, 2003.

BLÁZQUEZ PEINADO, M. D., «El procedimiento de ejecución hipotecaria y su adecuación a la normativa europea en materia de protección de los consumidores por cláusulas abusivas. Jurisprudencia reciente del Tribunal de Justicia», en *Revista General de Derecho Europeo*, n.º 39/2016.

BOBEK, M., «Why there is no Principle of "Procedural Autonomy" of the Member States», en *The European Court of Justice and the Autonomy of the Member States*, Antwerp, Intersentia, 2011, pp. 305 a 324.

BONET NAVARRO, J., «La necesaria reforma de la mal llamada "jura de cuentas"», en *Revista de Derecho UNED*, núm. 21, 2017, pp. 73 a 108.

CACHÓN CADENAS, M. «Oposición a la ejecución y cosa juzgada, con especial referencia a las cláusulas abusivas», en *Proceso y Consumo*, dir. M.

CACHÓN CADENAS y V. PÉREZ DAUDÍ, ed. Atelier, Barcelona, 2022, pp. 241 a 260.

CALAMANDREI, P., *Instituciones de derecho procesal civil según el nuevo Código*, Vol. I (Trad. SENTÍS MELENDO), EJEA, Buenos Aires, 1972.

CALDERÓN CUADRADO, P., «Derechos, proceso y crisis de la justicia. *Prohibido leer a Chiovenda*», Discurso de Ingreso en la Real Academia Valenciana de Jurisprudencia y Legislación, pronunciado el día 18 de diciembre de 2014, en *Publicaciones de la Real Academia Valenciana de Jurisprudencia y Legislación*, 2014, Cuaderno núm. 85 y en la *Revista General de Derecho Procesal*, núm. 37/2015.

CÁMARA LAPUENTE, S., «Un examen crítico de la STJUE de 21 diciembre 2016: nulidad retroactiva sí, falta de transparencia "abusiva" de las cláusulas suelo no», en *Cuadernos de derecho transnacional*, vol. 9, nº 1/2017, pp. 383 a 395.

CARRASCO PERERA, A., «La Ley 1/2013, de 14 de mayo, de reforma hipotecaria y la articulación procesal del control sobre cláusulas abusivas en la ejecución hipotecaria», en *Revista CESCO de Derecho de Consumo*, núm. 6/2013, pp. 58 a 65.

CARRASCO PERERA, A., «Retroactividad de la nulidad, procedimiento extrajudicial de reembolso de intereses por cláusula suelo y el problema de la cosa juzgada», en *Revista CESCO de Derecho de Consumo*, nº 20/2016 (accesible en http://www.revista.uclm.es/index.php/cesco).

CARRERA HERNÁNDEZ, F. J., «Los secretarios judiciales no son órganos jurisdiccionales a los efectos del planteamiento de cuestiones prejudiciales ante el Tribunal de Justicia», en *Revista General de Derecho Europeo*, núm. 42, 2017, pp. 128 a 141.

CEDEÑO HERNÁN, M., «Las especialidades de la ejecución sobre bienes inmuebles hipotecados», en *El proceso de ejecución forzosa. Problemas actuales y soluciones jurisprudenciales, coord. A. GUTIÉRREZ BERLINCHES*, La Ley, Madrid, 2015, pp. 825 a 917

CEDEÑO HERNÁN, M., «La defensa del ejecutado frente a cláusulas abusivas en el proceso de ejecución hipotecaria. Crónica de cómo legislar al compás del Tribunal de Justicia de la Unión Europea», en *Derecho, Justicia, Universidad. Liber amicorum de Andrés de la Oliva Santos*, vol. II, Editorial Universitaria Ramón Areces, Madrid, 2016, pp. 737 a 762.

CEDEÑO HERNÁN, M., *Los procesos de exacción de derechos económicos de procuradores y abogados*, Tirant Lo Blanch, Valencia, 2019.

CHIOVENDA, G., *Instituciones de Derecho Procesal Civil* (traducción de E. Gómez Orbaneja,), ed. Revista de Derecho Privado, Madrid, 1936.

CHOOLANI FARRAY, S., «El principio de no vinculación de cláusulas abusivas conforme a la reciente jurisprudencia del TJUE», en Revista de estudios europeos, n°. 71, 2018 (Ejemplar dedicado a: Congreso internacional de Jóvenes investigadores sobre la Unión Europea), pp. 138 a 148.

CORDÓN MORENO, F., «Derecho comunitario, Tribunal de Justicia de la Unión Europea y tribunales nacionales: algunas cuestiones problemáticas», en *Adaptación del Derecho procesal español a la normativa europea y a su interpretación por los tribunales, I Congreso Internacional de la Asociación de Profesores de Derecho Procesal de las Universidades Españolas*, dir. F. JIMÉNEZ CONDE, Tirant lo Blanch, Valencia, 2018, pp. 137 a 149.

CORDÓN MORENO, F., «La posibilidad de que el juez otorgue de oficio una tutela jurisdiccional no pedida por el consumidor (STJUE de 3 de octubre de 2013)», en www.uclm.es/centro/cesco, fecha de publicación: 29 de octubre de 2013.

CREMADES MORANT, J., *Ley de Enjuiciamiento Civil*, Vol. I, Sepin, Madrid, 2001.

CUBILLO LÓPEZ, I., «Evolución de la doctrina jurisprudencial del TJUE y del TS relativa a las cláusulas de vencimiento anticipado: convergencias y divergencias», en *Revista General de Derecho Procesal*, n°. 51, 2020 (iustel.com).

DAMIÁN MORENO, J., «El valor de las ficciones como garantía del principio de efectividad: consideraciones en torno a la situación creada por la sentencia del TJUE de 17 de mayo de 2022», en *Diario La Ley*, n° 10174, Sección Tribuna, 21 de Noviembre de 2022.

DAMIÁN MORENO, J., *Comentarios a la nueva Ley de Enjuiciamiento Civil*, T.II, Ed. Lex Nova, Valladolid, 2000.

DE LA OLIVA SANTOS, A., *Comentarios a la Ley de Enjuiciamiento Civil* (con I. DÍEZ-PICAZO GIMÉNEZ, J.VEGAS TORRES y J. BANACLOCHE PALAO), Civitas, Madrid, 2011.

DE LA OLIVA SANTOS, A., *Curso de Derecho Procesal Civil I, Parte General* (con I. DÍEZ-PICAZO GIMÉNEZ y J. VEGAS TORRES), Editorial Universitaria Ramón Areces, Madrid, 2019.

DE LA OLIVA SANTOS, A., *Curso de Derecho Procesal Civil II, Parte Especial*, con I. DÍEZ-PICAZO GIMÉNEZ y J. VEGAS TORRES, Editorial Universitaria Ramón Areces, Tercera edición, Madrid, 2016.

DE LA OLIVA SANTOS, A., *El papel del juez en el proceso civil*, Civitas, Navarra, 2012.

DE LUCCHI LÓPEZ-TAPIA y RUIZ-RICO RUIZ, «Aspectos procesales y civiles de la Ley 1/2013, de 14 de mayo, de medidas para reforzar la protección de los deudores hipotecarios», en *Revista General de Derecho Procesal,* núm. 31, 2013.

DÍAZ MORENO, A., «Pagarés cambiarios emitidos en garantía de la devolución de préstamos de consumidores», en *Revista Cesco de Derecho de Consumo,* n°. 12/2014, pp. 158 y 159.

DÍEZ-PICAZO GIMÉNEZ, I., (con A. DE LA OLIVA SANTOS, J. VEGAS TORRES y J. BANACLOCHE PALAO), *Comentarios a la Ley de Enjuiciamiento Civil,* Civitas, Madrid, 2001.

DÍEZ-PICAZO GIMÉNEZ, I., «Jurisdicción y resoluciones de los secretarios judiciales. Breves reflexiones a propósito de la sentencia del Tribunal de Conflictos de Jurisdicción de 28 de septiembre de 2011», en *El derecho procesal español del siglo XX a golpe de tango, Liber Amicorum,* en homenaje y para celebrar su LXX cumpleaños de MONTERO AROCA, J., Tirant lo Blanch, 2012, pp. 309 a 318,

DOMÍNGUEZ RUIZ, L., «Cláusulas abusivas y procedimiento para reclamar los honorarios de los abogados: ¿es posible el control de oficio por el letrado de la Administración de Justicia?», en *Diario La Ley,* núm. 8860, 10 de noviembre de 2016.

DOMÍNGUEZ YAMASAKI, M. I., «La aparente corrección parcial del control de transparencia a propósito de la STJUE de 21 de diciembre de 2016», en *Cuadernos de Derecho Transnacional,* Vol. 9, n° 1, Marzo 2017, pp. 406 a 429.

ESCUÍN IBÁNEZ, I., «Cláusulas abusivas en los contratos de préstamo celebrados con consumidores que prevén la firma de determinado pagaré. Comentario de la sentencia del Tribunal Supremo de 12 de septiembre de 2014 (3892/2014)», en *Comentarios a la sentencias de unificación de doctirna: civil y mercantil,* Dir. M. YZQUIERDO TOLSADA, vol. 6/2016, pp. 223 a 230.

ESTEBAN DE LA ROSA, F., «El control de las cláusulas abusivas en los contratos de consumo en el régimen del proceso monitorio europeo: un comentario a la sentencia del Tribunal de Justicia dictada en el asunto Bondora», en *El derecho internacional privado entre la tradición y la innovación: libro homenaje al profesor doctor José María Espinar Vicente,* E. PÉREZ VERA, J. C. FERNÁNDEZ ROZAS, M. GUZMÁN ZAPATER, A. FERNÁNDEZ PÉREZ Y M. GUZMÁN PECES (editores), Iprolex, Madrid, 2020, pp. 247 a 267.

ETXEBERRÍA GURIDI, J. F., *Las facultades judiciales en materia probatoria en la LEC,* Tirant lo Blanch, Valencia, 2003.

FERNÁNDEZ ROZAS, J. C., «Perfiles de la ejecución forzosa de los laudos arbitrales, a la luz de la reciente doctrina de las Audiencias Provinciales», en *La Ley. Mediación y Arbitraje*, núm. 2, abril-junio, 2020, pp. 125 y 126.

FERNÁNDEZ SEIJO, J. M., «Hacia un Derecho Procesal de consumo (Comentario a las recientes Sentencias del Tribunal de Justicia de la Unión Europea en materia de consumidores)», *Actualidad Civil*, nº 7/2022.

FERRERES COMELLA, V., «Las posibilidades de revisar sentencias judiciales firmes por infracción del Derecho de la Unión Europea», en *Actualidad Jurídica Uría/Menéndez*, 25/2010, pp. 75 a 80.

FIDALGO GALLARDO, C., «El proceso de desplazamiento de la autoridad normativa en los ordenamientos europeos, desde los legislativos nacionales a las instituciones de la Unión Europea. El TJUE como estrella emergente en el firmamento de la Unión», en *Revista General de Derecho Procesal*, n°. 40, 2016, iustel.com.

FRANCO ARIAS, J., «La ejecución del laudo y particularmente la ejecución provisional, según la Ley de Arbitraje de 2003», en *Justicia Alternativa*, núm. 5/2003, pp. 175 a 199.

GASCÓN INCHAUSTI, F., *Derecho europeo y legislación procesal civil nacional: entre autonomía y armonización*, Marcial Pons, Madrid, 2018.

GASCÓN INCHAUSTI, F., «¿Exige el Derecho de la Unión Europea la revisión de las sentencias firmes dictadas al amparo de la doctrina jurisprudencial en materia de cláusulas suelo establecida con anterioridad a la sentencia del Tribunal de Justicia de 21 de diciembre de 2016? (A propósito del Auto del Tribunal Supremo de 4 de abril de 2017)», en *La Ley Mercantil* nº 35, abril 2017, nº 35, 1 de abril de 2017.

GÓMEZ AGUILERA. A. M., «El control judicial de la existencia de cláusulas abusivas en el proceso de ejecución del contrato de préstamos hipotecarios concertados con consumidores. Análisis del estado actual de la cuestión», en *Revista de Derecho bancario y bursátil*, nº 161, 2021, pp. 181 a 204.

GÓMEZ AMIGO, L., «Control de cláusulas abusivas y garantías procesales en los procesos con técnica monitoria, a la luz de la jurisprudencia reciente», en *Revista General de Derecho Procesal*, n°. 49, 2019.

GONZÁLEZ GARCÍA, J., *El procedimiento hipotecario. Las ejecuciones de condenas no pecuniarias*, ed. La Ley, Madrid, 2019.

GONZÁLEZ GARCÍA, S., «El control de oficio, un ataque frontal al principio dispositivo del proceso civil: ¿Hacia un proceso especial de consumidores?», en *Diario La Ley*, nº 9100, Sección Doctrina, 15 de Diciembre de 2017.

HERRERO PEREZAGUA, J. F., «Extensión, límites y efectos de las resoluciones civiles según la interpretación jurisprudencial europea», en *Adapta-*

ción del derecho procesal español a la normativa europea y a su interpretación por los tribunales. I Congreso Internacional de la Asociación de Profesores de Derecho Procesal de las Universidades Españolas, Tirant lo Blanch, Valencia, 2018, pp. 209 a 239.

HINOJOSA SEGOVIA, R., «El arbitraje y los errores legislativos», *El Notario del siglo XXI*, n°. 65, enero/febrero, 2016, (accesible en https://www.elnotario.es/index.php/hemeroteca/revista-65/6060-el-arbitraje-y-los-errores-legislativos).

JIMENO BULNES, M., «El diálogo entre tribunales europeo y nacional: su incidencia en derecho procesal español», en *Adaptación del Derecho procesal español a la normativa europea y a su interpretación por los tribunales, I Congreso Internacional de la Asociación de Profesores de Derecho Procesal de las Universidades Españolas*, dir. F. JIMÉNEZ CONDE, Tirant lo Blanch, Valencia, 2018, pp. 101 a 135.

JIMENO BULNES, M., *Un proceso europeo para el siglo XXI*, Publicaciones Universidad de Burgos, 2018.

LAFUENTE TORRALBA, A., «El control judicial de las cláusulas abusivas en la ejecución hipotecaria: luces y sombras de su regulación legal», en *Vivienda y crisis económica, estudio jurídico de las medidas propuestas para solucionar los problemas de vivienda provocados por la crisis económica*, coord. por M. T. ALONSO PÉREZ, Aranzadi, 2014, pp. 219 a 255.

LAFUENTE TORRALBA, A., «La posibilidad de soslayar la cosa juzgada de Sentencias nacionales que, con base en una resolución posterior del TJUE, resulten contrarias al Derecho de la Unión: reflexiones a la luz de la STJUE de 6 de octubre de 2015, asunto C-69/14 *Târsia*», en *Estudios sobre jurisprudencia europea*, Materiales del III Encuentro anual del Centro español del *European Law Institute*, Vol. I, Derecho Civil y Derecho procesal civil, dir. RUDA GONZÁLEZ, A. y JEREZ DELGADO, C., Sepin, Madrid, 2020, p. 491 a 506.

LAFUENTE TORRALBA, A., «Los obstáculos para el examen de cláusulas abusivas en el proceso de ejecución: puntos ciegos y zonas de desprotección en el régimen vigente», en *Revista de Derecho Civil* (http://nreg.es/ojs/index.php/RDC), vol. II, núm. 2 (abril-junio, 2015), Ensayos, pp. 181-205

LÓPEZ ESCUDERO, M., «Desafíos y límites a la primacía del Derecho de la UE: jurisprudencia reciente del TJUE y de los tribunales constitucionales nacionales», en *Revista General de Derecho Europeo*, n° 58, octubre/2022, pp. 65 a 71.

LÓPEZ JARA, M., «De nuevo sobre la naturaleza de las resoluciones del letrado de la Administración de Justicia. A propósito de las conclusiones de la

Abogada General en el asunto C-503/15 ante el Tribunal de Justicia de la Unión Europea», en *Diario La Ley*, núm. 8886, 21 de diciembre de 2016.

LÓPEZ SÁNCHEZ, J., *La regulación del proceso monitorio y su aplicación por los tribunales*, ed. La ley, Madrid, 2019.

LÓPEZ SÁNCHEZ, J., «Las relaciones entre las acciones colectivas e individualesel precedente sentado por la sentencia del TJUE de 14 de abril de 2016», en *Estudios sobre jurisprudencia europea: materiales del I y II Encuentro anual del Centro español del European Law Institute* / coord. por A. RUDA GONZÁLEZ y C. JEREZ DELGADO, ed. Sepin, Madrid, 2018, pp. 607 a 626.

LÓPEZ SIMÓ, F., *Disposiciones generales sobre la prueba*, Ed. La Ley, Madrid, 2001.

LORCA NAVARRETE, A. M., *Tratado de Derecho de Arbitraje*, Instituto Vasco de Derecho Procesal, 2001.

MANGAS MARTÍN, A. y LIÑÁN NOGUERAS, D. J., *Instituciones y Derecho de la Unión Europea*, ed. Tecnos, Madrid, 2020.

MARCOS GONZÁLEZ, M., *La apreciación de oficio de la nulidad contractual y de las cláusulas abusivas*, ed. Civitas/Thomson Reuters, Navarra, 2011.

MARTÍN FABA, J. M., «El TJUE consolida la obligación del juez de la ejecución del laudo de apreciar de oficio la existencia de cláusulas abusivas: la doctrina es clara y precisa desde el caso Pannon», en *Revista Cesco de Derecho de Consumo*, núm. 19/2016, pp. 217 a 232.

MARTÍN FUSTER, J. M., «El factor de pertinencia en la apreciación de oficio de la nulidad de cláusulas abusivas», en *Actualidad Civil*, n° 6, Sección Protección de los consumidores, n°. 6/2020.

MARTÍN FUSTER, J. M., «La protección del consumidor en la jurisprudencia del Tribunal Constitucional: la apreciación de oficio de la nulidad y la flexibilización de los principios procesales», en *Actualidad civil*, n°. 10/2021.

MARTÍN FUSTER, J. M.,, «La apreciación de oficio de las consecuencias de la Nulidad. Comentario a la Cuestión prejudicial presentada por el TS en el Auto de 27 de noviembre de 2019», en *Revista General de Derecho Procesal*, n°. 53, 2021.

MARTÍN REBOLLO, L., «Sobre el papel del juez nacional en la aplicación del derecho europeo y su control», en *Revista de administración pública*, n° 200, 2016 (Ejemplar dedicado a: El Derecho administrativo a los 30 años de nuestro ingreso en la Unión Europea), pp. 173 a 192.

MARTÍNEZ SANTOS, A., «Cuando Luxemburgo carga contra molinos de viento: algunas cautelas a la hora de recibir la jurisprudencia del Tribunal de Justicia de la Unión Europea en materia procesal civil», en *Revi-*

sión del sistema de Fuentes y su repercusión en el Derecho procesal, Dykinson, Madrid, 2021, pp. 291 y ss.

MARTÍNEZ SANTOS, A., «Protección efectiva del consumidor, acceso a la justicia y control judicial de las cláusulas abusivas en el juicio cambiario», en *Revista Española de Derecho Europeo*, núm. 71/2019, pp. 103 a 124.

MARTÍNEZ SANTOS, A., «Tutela cautelar frente a posibles cláusulas abusivas: el Auto del TJUE de 26 de octubre de 2016, en los asuntos acumulados C-568 a C-570/14, Fernández Oliva», en *Estudios sobre Jurisprudencia Europea: materiales del III Encuentro anual del Centro español del European Law Institute* / A. Ruda González y C. Jerez Delgado (dir.), Vol. 1, ed. Sepin, Madrid, 2020 pp. 585 a 595.

Max Planck Institute Luxembourg for Procedural Law, «Protección procesal de los consumidores», *An evaluation study of national procedural laws and practices in terms of their impact on the free circulation of judges and on the equivalence and effectiveness of the procedural protection of consumers under EU consumer law*, JUST/2014/RCON/PR/CIVI/0082, junio, 2017.

MICKLITZ, H. W. Y DE WITTE, B. (editores), *The European Court of Justice and the Autonomy of the Member States*, Intersentia Publishing Ltd., Cambridge, 2012.

MONTERO AROCA, J., *Ejecución de la hipoteca inmobiliaria*, Tirant lo Blanch, Valencia, 2012.

MONTERO AROCA, J., «Comentario al Título VIII. De la ejecución forzosa del laudo», en *Comentario breve a la Ley de Arbitraje*, MONTERO AROCA (Dir.), Civitas, 1990.

MONTERO AROCA, J., *Los principios políticos de la nueva Ley de Enjuiciamiento Civil. Los poderes del juez y la oralidad*, ed. Tirant lo Blanch, Valencia, 2001.

MOREIRO GONZÁLEZ, C. J., «El juez nacional de medidas cautelares y la tutela del órden público y del interés público de la Unión Europea», en *Revista de Derecho Comunitario Europeo*, n° 54/2016, pp. 473 a 516.

MOYA HURTADO DE MENDOZA, F., «Efectividad del Derecho de la Unión Europea vs. principio constitucional de imperio de la Ley», en *Revista de Derecho Político*, n° 99, 2017, pp. 399 a 431.

MUÑOZ SABATÉ, LL., Fundamentos de la prueba civil. LEC 1/2000, Bosch, 2001.

ORMAZABAL SÁNCHEZ, G. y MÉNDEZ TOMÁS, R.M., «Los poderes probatorios del juez civil en materia de consumo a la luz de la jurisprudencia del TJUE», en *La Ley Probática*, n°. 5, 2021.

ORMAZABAL SÁNCHEZ. G., «El incremento de los poderes probatorios del Juez en la jurisprudencia europea y su repercusión el ordenamiento procesal español», en *Logros y retos de la justicia civil en España* / coord. por G. SCHUMANN BARRAGÁN; F. JIMÉNEZ CONDE, J. BANACLO-CHE PALAO y F. GASCÓN INCHAUSTI (dir.), Tirant lo Blanc, Valencia, 2023, pp. 157 a 166.

ORMAZABAL SÁNCHEZ, G., «Cuando Luxemburgo declaró la guerra al principio dispositivo: el deber judicial de reconocer al consumidor el derecho a la reducción del precio que no pidió en la demanda», en *La Ley. Unión Europea*, núm. 11/2014, pp. 39 a 45.

ORMAZABAL SÁNCHEZ, G., *La ejecución de los laudos arbitrales*, Bosch, Barcelona, 1996.

PÉREZ CEBADERA, M. A., «La exigente congruencia de la demanda y el principio de efectividad», en *Tribuna, Revista de Jurisprudencia*, nº 2, abril/2014, accesible en https://repositori.uji.es/xmlui/bitstream/handle/10234/130850/63268.pdf?sequence

PÉREZ DAUDÍ, V., *La protección procesal del consumidor y el orden público comunitario*, Atelier, Barcelona, 2018.

PÉREZ DAUDÍ, V., «El orden público comunitario y las facultades del juez», en *Hacia una tutela efectiva de consumidores y usuarios* / M. I. ROMERO PRADAS (dir.), Tirant lo Blanch, Valencia, 2022, pp. 187 a 206.

PERTIÑEZ VILCHEZ, F., «Falta de transparencia y carácter abusivo de la cláusula suelo en los contratos de préstamo hipotecario», en *InDret*, núm. 3/2013.

PICÓ I JUNOY, J., «El abuso del arbitraje por parte de ciertas instituciones arbitrales», en *La Ley, Revista Jurídica Española de doctrina, jurisprudencia y bibliografía*, núm. 2/2005, pp. 1427 a 1441.

PICÓ I JUNOY, J., *«La iniciativa probatoria del juez civil y sus límites»*, en *Poder Judicial*, 1998, nº 51, pp.269 a 302.

PINA BARRAJÓN, M. N., «Guía de estudio para comprender la evolución de la jurisprudencia y la legislación respecto de las cláusulas abusivas de los contratos de préstamo hipotecario», en *Diario La Ley*, nº 9701, Sección Doctrina, 22 de Septiembre de 2020.

PIVA, P., *Il principio di effettività della tutela giurisprudenziale del diritto dell'Unione europea*, ed. Jovene, Nápoles, 2012.

QUESADA LÓPEZ, P. M., *El principio de efectividad del Derecho de la Unión Europea y su impacto en el Derecho procesal nacional*, Iustel, Madrid, 2019.

RIVAS VELASCO, M. J., «Cosa juzgada y control de oficio en consumo», en *Diario La Ley*, nº 9621, Sección Tribuna, 27 de Abril de 2020.

RUIZ MORENO, J. M., «La intromisión de la jurisdicción ordinaria en el arbitraje de consumo», en *Revista Internacional de Estudios de Derecho Procesal y Arbitraje*, núm. 1, 2015, pp. 1 a 27.

RUIZ MORENO, J. M., «El control *ex officio iudicis* de la validez del laudo de consumo en el proceso de ejecución: una práctica errónea de las Audiencias Provinciales que ahora confirma la sentencia Asturcom telecomunicaciones del TJUE», en *Diario La Ley*, núm. 7578, 28 de febrero de 2011.

SÁNCHEZ ÁLVAREZ, E., «El final reconocimiento de la toma gubernativa del Derecho Procesal. Comentario a la Sentencia del Tribunal de Conflictos de Jurisdicción de 28 de septiembre de 2011», en *Diario La Ley*, núm. 7928, 21 de septiembre de 2012.

SÁNCHEZ ÁLVAREZ, E., «No es viable la revisión de sentencias firmes en materia de cláusula suelo: comentario al Auto del Tribunal Supremo de 4 de abril de 2017», *Diario La Ley*, N° 9012, Sección Doctrina, 3 de Julio de 2017, p. 1 a 16.

SÁNCHEZ GARCÍ, J. M., «El principio de efectividad en la jurisprudencia del TJUE en materia de consumidores y su repercusión sobre los efectos de la cosa juzgada regulada en la LEC», en *Revista Jurídica de Catalunya*, n° 1/2017, pp. 13 a 30.

SÁNCHEZ LÓPEZ, B., «Recorrido por las sucesivas reformas del procedimiento monitorio y el reto del control de oficio de las cláusulas abusivas en contratos de consumo», en *Derecho, Justicia, Universidad, Liber amicorum Andrés de la Oliva Santos II*, Editorial Universitaria Ramón Areces, Madrid, 2016, pp. 2813 a 2840.

SANCHO GARGALLO, I., «Control judicial de oficio de las cláusulas abusivas en contratos celebrados con consumidores», en *Annals de l'Acadèmia de Jurisprudència i Legislació de Catalunya*, n° 5, 2012-2014, pp. 379 a 390.

SANDE MAYO, M. J., «La flexibilización del principio dispositivo y la reforma del proceso monitorio y ejecutivo», en *Práctica de tribunales: revista de derecho procesal civil y mercantil*, n°. 129/2017, p. 8.

SANTALÓ GORIS, C., «Bondora: another brick in te proceduralization of the consumers`substantive rights», en *Cuadernos de Derecho Transnacional*, Octubre/2020, Vol. 12, n° 2, pp. 1187 a 1198.

SARRIÓN ESTEVE, J., «Apuntes sobre la autoridad de la *res iudicata* en la jurisprudencia del Tribunal de Justicia de la Unión Europea», en *Cuadernos Europeos de Deusto*, N° 65/2021, Bilbao, pp. 139 y ss.

SENÉS MOTILLA, C., «Cláusulas abusivas y ejecución hipotecaria», en *Práctica de Tribunales*, n°. 20, mayo/junio, 2016, pp. 1 a 23.

SENÉS MOTILLA, C., «Tratamiento de las cláusulas abusivas en el juicio cambiario», en *Revista General de Derecho Procesal*, n°42/2017, (en www. iustel.com).

SEOANE SPIEGELBERG, J. L., *La prueba en la Ley de Enjuiciamiento Civil 1/2000. Disposiciones Generales y Presunciones*, Aranzadi Editorial, Navarra, 2002.

SERRANO MASIP, M., «Efectos de la jurisprudencia del Tribunal de Justicia de la Unión Europea sobre el proceso civil interno», en *Revista de Estudios Europeos*, n°, 68, Julio/diciembre, 2016, p. 5 a 32.

SERRANO MASIP, M., «La intervención del tribunal ante la insuficiencia de la prueba propuesta por las partes», en *La ley, Revista jurídica española de doctrina, jurisprudencia y bibliografía*, n° 1, 2004, pp. 1867 a 1875.

TAPIA FERNÁNDEZ, I., «La ¿ejecución? hipotecaria extrajudicial. Un problema no resuelto», en *Revista General de Derecho Procesal*, n°. 46, septiembre/2018.

TAPIA FERNÁNDEZ, I., «La apreciación de oficio de la nulidad de las cláusulas abusivas», en *Boletín de la Real Academia de Jurisprudencia y Legislación de las Illes Balears*, n°. 17, 2016, pp. 119 a133.

TAPIA HERMIDA, A. J., «Efectividad de la tutela judicial de los consumidores frente a las cláusulas abusivas de los contratos bancarios. Sentencias del Tribunal de Justicia 17 de mayo de 2022, asuntos C-600/19: Ibercaja Banco, C-869/19: Unicaja *banco* y otros asuntos acumulados (LA LEY 71506/2022)», en La Ley Unión Europea, n° 105, Julio/ 2022.

VALLINES GARCÍA, E., «La reforma necesaria del proceso monitorio en España: ¿hacia una generalización del proceso monitorio europeo», en *Estándares europeos y proceso civil, hacia un proceso civil convergente con Europa*, dir. F. GASCÓN INCHAUSTI y P. PEITEADO MARISCAL, ed. Atelier, Barcelona, 2022, pp. 601 a 648.

VALLINES GARCÍA, E., «Preclusión, cosa juzgada y seguridad jurídica: a vueltas con el artículo 400 de la Ley de Enjuiciamiento Civil», en *Derecho, Justicia, Universidad. Liber amicorum de Andrés de la Oliva Santos*, Centro de Estudios Ramón Areces, Madrid, 2016, pp. 3171 a 3195.

VALLINES GARCÍA, E., «Tuk Tuk Travel (C-83/22): rebuilding procedural autonomy or simply defending personal freedom», en *EU Law Live*, (https://eulawlive.com/op-ed-tuk-tuk-travel-c-83-22-rebuilding-procedural-autonomy-or-simply-defending-personal-freedom-by-enrique-vallines/).

VALPUESTA GASTAMINZA, E., «Comentario de la Sentencia del Tribunal Supremo de 11 de septiembre de 2014 (3864/14). Pagaré cambiario:

exigencia formal de la promesa pura y simple de pago», en *Comentarios a la sentencias de unificación de doctirna: civil y mercantil*, Dir. M. YZQUIERDO TOLSADA, vol. 6/2016, pp. 741 a 751.

VÁZQUEZ IRUZUBIETA, C., *Comentarios a la nueva ley de enjuiciamiento civil. Doctrina y jurisprudencia de la ley 1/2000, de 7 de enero*, Dijusa, Madrid, 2000.

VÁZQUEZ SOTELO, J. L., «Las diligencias finales», en *Instituciones del nuevo proceso civil. Comentarios sistemáticos a la ley 1/2000*, Vol. II, Dijusa, Barcelona, 2000.

VERDÚN PÉREZ, F., «La sentencia del TJUE de 29 de octubre de 2015 en el asunto BBVA: análisis de sus eventuales consecuencias». *Revista CESCO De Derecho De Consumo*, 19/2016, pp.75 a 111.